文学批评卷

新青年
LA JEUNESSE

张宝明 主编 张 剑 副主编

5

新文化元典丛书

河南文艺出版社

图书在版编目(CIP)数据

新青年. 文学批评卷/张宝明主编. —郑州：河南文艺出版社，2016.5（2025.1 重印）
（新文化元典丛书）
ISBN 978-7-5559-0343-7

Ⅰ.①新… Ⅱ.①张… Ⅲ.①期刊-汇编-中国-民国 Ⅳ.①Z62

中国版本图书馆 CIP 数据核字（2015）第 286576 号

总 策 划	王国钦
策 划	李 辉
责任编辑	李 辉
美术编辑	吴 月
责任校对	赵红宙
装帧设计	张 胜

出版发行	河南文艺出版社
本社地址	郑州市郑东新区祥盛街 27 号 C 座 5 楼
承印单位	河南省四合印务有限公司
经销单位	新华书店
纸张规格	640 毫米×960 毫米　1/16
印　　张	21
字　　数	235 000
版　　次	2016 年 5 月第 1 版
印　　次	2025 年 1 月第 5 次印刷
定　　价	38.00 元

版权所有　盗版必究
图书如有印装错误，请寄回印厂调换。
印厂地址　焦作市武陟县詹店镇詹店新区西部工业区凯雪路中段
邮政编码　454950　　电话　0391-8373957

出版说明

一、为纪念《新青年》(原名《青年杂志》)创刊100周年,本社特别策划出版"新文化元典丛书"。

二、本丛书由著名学者张宝明主编并提供稿本,由本社分"平装普及"与"精装典藏"两个版本先后出版。"普及版"以大众阅读为目标,分为"政治卷""思潮卷""哲学卷""文学创作卷""文学批评卷""文字卷""翻译卷""青年妇女卷""文化教育卷""随感卷"10卷;"典藏版"以学者研究为指归,延续了本社1998年版《回眸〈新青年〉》的版本形式,分为"哲学思想卷""社会思潮卷""语言文学卷"3卷。

三、本丛书在编辑过程中,对文章内容(包括当时特殊的语言、语法使用,习惯性虚词、数字、异体字用法,对外文中人名、地名的个性化翻译等)及作者署名均以其原貌呈现。为方便今天读者阅读,本次出版对原文中的繁体字进行了简体转换,对可以确定的技术性错讹进行了订正,对个别的标点符号用法进行了相对规范。对错讹较多的英语、俄语等外文,特邀有关专家进行了认真校订。

四、"随感卷"内容选自《新青年》原版各卷中的"随感录"。因原文发表时大部分并无标题,本次专卷出版的标题为主编所加。

五、本丛书的策划出版,也是我们对2019年"五四"运动100周年的一次提前纪念。

河南文艺出版社
2016年5月

回眸:唯以深情凝望……(代序)

张宝明

1492年10月11日,克里斯托弗·哥伦布看见海上漂来一根芦苇,欢呼雀跃地宣布了被称为"救世主"之新大陆的发现。

1915年9月,《青年杂志》创刊。这就是那个日后易名为《新青年》的月刊,她从此成为一代又一代青年人心目中拨云见日的精神新大陆。

饶有情趣的是,无论是彼岸还是此岸的"新大陆",其发现过程都需要有敢于冒险的勇气、勇于担当的气魄、胸怀天下的责任。500年前,哥伦布想方设法说服了西班牙女王得以扬帆;100年前,陈独秀费尽口舌让出版商动心,在那出版业凋敝、萧条的时代,主编那"让我办十年杂志,全国思想全改观"的信誓旦旦背后多少有些心酸。

一个世纪过去了,重温百年历史记忆,翻阅那一页页泛黄的纸张时,我无法用编选或剪辑来保存这样一个精神存照。

作为20世纪一轮最为壮丽的精神日出,《新青年》以其鲜活的时代性入世,演绎了一台精彩纷呈的思想史专场。她已经在百年的风雨沧桑中固化为一尊灵魂的雕像、一座精神的丰碑。形而下的标本馆可以被肢解、分离,甚至拆卸为齿轮和螺丝钉,可谁若是声称复制出形而上的灵魂标本馆,我们不免顿生疑窦。因为灵魂的雕像和精神的丰碑只能内化于每一个人的心底,存贮于每一个人的心灵。

回望百年,再也没有这样的思想演绎更值得我们咀嚼了。仿佛,她就是我那无法用肉眼观看的神经末梢。岁月陶铸了文化的沧桑,年龄剪断了思想的记忆。"剪不断,理还乱。"因此,面对沧桑的文化记忆,面对凌乱的思想线团,我们无法用具象化的"编选"或"剪辑"称谓,更无法用当年文化先驱的启蒙来"普及"当下的启蒙。这里的思想静悄悄,这里的灵魂无眠,这里精神永远……我们最好的纪念就是无言面对,默默注目,深深凝望……

《新青年》,已经不是当代青年心目中的"新大陆";回眸《新青年》,无非是想通过那一代知识先驱心中流淌的文字为 20 世纪中国做一个有血有肉的注脚。发黄的纸张、右行竖迤的文字以及远离的先驱成为朦朦胧胧的追问,我们在回眸中分明看到了自己。我们在解读自己,也在解剖自己,更是在反省着自己。有时,我们又不能不拷问何以如此失去自己。这不是多愁善感,而是因为风雨沧桑的生命之旅招惹了我们的思绪:《新青年》不是一个尘封的历史遗存,而是一个活生生的对象,一段可以触摸的历史,更是一曲跌宕的纸上声音:说你,说他,说我……

风流,不会像诗中说的那样总被雨打风吹去。昔日的倜傥,同样可以因我们的自觉而获得立体的再现。多年之后,长征之后落定延安的毛泽东对埃德加·斯诺吐露心声说:在 1916 年,我和几个朋友成立了新民学会……许多团体大半都是在陈独秀主编的《新青年》的影响下组织起来的。而我在师范学校读书时,就开始阅读这本杂志了,并且十分崇拜陈独秀和胡适所做的文章。他们成了我的模范,代替了我已经厌弃的康有为和梁启超。青年时代的毛泽东,有很长一段时间都在翻阅、谈论、"思考《新青年》所提出的问题"。1918年2月,读到《新青年》的周恩来在日记中奋笔疾书:晨起读《新青年》,晚归复读之。于其中所持排孔、独身、文学革命诸主义极端赞成。恽代英从武昌写来肺腑之言,盛赞《新青年》的思想价值:我们素来的生活,是在混沌的里面。自从看了《新青年》,渐渐地醒悟过来,真是像在黑暗的地方见了曙光一样。我们对于做《新青年》的诸位先生,实在是表不尽的感激。当时在陆军第二预备学校读书的叶挺也热情洋溢地表达过对《新青年》的仰慕和膜拜:空谷足音,遥聆若渴。明灯黑室,觉岸延丰。最后并以急不可待的心情期盼着"思想界的明星"(毛泽东语)。陈独秀指点迷津:吾辈青年,坐沉沉黑狱中,一纸天良,不绝于缕,亟待足下明灯指迷者,当大有人在也。

热血的政治青年对此刊有一种天然的偏爱,在校读书的文学青年对此更是欢喜。北大学生杨振声曾这样回忆说:像春雷初动一般,《新青年》杂志惊醒了整个时代的青年。冰心也这样评论《新青年》:"五四"运动前后,新思潮空前高涨,新出的报纸杂志像雨后春笋一样,目不暇接。我们都贪婪地争着买,争着借,彼此传阅。其中我最喜欢的是《新青年》里鲁迅先生写的小说,像《狂人日记》等篇,尖锐地抨击吃人的礼教,揭露着旧社会的黑暗和悲惨,读了让人同情而震动。凡此种种,举不胜举。

热血青年如是说,引导"新青年"的当事人更是引以为豪。胡适就曾在20世纪30年代为重印《新青年》激动不已,并挥毫题词:《新青年》是中国文学史和思想史上划分一个时代的刊物。最近二十年中的文学运动和思想改革,差不多都是从这个刊物出发的。胡适为重印《新青年》的广而告之及定位,与其在1923年写给"新青年派"高一涵、陶孟等同人的信中表述一脉相承:二十五年来,只有三个杂志可代表三个时代,可以说创造了三个新时代:一是《时务报》,一是《新民丛报》,一是《新青年》。《民报》与《甲寅》还算不上。题中之意还在于:《新青年》创造了一个崭新时代,永远不会被遗忘和尘封。鲁迅作为"新青年派"的中坚,也曾在为《中国新文学大系》所作的序言中鼓与呼:凡是关心现代中国文学的人,谁都知道《新青年》是提倡"文学改良",后来更进一步号召"文学革命"的发难者。从学术"象牙塔"走向办杂志、发议论的公共空间,从学问家到舆论家,"新青年派"知识群体经历了一个艰难的选择里程。这里,我们不难从鲁迅心灰意冷的"钞古碑"到满怀激情地"听将令"之转变窥见同人们的"一斑":但是《新青年》的编辑者,却一回一回的来催。催几回,我就做一篇。这里我必得纪念陈独秀先生,他是催我做小说最着力的一个。

....

我们知道,在世界文明史上,18世纪的法国因其启蒙运动的舆论力量留下盛名,并产生了一批以伏尔泰为精神领袖的舆论之王。当作为社会良知化身的知识分子以公共面目出现时,就获得了舆论家的声誉。胡适这位现身说法的当事人这样用英文将其正名为"Journalist"或者"Publicist",而且对"意中舆论家"有这样的诉求:有"笔力"、懂国内外"时势"、具"远识",其中"公心"和"毅力"最不可或缺——这是胡适1915年1月尚在美国留学时日记中记下的夙愿。回国任职北京大学后,学问家的身份反被舆论家的名声所掩盖,他走了一条"一发不可收"的不归路。从此,思想史上的胡适而不是学术上的胡适,成为声名鹊起的一代思想骄子。

《新青年》创刊于上海,兴隆于北京,终结于广州。在这一平台上汇聚起来的"新青年派"同人,学术凹陷,思想凸显;学问淡出,舆论立言。"五四"新文化运动的天空中,最耀眼的是那一抹以"民主""科学"为主调的绚丽彩虹。舆论的彰显与张扬,拉动着中国现代性加速转型。1905年科举的终结,让传统士人走向边缘,而舆论家的身份意识和担当情怀重新将他们推向时代的浪尖和话语的中心。这里,"新青年派"同人不再是书斋里"钻牛角"、翻故纸的学术把玩者,而是一批"执牛耳"、观天下的社会现实参与者。行走于风雨故园中的时代先驱们,可以不是理性、冷静的审慎思考者,却是理想在前、激情在身的担当者。一百年后回眸《新青年》,我们可以为他们的急不择言、话不留余的语言暴力保持一份反思的态度,但毋庸置疑的是,他们留下的文本却为我们读懂20世纪以及当下的中国提供了弥足珍贵的思想路径。从这里,走进历史现场;在这里,读懂近世中国。的确,在享受这一新文化运动元典阅读快感之际,无论如何都无法阻止我们的心跳。

这里,不但有"妙手"写下的"文章",更有"道义"担当的"铁肩"。《新青年》寻求真理、坚持真理的使命感与历中同在,历历在目;新文化运动敢于担当、勇于担当的责任感与日月同辉,常读常新。听其言——陈独秀在文学革命的战车上立下过"愿拖四十二生的大炮为之前驱"的誓言,还有那振聋发聩之守护"民主""科学"的承诺:西洋人因为拥护德、赛两先生,闹了多少事,流了多少血,德、赛两先生才渐渐从黑暗中把他们救出,引到光明世界。我们现在认定:只有这两位先生,可以救治中国政治上、道德上、学术上、思想上一切的黑暗。若因为拥护这两位先生,一切政府的压迫、社会的攻击笑骂，就是断头流血，都不推辞。信誓旦旦，掷地有声。观其行——1919年6月8日，陈独秀为声援和欢迎"五四"运动中被捕出狱的学生撰写的《研究室与监狱》就是一篇激情四溢、气势磅礴的短平快舆论：世界文明发源地有二：一是科学研究室，一是监狱。我们青年要立志出了研究室就入监狱，出了监狱就入研究室，这才是人生最高尚优美的生活。从这两处发生的文明，才是真正的文明，才是有生命有价值的文明。陈独秀雄于言、力于事的个性和品格，在舆论抛出三天之后"知行合一"。被胡适誉为"一个有主张的'不羁之才'"的陈独秀，在经过三个月的监禁后，成为中国共产党的创始人。

无独有偶，作为《新青年》主力的舆论家胡适向来以性格稳健、思想"健全"著称。即使如此，他在"新青年派"同人营造的公共空间里丝毫不减锐气，文风堪称犀利直接、所向披靡。如同我们看到的那样，当《民国日报》记者邵力子以北洋政府下令"取缔新思想"之舆情发难胡适，并"三十六计，走为上计"揣测其生病住院时，当事人严正地在《努力周报》上发布公告：我是不跑的，生平不知趋附时髦；生平也不知躲避危险。封报馆，坐监狱，在负责任的舆论家的眼里，算不得危险。然而，"跑"尤其是"跑"到租界里去唱高调：那是耻辱！那是我决不干的！这就是"新青年"那一代知识先驱的共同心声和承诺。知其言，观其行。新文化运动的舆论家就是这样直面着人生、关注着社会、履行着诺言、担当着责任。胡适很早就认识到"舆论家之重要"并"以舆论家自任"。应该说，无论是陈独秀还是胡适，尽管在北京大学地位显赫，但真正"暴得大名"并在中国政治史、思想史、文化史上留下重要的影响，依靠的不是作为学问家的"学术"志业，而是以不安本分的"舆论家"起家。在《新青年》周围,一个知识群体为国家、民族的现代性演进而不遗余力地万丈激情挥洒自如。不甘于自处出世、超然的边缘,而要走向中心,有所担当的"家国""天下"情怀体现得淋漓尽致。

百年回眸,在演出那场思想史专场的新文化思想舞台上,海归们给沉寂的中国注入了前所未有的生机。陈独秀、胡适、周作人、鲁迅、李大钊、钱玄同、刘半农、高一涵、沈尹默……"新青年派"同人扬鞭策马、奋笔疾书。本来,学术是他们的安身立命之本,学问家应该是他们原汁原味的角色担当。但是,归国后面对中国的现实,让他们有一种坐不住、不安分的冲动,携带着西方文明的种子,他们很快从一身长衫的学问家华丽转身为西装革履的舆论家,成为指点江山、激扬文字的中心人物……

百年回眸,新文化元典已经走过了一个世纪。在"知识分子到哪里去了""知识分子还能感动中国吗""人文学还有存在的必要吗"之追问不绝于耳的今天,重读《新青年》是那样的情真意切。只要启蒙还没有"普及",只要"五四"先驱设计的目标还没有抵达,只要"中国梦"还在路上,我们就不能不读《新青年》!百年回眸,那是一个渐行渐远的大时代。我们只有以这样的方式默行注目礼……

百年回眸,《新青年》同人打造的"金字招牌"历历在目。当我们手捧10卷本"普及版"的时候,其实我们是在"提高"着对自我与这个时代的认知。本来,"普及"和"提高"就是一个问题的两个方面,无法化约,采用这样的划分完全是为了阅读的需要。我们深知,其中的每一卷都是一个个精神的制高点、诗意心灵的停泊站:"政治卷""思潮卷""哲学卷""文字卷""文学创作卷""翻译卷""文学批评卷""随感卷"的单打以及"青年妇女卷""文化教育卷"

的组合,都能够给读者带来无限的遐想。一杯茶,或一杯咖啡,在原汁原味的隽永文字中咀嚼、品味、思考,唯有这样的互动才能使我们徜徉于心旷神怡的天地。或浓烈,或淡雅,或遥远,或温馨,思想的滋味本来如此……

目录

文学革命之八事 …………………… 胡　适　陈独秀　1
文学改良刍议 ……………………………………… 胡　适　5
文学革命论 ………………………………………… 陈独秀　16
我之文学改良观 …………………………………… 刘半农　20
历史的文学观念论 ………………………………… 胡　适　35
读胡适先生《文学改良刍议》 …………………… 余元濬　39
诗与小说精神上之革新 …………………………… 刘半农　43
改良文学之第一步 ………………………………… 易　明　53
文学革新申义 …………………… 北京大学文科学生　傅斯年　56
论小说及白话韵文 ………………………… 胡　适　钱玄同　68
新文学与今韵问题 ………………………………… 钱玄同　74
尝试集序 …………………………………………… 钱玄同　80
旅京杂记 …………………………………………… 胡　适　87
文学革命之反响 …………………………………… 王敬轩　93
建设的文学革命论 ………………………………… 胡　适　113
论短篇小说 ………………………………………… 胡　适　129
读武者小路君所作《一个青年的梦》 …………… 周作人　142
论文学改革的进行程序 …………………… 盛兆熊　胡　适　147

新文学及中国旧戏 ……………………………………		
…………… 张厚载 胡适 钱玄同 刘半农 陈独秀		153
新文学问题之讨论 …… 朱经农 胡适 任鸿隽 钱玄同		161
文学进化观念与戏剧改良 ……………………… 胡 适		176
戏剧改良各面观 ……………………………… 傅斯年		189
附录一：予之戏剧改良观 …………………… 欧阳予倩		207
附录二：我的中国旧戏观 …………………… 张厚载		210
再论戏剧改良 ………………………………… 傅斯年		217
人的文学 ……………………………………… 周作人		229
近代文学上戏剧之位置 ……………………… 知 非		238
我为什么要做白话诗？ ……………………… 胡 适		250
儿童的文学 …………………………………… 周作人		267
做诗的一点经验 ……………………………… 俞平伯		276
文学上的俄国与中国 ………………………… 周作人		279
文学研究会宣言 ………………………………………		287
文章的美质 …………………………………… 陈望道		290
十九世纪及其后的匈牙利文学 ……………… 沈雁冰		295
十九世纪及其后的匈牙利文学（续前号）…… 沈雁冰		305
中国古代文学上的社会心理 ………………… 朱希祖		319

文学革命之八事＊

胡　适　陈独秀

独秀先生足下：

二月三日，曾有一书奉寄，附所译《决斗》一稿，想已达览。久未见《青年》，不知尚继续出版否？今日偶翻阅旧寄之贵报，重读足下所论文学变迁之说，颇有鄙见，欲就大雅质正之。

足下之言曰："吾国文艺犹在古典主义、理想主义时代，今后当趋向写实主义。"此言是也，然贵报三号登谢无量君长律一首，附有记者按语，推为"希世之音"。又曰："子云、相如而后，仅见斯篇，虽工部亦只有此工力，无此佳丽……吾国人伟大精神，犹未丧失也欤，于此征之。"细检谢君此诗，至少凡用古典套语一百事（中略）。稍读元、白、柳、刘（禹锡）之长律者，皆将谓贵报案语之为厚诬工部而过誉谢君也。适所以不能已于言者，正以足下论文学已知古典主义之当废。而独啧啧称誉此古典主义之诗，窃谓足下难免自相矛盾之消矣。适尝谓：凡人用典或用陈套语者，大抵皆因自己无才力，不能自铸新辞，故用古典套语转一湾子，含糊过去，其避难趋易最可鄙薄。在古大家集中，其最可传之作，皆其最不用典者也。老杜《北征》何等工力！然全篇不用一典（其"不闻殷衰，中自诛褒妲"二语乃比拟非用典也），其《石壕》《羌村》诸诗亦然。韩退之诗亦不用典,白香山《琵琶行》全篇不用一典,《长恨歌》更长矣,仅用"倾国""小玉""双成"三典而已。律诗之佳者,亦不用典,堂皇莫如"云移雉尾开宫扇,日映龙鳞识圣颜";宛转莫如"岂谓尽烦回纥马,翻然远救朔方兵";纤丽莫如"梦为远别啼难唤,书被催成墨未浓";悲壮莫如"永夜角声悲自语,中天月色好谁看"。然其好处,岂在用典哉(又如老杜《闻官军收河南河北》一首更可玩味)!总之,以用典见长之诗,决无可传之价值。虽工亦不值钱,况其不工但求押韵者乎?

尝谓今日文学之腐败极矣,其下焉者,能押韵而已矣。稍进,如南社诸人,夸而无实,滥而不精,浮夸淫琐,几无足称者(南社中间亦有佳作,此所讥评就其大概言之耳)。更进,如樊樊山、陈伯严、郑苏庵之流,视南社为高矣。然其诗皆规摹古人,以能神似某人某人为至高目的。极其所至,亦不过为文学界添几件赝鼎耳,文学云乎哉。

综观文学堕落之因,盖可以"文胜质"一语包之。文胜质者,有形式而无精神,貌似而神亏之谓也。欲救此文胜质之弊,当注重言中之意,文中之质,躯壳内之精神。古人曰:"言之不文,行之不远。"应之曰,若言之无物,又何用文为乎?

年来思虑观察所得,以为今日欲言文学革命,须从八事入手,八事者何?

一曰不用典。

二曰不用陈套语。

三曰不讲对仗(文当废骈,诗当废律)。

四曰不避俗字俗语(不嫌以白话作诗词)。

五曰须讲求文法之结构。

此皆形式上之革命也。

六曰不作无病之呻吟。

七曰不摹仿古人语,语须有个我在。

八曰须言之有物。

此皆精神上之革命也。

此八事略具要领而已,其详细节目,非一书所能尽,当俟诸他日再为足下详言之。

以上所言,或有过激之处。然心所谓是,不敢不言。倘蒙揭之贵报,或可供当世人士之讨论。此一问题关系甚大,当有直言不讳之讨论,始可定是非。适以足下洞晓世界文学之趋势,又有文学改革之宏愿,故敢贡其一得之愚。伏乞恕其狂妄而赐以论断,则幸甚矣。匆匆不尽欲言。即祝撰安。

胡　适白

拜诵惠书,敬悉一一。以提倡写实主义之杂志,而录古典主义之诗,一经足下指斥,曷胜惭感。惟今之文艺界,写实作品,以仆寡闻,实未尝获觏。本志文艺栏,罕录国人自作之诗文。即职此故,不得已偶录一二诗,乃以其为写景叙情之作,非同无病而呻。其所以盛称谢诗者,谓其继迹古人,非谓其专美来者。若以西洋文学眼光,批评工部及元、白、柳、刘诸人之作,即不必吹毛求疵。其拙劣不通之处,又焉能免?望足下平心察之,实非仆厚诬古人也。承示文学革命八事,除五、八二项,其余六事,仆无不合十赞叹,以为今日中国文界之雷音。倘能详其理由,指陈得失,衍为一文,以告当世,其业尤盛。第五项所谓文法之结构者,不知足下所谓文法,将何所指?仆意中国文字,非合音无语尾变化,强律以西洋之Grammar，未免画蛇添足。（日本国语，乃合音，惟只动词、形容词，有语尾变化。其他种词，亦强袭西洋文法，颇称附会无实用，况中国文乎？）若谓为章法语势之结构，汉文亦自有之，此当属诸修辞学，非普通文法。且文学之文与应用之文不同，上未可律以论理学，下未可律以普通文法，其必不可忽视者，修辞学耳。质之足下，以为如何？尊示第八项"须言之有物"一语，仆不甚解。或者足下非古典主义，而不非理想主义乎？鄙意欲救国文浮夸、空泛之弊，只第六项"不作无病之呻吟"一语足矣。若专求"言之有物"，其流弊将毋同于"文以载道"之说。以文学为手段、为器械，必附他物以生存。窃以为文学之作品，与应用文字作用不同。其美感与伎俩，所谓文学、美术自身独立存在之价值，是否可以轻轻抹杀，岂无研究之余地？况乎自然派文学，义在如实描写社会，不许别有寄托，自堕理障，盖写实主义之与理想主义不同也。以此以上二事，尚望足下有以教之。海内外讲求改革中国文学诸君子，倘能发为宏议，以资公同讨论，敢不洗耳静听！若来书所谓加以论断，以仆不学无文，何敢何敢！

独　秀　谨复

（原载《新青年》第二卷第二号，一九一六年十月一日）

* 本文原为通信，标题为编选者所拟。

文学改良刍议

胡 适

　　今之谈文学改良者众矣。记者末学不文，何足以言此？然年来颇于此事再四研思，辅以友朋辩论，其结果所得，颇不无讨论之价值。因综括所怀见解，列为八事，分别言之，以与当世之留意文学改良者一研究之。
　　吾以为今日而言文学改良，须从八事入手。八事者何？
　　一曰，须言之有物。
　　二曰，不摹仿古人。
　　三曰，须讲求文法。
　　四曰，不作无病之呻吟。
　　五曰，务去烂调套语。
　　六曰，不用典。
　　七曰，不讲对仗。
　　八曰，不避俗字俗语。
　　一曰须言之有物　吾国近世文学之大病，在于言之无物。今人徒知"言之无文，行之不远"，而不知言之无物，又何用文为乎？吾所谓"物"，非古人所谓"文以载道"之说也。吾所谓"物"，约有二事：

（一）情感。《诗序》曰，"情动于中而形诸言。言之不足，故嗟叹之。嗟叹之不足，故永歌之。永歌之不足，不知手之舞之，足之蹈之也。"此吾所谓情感也。情感者，文学之灵魂。文学而无情感，如人之无魂，木偶而已，行尸走肉而已（今人所谓"美感"者，亦情感之一也）。

（二）思想。吾所谓"思想"，盖兼见地、识力、理想三者而言之。思想不必皆赖文学而传，而文学以有思想而益贵；思想亦以有文学的价值而益贵也。此庄周之文，渊明老杜之诗，稼轩之词，施耐庵之小说，所以夐绝千古也。思想之在文学，犹脑筋之在人身。人不能思想，则虽面目姣好，虽能笑啼感觉，亦何足取哉？文学亦犹是耳。

文学无此二物，便如无灵魂无脑筋之美人，虽有秾丽富厚之外观，抑亦末矣。近世文人沾沾于声调字句之间，既无高远之思想，又无真挚之情感，文学之衰微，此其大因已。此文胜之害，所谓言之无物者是也。欲救此弊，宜以质救之。质者，何？情与思二者而已。

二曰不摹仿古人　文学者，随时代而变迁者也。一时代有一时代之文学：周秦有周秦之文学，汉魏有汉魏之文学，唐宋元明有唐宋元明之文学。此非吾一人之私言，乃文明进化之公理也。即以文论，有《尚书》之文，有先秦诸子之文，有司马迁班固之文，有韩柳欧苏之文，有语录之文，有施耐庵曹雪芹之文：此文之进化也。试更以韵文言之：《击壤》之歌，《五子》之歌，一时期也；《三百篇》之诗，一时期也；屈原荀卿之骚赋，又一时期也；苏李以下，至于魏晋，又一时期也；江左之诗流为排比，至唐而律诗大成，此又一时期也；老杜香山之"写实"体诸诗（如杜之《石壕吏》《羌村》，白之《新乐府》），又一时期也；诗至唐而极盛，自此以后，词曲代兴，唐五代及宋初之小令，此词之一时代也；苏柳（永）辛姜之词，又一时代也；至于元之杂剧传奇，则又一时代矣。凡此诸时代，各因时势风会而变，各有其特长。吾辈以历史进化之眼光观之，决不可谓古人之文学皆胜于今人也。左氏史公之文奇矣，然施耐庵之《水浒传》视《左传》《史记》何多让焉？《三都》《两京》之赋富矣，然以视唐诗宋词则糟粕耳。此可见文学因时进化，不能自止。唐人不当作商周之诗，宋人不当作相如、子云之赋。即令作之，亦必不工。逆天背时，违进化之迹，故不能工也。

既明文学进化之理，然后可言吾所谓"不摹仿古人"之说。今日之中国，当造今日之文学，不必摹仿唐宋，亦不必摹仿周秦也。前见"国会开幕词"，有云："于铄国会，遵晦时休。"此在今日而欲为三代以上之文之一证也。更观今之"文学大家"，文则下规姚曾，上师韩欧；更上则取法秦汉魏晋，以为六朝以下无文学可言，此皆百步与五十步之别而已，而皆为文学下乘。即令神似古人，亦不过为博物院中添几许"逼真赝鼎"而已，文学云乎哉？昨见陈伯严先生一诗云：

"涛园钞杜句，半岁秃千毫。所得都成泪，相过问奏刀。万灵噤不下，此老仰弥高。胸腹回滋味，徐看薄命骚。"

此大足代表今日"第一流诗人"摹仿古人之心理也。其病根所在，在于以"半岁秃千毫"之工夫作古人的钞胥奴婢，故有"此老仰弥高"之叹。若能洒脱此种奴性，不作古人的诗，而唯作我自己的诗，则决不致如此失败矣！

吾每谓今日之文学，其足与世界"第一流"文学比较而无愧色者，独有白话小说（我佛山人，南亭亭长，洪都百炼生，三人而已）一项。此无他故,以此种小说皆不事摹仿古人(三人皆得力于《儒林外史》《水浒》《石头记》。然非摹仿之作也),而唯实写今日社会之情状,故能成真正文学。其他学这个,学那个之诗古文家,皆无文学之价值也。今之有志文学者,宜知所从事矣。

三曰须讲文法　今之作文作诗者,每不讲求文法之结构。其例至繁,不便举之,尤以作骈文律诗者为尤甚。夫不讲文法,是谓"不通"。此理至明,无待详论。

四曰不作无病之呻吟　此殊未易言也。今之少年往往作悲观,其取别号则曰"寒灰""无生""死灰"。其作为诗文,则对落日而思暮年,对秋风而思零落,春来则惟恐其速去,花发又惟惧其早谢;此亡国之哀音也。老年人为之犹不可,况少年乎?其流弊所至,遂养成一种暮气,不思奋发有为,服劳报国,但知发牢骚之音,感喟之文;作者将以促其寿年,读者将亦短其志气;此吾所谓无病之呻吟也。国之多患,吾岂不知之?然病国危时,岂痛哭流涕所能收效乎?吾惟愿今之文学家作费舒特(Fichte),作玛志尼(Mazzini),而不愿其为贾生,王粲,屈原,谢皋羽也。其不能为贾生,王粲,屈原,谢皋羽,而徒为妇人醇酒丧气失意之诗文者,尤卑卑不足道矣!

五曰务去烂调套语　今之学者,胸中记得几个文学的套语,便称诗人。其所为诗文处处是陈言烂调,"蹉跎""身世""寥落""飘零""虫沙""寒窗""斜阳""芳草""春闺""愁魂""归梦""鹃啼""孤影""雁字""玉楼""锦字""残更"……之类,累累不绝,最可憎厌。其流弊所至,遂令国中生出许多似是而非,貌似而实非之诗文。今试举一例以证之:

"荧荧夜灯如豆,映幢幢孤影,凌乱无据。翡翠衾寒,鸳鸯瓦冷,禁得秋宵几度?幺弦漫语,早丁字帘前,繁霜飞舞。裊裊余音,片时犹绕柱。"

此词骤观之,觉字字句句皆词也,其实仅一大堆陈套语耳。"翡翠衾""鸳鸯瓦",用之白香山《长恨歌》则可,以其所言乃帝王之衾之瓦也。"丁字帘""幺弦"皆套语也。此词在美国所作,其夜灯决不"荧荧如豆",其居室尤无"柱"可绕也。至于"繁霜飞舞",则更不成话矣。谁曾见繁霜之"飞舞"耶?

吾所谓务去烂调套语者,别无他法,惟在人人以其耳目所亲见、亲闻、所亲身阅历之事物,一一自己铸词以形容描写之;但求其不失真,但求能达其状物写意之目的,即是工夫。其用烂调套语者,皆懒惰不肯自己铸词状物者也。

六曰不用典　吾所主张八事之中,惟此一条最受友朋攻击,盖以此条最易误会也。吾友江亢虎君来书曰:

"所谓典者,亦有广狭二义。饾饤獭祭,古人早悬为厉禁;若并成语故事而屏之,则非惟文字之品格全失,即文字之作用亦亡……文字最妙之意味,在用字简而涵义多。此断非用典不为功。不用典不特不可作诗,并不可写信,且不可演说。来函满纸'旧雨''虚怀''治头治脚''舍本逐末''洪水猛兽''发聋振聩''负弩先驱''心悦诚服''词坛''退避三舍''无病呻吟''滔天''利器''铁证'……皆典也。试尽抉而去之,代以俚语俚字,将成何说话?其用字之繁简,犹其细焉。恐一易他词,虽加倍蓰而涵义仍终不能如是恰到好处,奈何?……"

此论极中肯要。今依江君之言,分典为广狭二义,分论之如下:

(一)广义之典非吾所谓典也。广义之典约有五种:

（甲）古人所设譬喻，其取譬之事物，含有普通意义，不以时代而失其效用者，今人亦可用之。如古人言"以子之矛，攻子之盾"。今人虽不读书者，亦知用"自相矛盾"之喻，然不可谓为用典也。上文所举例中之"治头治脚""洪水猛兽""发聋振聩"……皆此类也。盖设譬取喻，贵能切当；若能切当，固无古今之别也。若"负弩先驱""退避三舍"之类，在今日已非通行之事物，在文人相与之间，或可用之，然终以不用为上。如言"退避"千里亦可，百里亦可，不必定用"三舍"之典也。

（乙）成语。成语者，合字成辞，别为意义。其习见之句，通行已久，不妨用之。然今日若能另铸"成语"，亦无不可也。"利器""虚怀""舍本逐末"……皆属此类。此非"典"也，乃日用之字耳。

（丙）引史事。引史事与今所论议之事相比较，不可谓为用典也。如老杜诗云"不闻殷衰，中自诛褒妲"，此非用典也。近人诗云，"所以曹孟德，犹以汉相终"，此亦非用典也。

（丁）引古人作比。此亦非用典也。杜诗云，"清新庾开府，俊逸鲍参军"，此乃以古人比今人，非用典也。又云，"伯仲之间见伊吕，指挥若定失萧曹"，此亦非用典也。

（戊）引古人之语。此亦非用典也。吾尝有句云："我闻古人言，艰难惟一死。"又云："尝试成功自古无，放翁此语未必是。"此乃引语，非用典也。

以上五种为广义之典，其实非吾所谓典也。若此者可用可不用。

（二）狭义之典，吾所主张不用者也。吾所谓"用典"者，谓文人词客不能自己铸词造句，以写眼前之景，胸中之意，故借用或不全切，或全不切之故事陈言以代之，以图含混过去，是谓"用典"。上所述广义之典，除戊条外，皆为取譬比方之辞。但以彼喻此，而非以彼代此也。狭义之用典，则全为以典代言，自己不能直言之，故用典以言之耳。此吾所谓用典与非用典之别也。狭义之典亦有工拙之别，其工者偶一用之，未为不可，其拙者则当痛绝之已。

（子）用典之工者。此江君所谓用字简而涵义多者也。客中无书不能多举其例，但杂举一二，以实吾言：

（1）东坡所藏"仇池石"，王晋卿以诗借观，意在于夺。东坡不敢不借，先以诗寄之，有句云，"欲留嗟赵弱，宁许负秦曲。传观慎勿许，间道归应速。"此用蔺相如返璧之典，何其工切也！

（2）东坡又有"章质夫送酒六壶，书至而酒不达"。诗云，"岂意青州六从事，化为乌有一先生。"此虽工已近于纤巧矣。

（3）吾十年前尝有读《十字军英雄记》一诗云："岂有鸩人羊叔子？焉知微服赵主父？十字军真儿戏耳，独此两人可千古。"以两典包尽全书，当时颇沾沾自喜，其实此种诗，尽可不作也。

（4）江亢虎代华侨讳陈英士文有"未悬太白，先坏长城。世无钼霓，乃戕赵卿"四句，余极喜之。所用赵宣子一典，甚工切也。

（5）王国维咏史诗，有"虎狼在堂室，徒戎复何补？神州遂陆沉，百年委榛莽。寄语桓元子，莫罪王夷甫。"此亦可谓使事之工者矣。

上述诸例，皆以典代言。其妙处，终在不失设譬比方之原意。惟为文体所限，故譬喻变而为称代耳。用典之弊，在于使人失其所欲譬喻之原意。若反客为主，使读者迷于使事用典之繁，而转忘其所为设譬之事物，则为拙矣。古人虽作百韵长诗，其所用典不出一二事而已（《北征》与白香山《悟真寺》诗皆不用一典），今人作长律则非典不能下笔矣。尝见一诗八十四韵，而用典至百余事，宜其不能工也。

（丑）用典之拙者。用典之拙者，大抵皆衰惰之人，不知造词，故以此为躲懒藏拙之计。惟其不能造词，故亦不能用典也。总计拙典亦有数类：

（1）比例泛而不切，可作几种解释，无确定之根据。今取王渔洋《秋柳》一章证之：

"娟娟凉露欲为霜，万缕千条拂玉塘。浦里青荷中妇镜，江干黄竹女儿箱。空怜板渚隋堤水，不见琅琊大道王。若过洛阳风景地，含情重问永丰坊。"

此诗中所用诸典无不可作几样说法者。

（2）僻典使人不解。夫文学所以达意抒情也，若必求人人能读五车之书，然后能通其文，则此种文可不作矣。

（3）刻削古典成语，不合文法。"指兄弟以孔怀，称在位以曾是。"（章太炎语），是其例也。今人言"为人作嫁"亦不通。

（4）用典而失其原意。如某君写山高与天接之状，而曰"西接杞天倾"是也。

（5）古事之实有所指，不可移用者，今往乱用作普通事实。如古人灞桥折柳，以送行者，本是一种特别土风。阳关渭城亦皆实有所指。今之懒人不能状别离之情，于是虽身在滇越，亦言灞桥；虽不解阳关渭城为何物，亦皆言"阳关三叠""渭城离歌"。又如张翰因秋风起而思故乡之莼羹鲈脍，今则虽非吴人，不知莼鲈为何味者，亦皆自称有"莼鲈之思"。此则不仅懒不可救，直是自欺欺人耳！

凡此种种，皆文人之下下工夫，一受其毒，便不可救。此吾所以有"不用典"之说也。

七曰不讲对仗　排偶乃人类言语之一种特性,故虽古代文字,如老子孔子之文,亦间有骈句。如"道可道,非常道;名可名,非常名。无名天地之始,有名万物之母。故常无,欲以观其妙;常有,欲以观其徼。"此三排句也。"食无求饱,居无求安""贫而无谄,富而无骄""尔爱其羊,我爱其礼"。此皆排句也。然此皆近于语言之自然,而无牵强刻削之迹;尤未有定其字之多寡,声之平仄,词之虚实者也。至于后世文学末流,言之无物,乃以文胜。文胜之极,而骈文律诗兴焉,而长律兴焉。骈文律诗之中非无佳作,然佳作终鲜。所以然者何?岂不以其束缚人之自由过甚之故耶?(长律之中,上下古今,无一首佳作可言也。)今日而言文学改良,当"先立乎其大者",不当枉废有用之精力于微细纤巧之末:此吾所以有废骈废律之说也。即不能废此两者,亦但当视为文学末技而已,非讲求之急务也。

今人犹有鄙夷白话小说为文学小道者,不知施耐庵、曹雪芹、吴趼人,皆文学正宗,而骈文律诗乃真小道耳。吾知必有闻此言而却走者矣。

八曰不避俗语俗字　吾惟以施耐庵、曹雪芹、吴趼人为文学正宗,故有"不避俗字俗语"之论也(参看上文第二条下)。盖吾国言文之背驰久矣。自佛书之输入,译者以文言不足以达意,故以浅近之文译之,其体已近白话。其后佛氏讲义语录尤多用白话为之者,是为语录体之原始。及宋人讲学以白话为语录,此体遂成讲学正体(明人因之)。当是时,白话已久入韵文,观唐宋人白话之诗词可见也。及元时,中国北部已在异族之下,三百余年矣(辽,金,元)。此三百年中,中国乃发生一种通俗行远之文学。文则有《水浒》《西游》《三国》之类,戏曲则尤不可胜计(关汉卿诸人,人各著剧数十种之多。吾国文人著作之富,未有过于此时者也)。以今世眼光观之,则中国文学当以元代为最盛,可传世不朽之作,当以元代为最多。此可无疑也。当是时,中国之文学最近言文合一,白话几成文学的语言矣。使此趋势不受沮遏,则中国几有一"活文学出现",而但丁、路德之伟业(欧洲中古时,各国皆有俚语,而以拉丁文为文言,凡著作书籍皆用之,如吾国之以文言著书也。其后意大利有但丁(Dante)诸文豪始以其国俚语著作。诸国踵兴,国语亦代起。路德(Luthor)创新教,始以德文译《旧约》《新约》,遂开德文学之先。英法诸国亦复如是。今世通用之英文《新旧约》乃一六一一年译本,距今才三百年耳。故今日欧洲诸国之文学,在当日皆为俚语。迨诸文豪兴,始以"活文学"代拉丁之死文学;有活文学而后有言文合一之国语也),几发生于神州。不意此趋势骤为明代所沮,政府既以八股取士,而当时文人如何李七子之徒,又争以复古为高,于是此千年难遇言文合一之机会,遂中道夭折矣。然以今世历史进化的眼光观之,则白话文学之为中国文学之正宗,又为将来文学必用之利器,可断言也(此"断言"乃自作者言之,赞成此说者,今日未必甚多也)。以此之故,吾主张今日作文作诗,宜采用俗语俗字。与其用三千年前之死字(如"于铄国会,遵晦时休"之类),不如用二十世纪之活字;与其作不能行远不能普及之秦汉六朝文字,不如作家喻户晓之《水浒》《西游》文字也。

结论

上述八事,乃吾年来研思此一大问题之结果。远在异国,既无读书之暇晷,又不得就国中先生长者质疑问难,其所主张容有矫枉过正之处。然此八事皆文学上根本问题,一一有研究之价值,故草成此论,以为海内外留心此问题者作一草案。谓之刍议,犹云未定草也，伏惟国人同志有以匡纠是正之。

　　余恒谓中国近代文学史，施曹价值，远在归姚之上，闻者咸大惊疑。今得胡君之论，窃喜所见不孤。白话文学，将为中国文学之正宗。余亦笃信而渴望之。吾生倘亲见其成，则大幸也。元代文学美术，本蔚然可观。余所最服膺者，为东篱，词隽意远，又复雄富。余尝称为"中国之沙克士比亚"，质之胡君及读者诸君，以为然否。

独秀识

　　（第二卷第五号，一九一七年一月一日）

文学革命论

陈独秀

今日庄严灿烂之欧洲,何自而来乎?曰,革命之赐也。欧语所谓革命者,为革故更新之义,与中土所谓朝代鼎革,绝不相类。故自文艺复兴以来,政治界有革命,宗教界亦有革命,伦理道德亦有革命,文学艺术,亦莫不有革命,莫不因革命而新兴而进化。近代欧洲文明史,宜可谓之革命史。故曰今日庄严灿烂之欧洲,乃革命之赐也。

吾苟偷庸懦之国民,畏革命如蛇蝎,故政治界虽经三次革命,而黑暗未尝稍减。其原因之小部分,则为三次革命,皆虎头蛇尾,未能充分以鲜血洗净旧污;其大部分,则为盘踞吾人精神界根深蒂固之伦理道德文学艺术诸端,莫不黑幕层张,垢污深积,并此虎头蛇尾之革命而未有焉。此单独政治革命所以于吾之社会,不生若何变化,不收若何效果也。推其总因,乃在吾人疾视革命,不知其为开发文明之利器故。

孔教问题,方喧呶于国中,此伦理道德革命之先声也。文学革命之气运,酝酿已非一日,其首举义旗之急先锋,则为吾友胡适。余甘冒全国学究之敌,高张"文学革命军"大旗,以为吾友之声援。旗上大书特书吾革命军三大主义:曰,推倒雕琢的阿谀的贵族文学,建设平易的抒情的国民文学;曰,推倒陈腐的铺张的古典文学,建设新鲜的立诚的写实文学;曰,推倒迂晦的艰涩的山林文学,建设明了的通俗的社会文学。

　　国风多里巷猥辞,楚辞盛用土语方物,非不斐然可观。承其流者,两汉赋家,颂声大作,雕琢阿谀,词多而意寡,此贵族之文古典之文之始作俑也。魏、晋以下之五言,抒情写事,一变前代板滞堆砌之风,在当时可谓为文学一大革命,即文学一大进化;然希托高古,言简意晦,社会现象,非所取材,是犹贵族之风,未足以语通俗的国民文学也。齐梁以来,风尚对偶,演至有唐,遂成律体。无韵之文,亦尚对偶。《尚书》《周易》以来,即是如此(古人行文,不但风尚对偶,且多韵语。故骈文家颇主张骈体为中国文章正宗之说〔亡友王无生即主张此说之一人〕。不知古书传抄不易,韵与对偶,以利传诵而已,后之作者,乌可泥此)。东晋而后,即细事陈启,亦尚骈丽。演至有唐,遂成骈体。诗之有律,文之有骈,皆发源于南北朝,大成于唐代。更进而为排律,为四六。此等雕琢的阿谀的铺张的空泛的贵族古典文学,极其长技,不过如涂脂抹粉之泥塑美人。以视八股试帖之价值,未必能高几何,可谓为文学之末运矣!韩、柳崛起,一洗前人纤巧堆朵之习,风会所趋,乃南北朝贵族古典文学,变而为宋、元国民通俗文学之过渡时代。韩、柳、元、白,应运而出,为之中枢。俗论谓昌黎文章起八代之衰,虽非确论,然变八代之法,开宋、元之先,自是文界豪杰之士。吾人今日所不满于昌黎者二事:一曰,文犹师古。虽非典文,然不脱贵族气派,寻其内容,远不若唐代诸小说家之丰富,其结果乃造成一新贵族文学。二曰,误于"文以载道"之谬见。文学本非为载道而设,而自昌黎以讫曾国藩所谓载道之文,不过抄袭孔、孟以来极肤浅极空泛之门面语而已。余尝谓唐宋八家文之所谓"文以载道",直与八股家之所谓"代圣贤立言",同一鼻孔出气。以此二事推之,昌黎之变古,乃时代使然,于文学史上,其自身并无十分特色可观也。元、明剧本,明、清小说,乃近代文学之粲然可观者。惜为妖魔所厄,未及出胎,竟尔流产,以至今日中国之文学,萎琐陈腐,远不能与欧洲比肩。此妖魔为何?即明之前后七子及八家文派之归、方、刘、姚是也。此十八妖魔辈,尊古蔑今,咬文嚼字,称霸文坛。反使盖代文豪若马东篱,若施耐庵,若曹雪芹诸人之姓名,几不为国人所识。若夫七子之诗,刻意模古,直谓之抄袭可也。归、方、刘、姚之文,或希荣慕誉,或无病而呻,满纸之乎者也矣焉哉。每有长篇大作,摇头摆尾,说来说去,不知道说些什么。此等文学,作者既非创造才,胸中又无物,其伎俩惟在仿古欺人,直无一字有存在之价值。虽著作等身,与其时之社会文明进化无丝毫关系。

今日吾国文学,悉承前代之敝,所谓"桐城派"者,八家与八股之混合体也;所谓"骈体文"者,思绮堂与随园之四六也;所谓"西江派"者,山谷之偶像也。求夫目无古人,赤裸裸的抒情写世,所谓代表时代之文豪者,不独全国无其人,而且举世无此想。文学之文,即不足观,应用之文,益复怪诞。碑铭墓志,极量称扬,读者决不见信,作者必照例为之。寻常启事,首尾恒有种种谀词。居丧者即华居美食,而哀启必欺人曰"苫块昏迷"。赠医生以匾额,不曰"术迈岐黄",即曰"著手成春"。穷乡僻壤极小之豆腐店,其春联恒作"生意兴隆通四海,财源茂盛达三江"。此等国民应用之文学之丑陋,皆阿谀的虚伪的铺张的贵族古典文学阶之厉耳。

际兹文学革新之时代,凡属贵族文学,古典文学,山林文学,均在排斥之列。以何理由而排斥此三种文学耶?曰,贵族文学,藻饰依他,失独立自尊之气象也;古典文学,铺张堆砌,失抒情写实之旨也;山林文学,深晦艰涩,自以为名山著述,于其群之大多数无所裨益也。其形体则陈陈相因,有肉无骨,有形无神,乃装饰品而非实用品;其内容则目光不越帝王权贵,神仙鬼怪,及其个人之穷通利达。所谓宇宙,所谓人生,所谓社会,举非其构思所及。此三种文学共同之缺点也。此种文学,盖与吾阿谀夸张虚伪迂阔之国民性,互为因果。今欲革新政治,势不得不革新盘踞于运用此政治者精神界之文学,使吾人不张目以观世界社会文学之趋势,及时代之精神,日夜埋头故纸堆中,所目注心营者,不越帝王权贵、鬼怪神仙与夫个人之穷通利达,以此而求革新文学,革新政治,是缚手足而敌孟贲也。

欧洲文化,受赐于政治科学者固多,受赐于文学者亦不少。予爱卢梭、巴士特之法兰西,予尤爱虞哥、左喇之法兰西;予爱康德、赫克尔之德意志,予尤爱桂特郝、卜特曼之德意志;予爱倍根、达尔文之英吉利,予尤爱狄铿士、王尔德之英吉利。吾国文学界豪杰之士,有自负为中国之虞哥、左喇、桂特郝、卜特曼、狄铿士、王尔德者乎?有不顾迂儒之毁誉,明目张胆以与十八妖魔宣战者乎?予愿拖四十二生的大炮,为之前驱。

(第二卷第六号,一九一七年二月一日)

我之文学改良观

刘半农

文学改良之议，既由胡君适之提倡之于前，复由陈君独秀、钱君玄同赞成之于后。不佞学识谫陋，固亦为立志研究文学之一人。除于胡君所举八种改良，陈君所揭三大主义，及钱君所指旧文学种种弊端，绝端表示同意外，复举平时意中所欲言者拉杂书之，草为此文。幸三君及世之留意文学改良者有以指正之，谓之"我之文学改良观"者，亦犹常君乃德所谓"见仁见智，各如其分。我之观念，未必他人亦同此观念"也。

文学之界说如何乎 此一问题，向来作者持论每多不同。甲之说曰："文以载道。"不知道是道，文是文，二者万难并作一谈。若必如八股家之奉四书五经为文学宝库，而生吞活剥孔孟之言，尽举一切"先王后世禹汤文武"种种可厌之名词，而堆砌之于纸上，始可称之为文。则"文"之一字，何妨付诸消灭。即若辈自奉为神圣无上之五经之一之《诗经》，恐三百首中，必无一首足当"文"字之名者。其立说之不通，实不攻自破。乙之说曰："文章有饰美之意，当作文彰。"（见近人某论文书中）近顷某高等师范学校所聘国文教习川人某，尤主此说，谓"作文必讲音韵。后人称韩愈文起八代之衰，其实韩愈连音韵尚未懂得，何能作文。"故校中学生，自此公莅事后，相率摇头抖膝，推敲于"平平仄仄"之间，其可笑较诸八股家为尤甚。夫文学为美术之一，固已为世界文人所公认。然欲判定一物之美丑，当求诸骨底，不当求诸皮相。譬如美人，必具有天然可以动人之处，始可当一美字而无愧。若丑妇浓妆，横施脂粉，适成其为怪物。故研究文学而不从性灵中意识中讲求好处，徒欲于字句上声韵上卖力，直如劣等优伶，自己无真实本事，乃以花腔滑调博人叫好。此等人尚未足与言文学也。二说之外，唯章实斋分别文史之说较为近是。然使尽以记事文归入史的范围，则在文学上占至重要之位置之小说，即不能视为文学。是不可也。反之，使尽以非记事文归入文的范围，则信札文告之属，初只求辞达意适而止，一有此项规定，反须加上一种文学功夫，亦属无谓。故就不佞之意，欲定文学之界说，当取法于西文，分一切作物为文字 Language 与文学 Literature 二类。西文释 Language 一字曰，"Any means of conve-ying or Communicating ideas"，是只取其传达意思，不必于传达意思之外，更用何等功夫也。又 Language 一字，往往可与语言 Speech、口语 Tongue 通用。然明定其各个之训诂，则"LANGUAGE is generic, denoting, in its most extended use, any mode of conve-ying ideas; SPEECH is the language of sounds; And TONGUE is the Angl-Saxon term for Lauguage, especially for spoken language"，是文字之用，本与语言无殊，仅取其人人都能了解，可以布诸远方，以补语言之不足，与吾国所谓"言之无文，行而不远"正相符合。至如 Literature 则界说中既明明规定为"The class of writings distinguished for beau-ty of style, as poetry, essays, history, fictions, or Belles-letters"，自与普通仅为语言之代表之文字有别。吾后文之所谓文学，即就此假定之界说立论。（此系一人私见，故称假定而不称已定。）

文学与文字 此两个名词之界说既明，则"何处当用文字，何处当用文学"，与夫"必如何始可称文字，如何始可称文学"，亦为吾人不得不研究之问题。今分别论之。

第一问题，前此独秀君撰论，每以"文学之文"与"应用之文"相对待，其说似是。然就论理学之理论言之，文学的既与应用的相对，则文学之文不能应用，应用之文不能观为文学，不佞以"不贵苟同"之义，不敢遽以此说为然也。西人之规定文学之用处者，恒谓"Literature often embraces all compositons except these upon the positive sciences"，其说似较独秀君稍有着落。然欲举实质科学以外一切文字，悉数纳诸文学范围之中，亦万难视为定论。就不佞之意，凡科学上应用之文字，无论其为实质与否，皆当归入文字范围。即胡陈钱三君及不佞今兹所草论文之文，亦系文字而非文学。以文学本身亦为各种科学之一，吾侪处于客观之地位以讨论之，不宜误宾以为主。此外他种科学，更不宜破此定例以侵害文学之范围。（吾国旧时科学书，大都并艺术与文学为一谈。幼时初习算学，一部《九数通考》，不半月即已毕业。而开首一段河图洛书说，及周牌图说，直至三年之后始能了解。此外作医书者，虽立论极浅，亦必引证《内经》及仲景之说，务使他人不能明白以为快。蚕桑之书，本取其妇孺多解，而作者必用古文笔法。卜筮之书，本为瞽者留一啖饭地［星学家自言如此］，而必参入似通非通之易理以自重。诸如此类，无非卖才使气，欺人自欺。吾国原有学术之所以不能发达与普及，实此等自命渊博之假文士有以致之。近自西洋物质文明稍稍输入中国，凡翻译东西科学书籍者，都已不复有此恶习。而严复所撰《英文汉诂》，虽全书取材悉系彼邦至粗浅之文法，乃竟以文笔之古拙生涩，见称于世。若欲取此书以为教材，是非使学徒先习十数年国文,即不许其研究英文,试问天下有是理乎?余决非盲从西洋学说之人。此节所引文学用处之规定,其 positive 一字,实以"Philosophical Literature"已成为彼邦文学中之一种。而哲学又为诸种科学之一,故必于"科学"之上冠以"实质",方不至互相抵触。其实哲学本身,既包有高深玄妙之理想,行文当力求浅显,使读者一望即知其意旨所在。此余所以主张无论何种科学皆当归入文字范围,而不当羼入文学范围也)至于新闻纸之通信(如普通纪事可用文字,描写人情风俗当用文学),**政教实业之评论**(如发表意见用文字,推测其安危祸福用文学),**官署之文牍告令**(文牍告令,什九宜用文字而不宜用文学。钱君所指清代州县喜用滥恶之四六,以判婚姻讼事,与某处诰诫军人文有"偶合之鸟""害群之马""血蚨""飞蝗"等字样,即是滥用文学之弊。然如普法之战,《拿破仑三世致普鲁士维廉大帝之宣战书》为 "Siremy Brotheer—Not having been able to die in the midst of my troops, it only remains for me to place my sword in the hands of Your Majesty. I am Your Mojes ty's good brother, Napole – on",未尝不可视为稀世奇文。维廉复书中 "Regreting the circumstances under which wemeet, I accept the sword of Your Majesty"之句,便觉黯然无色。故于适当之处,文牍中亦未尝绝对不可用文学也),**私人之日记信札**(此二种均宜用文字。然如游历时之日记,即不得不于有关系之处,涉及文学。至于信札,则不特前清幕府中所用四六滥调当废。即自命文士者所作小简派文学,亦大可不做。唯在必要时,如美儒富兰克令 B. Franklin 之与英议员司屈拉亨 Strayan 绝交,英儒约翰生 S. Johnson 之不愿受极司菲尔伯爵 Lord Chesterfield 之推誉,则不得不酌用文学工夫),虽不能明定其属于文字范围,或文学范围,要唯得已则已。不滥用文学,以侵害文字，斯为近理耳。其必须列入文学范围者，唯诗歌戏曲、小说杂文、历史传记三种而已。（以历史传记列入文学，仅就吾国及各国之惯例而言。其实此二种均为具体的科学，仍以列入文字为是。）酬世之文（如颂辞、寿序、祭文、挽联、墓志之属），一时虽不能尽废，将来崇实主义发达后，此种文学废物，必在自然淘汰之列。故进一步言之，凡可视为文学上有永久存在之资格与价值者，只诗歌戏曲、小说杂文二种也。

第二问题，此问题之要旨，即在辨明文学与文字之作法之异同。兹就鄙见所及，分列三事如次：

（一）作文字当讲文法，在必要之处，当兼讲论理学。作文字当讲文法，且处处当讲论理学与修辞学。唯酌量情形，在适宜之处，论理学或较轻于修辞学。

（二）文字为无精神之物，非无精神也，精神在其所记之事物，而不在文字之本身也。故作文字，如记账，只须应有尽有，将所记之事物一一记完便了。不必矫揉造作，自为增损。文学为有精神之物，其精神即发生于作者脑海之中。故必须作者能运用其精神，使自己之意识、情感、怀抱一一藏纳于文中。而后所为之文，始有真正之价值，始能稳立于文学界中而不摇。否则精神既失，措辞虽工，亦不过说上一大番空话，实未曾做得半句文章也。（以上两端为永久的。）

（三）钱君以输入东洋派之新名词，归功于梁任公，推之为创造新文学之一人。愚以为世界事物日繁，旧有之字与名词既不敷用，则自造新名词及输入外国名词，诚属势不可免。然新名词未必尽通（如"手续""场合"之类），亦未必吾国竟无适当代用之字（如"目的""职工"之类）。若在文字范围中，取其行文便利，而又为人人所习见，固不妨酌量采用。若在文学范围，则用笔以漂亮雅洁为主，杂入累赘费解之新名词，其讨厌必与滥用古典相同（西洋文学中，亦鲜有采用学术名词者）。然亦未必尽不可用，倘用其意义通顺者，而又无害于文笔之漂亮雅洁，固不必绝对禁止也。（此为暂时的。使将来文学界中，能自造适当之新字或新名词以代之，此条即可废除不用。）

散文之当改良者三　此后专论文学，不论文字。所谓散文，亦文学的散文，而非文字的散文。

第一曰破除迷信。尝谓吾辈做事，当处处不忘有一个我，作文亦然。如不顾自己，只是学着古人，便是古人的子孙。如学今人，便是今人的奴隶。若欲不做他人之子孙与奴隶，非从破除迷信做起不可。此破除迷信四字，似与胡君第二项"不模仿古人"之说相同，其实却较胡君更进一层。胡君仅谓古人之文不当模仿，余则谓非将古人作文之死格式推翻，新文学决不能脱离老文学之窠臼。古人所作论文，大都死守"起承转合"四字，与八股家"乌龟头""蝴蝶夹"等名词同一牢不可破。故学究授人作文，偶见新翻花样之课卷，必大声呵之，斥为不合章法。不知言为心声，文为言之代表。吾辈心灵所至，尽可随意发挥。万不宜以至灵活之一物，受此至无谓之死格式之束缚。至于吾国旧有之小说文学，程度尤极幼稚，直处于"Once upon a time, there was a……"之童话时代。试观其文言小说，无不以"某生、某处人"开场，白话小说，无不从"某朝某府某村某员外"说起，而其结果，又不外"夫妇团圆""妻妾荣封""白日升天""不知所终"数种。《红楼》《水浒》，能稍稍破其谬见矣。而不学无术者，又嫌其不全而续之。是可知西人所崇尚之"Half-told Tales"之文学境界，固未尝为国人所梦见。吾辈欲建造新文学之基础，不得不首先打破此崇拜旧时文体之迷信，使文学的形式上速放一异彩也。（近见曾国藩《古文四象》一书，以太阳、太阴、少阳、少阴之说论文，尤属荒谬已极。此等迷信上古神话之怪物，胡不竟向埃及金字塔中作木乃伊去也。）

　　第二曰文言白话可暂处于对待的地位。何以故？曰，以二者各有所长，各有不相及处，未能偏废故。胡陈二君之重视"白话为文学之正宗"，钱君之称"白话为文章之进化"，不佞固深信不疑，未尝稍怀异议。但就平日译述之经验言之，往往同一语句，用文言则一语即明，用白话则二三句犹不能了解。（此等处甚多，不必举例。）是白话不如文言也。然亦有同是一句，用文言竭力做之，终觉其呆板无趣，一改白话，即有神情流露、"呼之欲出"之妙（如人人习知之"行不得也，哥哥""好教我左右做人难"等句）。则又文言不如白话也。今既认定白话为文学之正宗与文章之进化，则将来之期望，非做到"言文合一"或"废文言而用白话"之地位不止。此种地位，既非一蹴可几，则吾辈目下应为之事，唯有列文言与白话于对待之地，而同时于两方面力求进行之策。进行之策如何？曰，于文言一方面，则力求其浅显使与白话相近。（如"此是何物"与"这是什么"相近，此王亮畴先生语。）于白话一方面，除竭力发达其固有之优点外，更当使其吸收文言所具之优点，至文言之优点尽为白话所具，则文言必归于淘汰。而文学之名词，遂为白话所独据，固不仅正宗而已也。或谓白话为一种俚俗粗鄙之文字，即充分进步，至于施曹之地，亦未必竟能取缜密高雅之文言而代之。吾谓白话自有其缜密高雅处，施曹之文，亦仅能称雄于施曹之世。吾人自此以往，但能破除轻视白话之谬见，即以前此研究文言之工夫研究白话，虽成效之迟速不可期，而吾辈意想中之白话新文学，恐尚非施曹所能梦见。

第三曰不用不通之字。胡君既辟用典之不通,钱君复斥以僻字代常用之字为不妥,文学上之障碍物,已扫除大半矣。而不通之字,亦在必须扫除之列。夫虚字实用、实字虚用之法,不特吾国文学中所习见,即西文中亦往往以 noun, adjective, verb 三类字互相通用。今欲废除此种用法,固属绝对不可能。而用之合宜与否,与读者果能明白与否,亦不可不辨。《曾国藩致李鸿裔书》论此甚详。所引"春风风人、夏雨雨人""解衣衣我、推食食我"诸句,意义甚明,新文学中仍可沿用。其"春朝朝日、秋夕夕月"句中,"朝、夕"二字作"祭"字解,已稍稍晦矣。至如《商颂》"下国骏庞"、《周颂》"骏发尔私"之"骏"字均作"大"字解,与《武成》"侯卫骏奔"、《管子》"弟子骏作"之"骏"字均作"速"字解,其拙劣不通,实无让于用典。近人某氏译西文小说,有"其女珠,其母下之"之句,以"珠"字代"胞珠"转作"孕"字解,以"下"字作"堕胎"解。吾恐无论何人,必不能不观上下文而能明白其意者。是此种不通之字,较诸"附骥""续貂""借箸""越俎"等通用之典,尤为费解。

韵文之当改良者三 韵文对于散文而言,一切诗赋歌词戏曲之属,均在其范围之内。其赋之一种,凡专讲对偶,滥用典故者,固在必废之列。其不以不自然之骈俪见长,而仍能从性灵中发挥,如曹子建之《慰子赋》与《金瓠哀辞》,以及其类似之作物,如韩愈之《祭田横墓文》、欧阳修之《祭石曼卿文》等,仍不得不以其声调气息之优美,而视为美文中应行保存之文体之一。

第一曰破坏旧韵重造新韵。梁代沈约所造四声谱,即今日吾辈通用之诗韵,顾武炎已斥之为"不能上据雅南,旁摭骚子,以成不刊之典,而仅按班、张以下诸人之赋,曹、刘以下诸人之诗所用之音,撰为定本,于是今音行而古音亡"。是此种声谱,在旧文学上已失其存在之资格矣。夫韵之为义叶也,不叶,即不能押韵,此至浅至显之言,可无须举例证明也。而吾辈意想中之新文学,既标明其宗旨曰:"作自己的诗文,不作古人的诗文。"则古人所认为叶音之韵,尚未必可用。何况此古人之所不认,按诸今音又不能相合之四声谱,乃可视为文学中一种规律,举无数文人之心思脑血,而受制于沈约一人之武断耶?试观东冬二部所收之字,无论以何处方言读之,决不能异韵,而谱中乃分之为二。"规、眉、危、悲"等字,无论以何处方言读之,决不能与"支、之、诗、时"等字同韵,而谱中乃合之为一。又骘韵诸字,与有韵叶者多而与马韵叶者少,顾不通有而通马。真文元寒删先六韵,虽间有叶者,而不叶者居其十之九,而谱中竟认为完全相通。虽造谱之时,读音决不与今音相同,造谱者亦决无能力预为吾辈二十世纪读音设想。吾辈苟无崇拜古人之迷信,即就其未为吾辈设想而破坏之,当亦为事理之所必然。故不佞之意,后此押韵,但问其叶与不叶,而不问旧谱之同韵与否,相通与否。如其叶,不同不通者亦可用;如其不叶,同而通者亦不可用。如有迷信古人宫、商、角、徵、羽,本音转音之说,以相诘难者,吾仍得以"韵即是叶"之本义答之。且前人之言韵者,固谓"音声本为天籁,古人歌咏出于自然,虽不言韵而韵转确"矣。今但许古人自然,而不许今人自然,必欲以人籁代天籁,拘执于本音转音之间,而忘却一至重要之"叶"字。其理耶,其通论耶。(西人作诗,亦有通韵。然只闻"-il"与"-ili";"-ic"与"-ick";"-oke"与"-ook"等之相通,不闻强声音绝不相似之字,如"规、眉、危、悲"等与"支、之、诗、时"等为一韵,更不闻强用希腊罗马之古音以押今韵也。)虽然,旧韵既废,又有一困难问题发生,即读音不能统一是。不佞对于此问题,有解决之法三。

(一)作者各就土音押韵,而注明何处土音于作物之下。此实最不妥当之法,然今之土音,尚有一着落之处,较诸古音之全无把握,固已善矣。

(二)以京音为标准,由长于京语者造一新谱,使不解京语者有所遵依。此较前法稍妥,然而未尽善。

(三)希望于"国语研究会"诸君,以调查所得,撰一定谱,行之于世,则尽善尽美矣。

或谓第三法虽佳,而语音时有变迁。今日之定谱,将来必更有不能适用之一日。余谓沈约既无能力豫为吾辈设想,吾辈亦决无能力为将来设想。将来果属不能适用,何妨更废之而更造新谱。即吾辈主张之白话新文学,依进化之程序言之,亦决不能视为文学之止境,更不能断定将来之人不破坏此种文学而建造一更新之文学。吾辈生于斯世,唯有尽思想能力之所及,向"是"的一方面做去而已。且语言之变迁,乃数百年间事而非数十年间事。当此交通机关渐臻完备之时,吾辈尚以"将来读音永远不变,永远统一"为希望也。

第二曰增多诗体。吾国现有之诗体,除律诗排律当然废除外,其余绝诗古风乐府三种(曲、吟、歌、行、篇、叹、骚等,均乐府之分支。名目虽异,体格互相类似),已尽足供新文学上之诗之发挥之地乎,此不佞之所决不敢信也。尝谓诗律愈严,诗体愈少,则诗的精神所受之束缚愈甚,诗学决无发达之望。试以英法二国为比较,英国诗体极多,且有不限音节不限押韵之散文诗,故诗人辈出。长篇记事或咏物之诗,每章长至十数万字,刻为专书行世者,亦多至不可胜数。若法国之诗,则戒律极严。任取何人诗集观之,决无敢变化其一定之音节，或作一无韵诗者。因之法国文学史中，诗人之成绩，决不能与英国比，长篇之诗，亦鲜乎不可多得。此非因法国诗人之本领魄力不及英人也，以戒律械其手足，虽有本领魄力，终无所发展也。故不佞于胡君白话诗中《朋友》《他》二首，认为建设新文学的韵文之动机，倘将来更能自造，或输入他种诗体，并于有韵之诗外，别增无韵之诗（无韵之诗，我国亦有先例。如《诗经》"终南河有，有条有梅。君子至止，锦衣狐裘。颜如渥舟，其君也哉"一章中，"梅、裘、哉"三字，并不叶韵，是明明一首无韵诗也。朱注："梅"叶"莫悲反"，音"迷"；"裘"叶"渠之反"，音"奇"；"哉"叶"将梨反"，音"赍"，乃是穿凿附会，以后人必欲押韵之"不自然"眼光，武断古人。古人决不如此念别字也），则在形式一方面，既可添出无数门径，不复如前此之不自由。其精神一方面之进步，自可有一日千里之大速率。彼汉人既有自造五言诗之本领，唐人既有自造七言诗之本领，吾辈岂无五言七言之外，更造他种诗体之本领耶？

第三曰提高戏曲对于文学上之位置。此为不佞生平主张最力之问题。前读近人吴梅所撰《顾曲尘谈》，谓北曲"不尚词藻，专重白描。"又谓"《西厢》'系春心情短柳丝长，隔花阴人远天涯近.'……在当时不以此等艳语为然。谓之'行家生活'，即明人所谓'案头之曲'非'场中之曲'也"。又谓"实甫曲如'颠不剌的见了万千，似这般可喜娘罕曾见'及'鹘伶渌老不寻常'等语，却是当行出色。"又谓"昔洪昉思与吴舒凫论填词之法。舒凫云，'须令人无从浓圈密点'，时昉思女（之则）在座曰，'如此则天下能有几人，可造此诣.'"是吴君已知"白描"之难能可贵矣。然必谓"胡元方言，尤须熟悉"而后，始可语填北曲，则不佞不敢赞同。盖元人所填者为元人之曲，故就近取元人之方言以为资料；吾辈所填者为吾辈之曲,自宜取材于近,而不宜取材于远。元人既未尝弃元语而用唐宋语以为古,吾辈"食古不化"而死用元语,不将为元人所笑耶?故不佞对于此问题,有四种意见:

(一)无论南词北曲,皆须用当代方言之白描笔墨为之,使合于"场中之曲"之规定。

(二)近人推崇昆剧,鄙视皮黄,实为迷信古人之谬见。当知艺术与时代为推移,世人既以皮黄之通俗可取而酷嗜之,昆剧自应退居于历史的艺术之地位。

(三)昆剧既退居于历史的艺术之地位,则除保存此项艺术之一部分人外,其余从事现代文学之人,均宜移其心力于皮黄之改良,以应时势之所需。(第(一)条即为此项保存派说法。从前词曲家,不尚白描而尚纤丽,实未尝能保存词曲之精华也。)

(四)成套之曲可以不作,改作皮黄剧本。零碎小词,可以不填,改填皮黄之一节或数节。(近人填词,大都不懂音律,仅照老词数了字数,对了平仄,堆砌无数艳语,加上一个"调寄某某"之各名而已。今所谓改填皮黄者,须于皮黄有过研究功夫,再用新文学的本领放进去,则虽标明"调寄西皮某板",或"调寄二黄某剧之某段",似乎欠雅,其实无损于文学上与技术上之真价值也。)

吾所谓改良皮黄者,不仅钱君所举"戏子打脸之离奇,舞台设备之幼稚"与"理想既无,文章又极恶劣不通",与王君梦远《梨园佳话》所举《戏之劣处》一节已也,凡"一人独唱、二人对唱、二人对打、多人乱打"(中国文戏武戏之编制,不外此十六字),与一切"报名""唱引""绕场上下""摆对相迎""兵卒绕场""大小起霸"等种种恶腔死套,均当一扫而空。另以合于情理,富于美感之事物代之。(此事言之甚长,后当另撰专论。)然余亦决非认皮黄为正当的文学艺术之人。余居上海六年，除不可免之应酬外，未尝一入皮黄戏馆。而 Lyceum Theater 之 Amateur Dramatic Club，每有新编之戏开演，余必到馆观之。是余之喜白话之剧而不喜歌剧，固与钱君所谓"旧戏如骈文，新戏如白话小说"同一见解。只以现今白话文学尚在幼稚时代，白话之戏曲，尤属完全未经发现（上海之白话新戏，想钱君亦未必认为有文学价值之戏也），故不得不借此易于着手之已成之局而改良之，以应目前之急。至将来白话文学昌明之后，现今之所改良之皮黄，固亦当与昆剧同处于历史的艺术之地位。

形式上的事项　此等事项，较精神上的事项为轻。然文学既为一种完全独立之科学，即无论何事，当有一定之标准，不可随随便便含混过去。其事有三：

（一）分段。中国旧书，往往全卷不分段落。致阅看之时，则眉目不清。阅看之后，欲检查某事，亦茫无头绪。今宜力矫其弊，无论长篇短章，一一于必要之处划分段落。唯西文二人谈话，每有一句，即另起一行，华文似可不必。

（二）句逗与符号。余前此颇反对句逗。谓西文有一种毛病，即去其句逗与大写之字，即令人不懂。汉文之不加句逗者，却仍可照常读去。若在此不必加句逗之文字上而强加之，恐用之日久，反妨害其原有之能事，而与西文同病。不知古书之不加句逗而费解者，已令吾人耗却无数心力于无用之地。吾人方力求文字之简明适用，固不宜沿有此种懒惰性质也。然西文"，；：．"四种句逗法，倘不将文字改为横行，亦未能借用。今本篇所用"．、。"三种，唯"、"之一种，尚觉不敷应用，日后研究有得，当更增一种以补助之。至于符号，则"？"一种，似可不用。以吾国文言中有"欤、哉、乎、耶"等，白话中有"么、呢"等问语助词，无须借助于记号也。然在必要之处,亦可用之。"！"一种,文言中可从省,白话中决不可少。"' '"与""""之代表引证或谈话。"——"之代表语气未完,"……"之代表简略,"( )"之代表注解或标目,亦不可少。" ＊ "及字旁所注"123"等小字可以不用,以汉文可用双行小注,无须 foot - note 也。又人名地名既无大写之字以别之,亦宜标以一定之记号。先业师刘步洲先生尝定单线在右指人名,在左指官名及特别物名,双线在右指地名,在左指国名、朝名、种族名,颇合实用。惜形式不甚美观,难于通用。

（三）圈点。此本为科场恶习,无采用之必要。然用之适当,可醒眉目。今暂定为三种:精采用"○",提要用"●",两事相合则用"⊙"。唯滥圈滥点,当悬为厉禁。

结语　除于上述诸事,不敢自信为必当,敬请胡陈钱三君及海内外关心本国文学者逐条指正外,尚有三事记之于次：

（一）余于用典问题,赞成钱君之说,主张无论广义狭义工者拙者,一概不用。即用引证,除至普通者外,亦当注明出自何书或何人所说。

（二）余于对偶问题,主张自然。亦如钱君所谓"凡作一文,欲其句句相对,与欲其句句不对者,皆妄也。"

（三）余赞成小说为文学之大主脑,而不认今日流行之红男绿女之小说为文学。（不佞亦此中之一人。小说家幸勿动气）

刘君此文,最足唤起文学界注意者二事：一曰改造新韵；一曰以今语作曲。至于刘君所定文字与文学之界说,似与鄙见不甚相远。鄙意凡百文字之共名,皆谓之文。文之大别有二：一曰应用之文；一曰文学之文。刘君以诗歌、戏曲、小说等列入文学范围,是即余所谓文学之文也。以评论、文告、日记、信札等列入文字范围,是即余所谓应用之文也。"文字"与"应用之文"名词虽不同,而实质似无差异。质之刘君及读者诸君以为如何?

独秀　识

(第三卷第三号,一九一七年五月一日)

历史的文学观念论

胡 适

居今日而言文学改良,当注重"历史的文学观念"。一言以蔽之,曰:一时代有一时代之文学。此时代与彼时代之间,虽皆有承前启后之关系,而决不容完全抄袭;其完全抄袭者,决不成为真文学。愚唯深信此理,故以为古人已造古人之文学,今人当造今人之文学。至于今日之文学与今后之文学究竟当为何物,则全系于吾辈之眼光识力与笔力,而非一二人所能逆料也。唯愚纵观古今文学变迁之趋势,以为白话之文学种子已伏于唐人之小诗短词,及宋而语录体大盛,诗词亦多有用白话者(放翁之七律七绝,多白话体。宋词用白话者更不可胜计。南宋学者往往用白话通信,又不但以白话作语录也),元代之小说戏曲,则更不待论矣。此白话文学之趋势,虽为明代所截断,而实不曾截断。语录之体,明、清之宋学家多沿用之。词曲为《牡丹亭》《桃花扇》,已不如元人杂剧之通俗矣。然昆曲卒至废绝,而今之俗剧(吾徽之"徽调",与今日"京调""高腔"皆是也)乃起而代之。今后之戏剧,或将全废唱本而归于说白,亦未可知。此亦由文言趋于白话之一例也。小说则明、清之有名小说,皆白话也。近人之小说,其可以传后者,亦皆白话也(笔记短篇如《聊斋志异》之类不在此例)。故白话之文学,自宋以来,虽见屏于古文家,而终一线相承,至今不绝。夫白话之文学,不足以取富贵,不足以邀声誉,不列于文学之"正宗",而卒不能废绝者,岂无故耶？岂不以此为吾国文学趋势,自然如此,故不可禁遏而日以昌大耶？愚以深信此理,故又以为今日之文学,当以白话文学为正宗。然此但是一个假设之前提,在文学史上,虽已有许多证据,如上所云,而今后之文学之果出于此与否,则犹有待于今后文学家之实地证明。若今后之文人不能为吾国造一可传世之白话文学,则吾辈今日之纷纷议论,皆属枉费精力,决无以服古文家之心也。

然则吾辈又何必攻古文家乎？曰:是亦有故。吾辈主张"历史的文学观念",而古文家则反对此观念也。吾辈以为今人当造今人之文学,而古文家则以为今人作文必法马、班、韩、柳,其不法马、班、韩、柳者,皆非文学之"正宗"也。吾辈之攻古文家,正以其不明文学之趋势而强欲作一千年二千年以上之文。此说不破,则白话之文学无有列为文学正宗之一日,而世之文人将犹鄙薄之,以为小道邪径而不肯以全力经营造作之。如是,则吾国将永无以全副精神实地试验白话文学之日。夫不以全副精神造文学而望文学之发生,此犹不耕而求获,不食而求饱也,亦终不可得矣(施耐庵、曹雪芹诸人所以能有成者,正赖其有特别胆力,能以全力为之耳)。

吾辈既以"历史的"眼光论文,则亦不可不以历史的眼光论古文家。《记》曰:"生乎今之世,反古之道,灾必及乎身。"(朱熹曰:反,复也)此言复古者之谬,虽孔圣人亦不赞成也。古文家之罪正坐"生乎今之世,反古之道"。古文家盛称马、班,不知马、班之文已非古文。使马、班皆作《盘庚》《大诰》"清庙生民"之文,则马、班决不能千古矣。古文家又盛称韩、柳,不知韩、柳在当时皆为文学革命之人。彼以六朝骈俪之文为当废,故改而趋于较合文法,较近自然之文体。其时白话之文未兴,故韩、柳之文在当日皆为"新文学"。韩、柳皆未尝自称"古文",古文乃后人称之之辞耳。此如七言歌行,本非"古体",六朝人作之者数人而已。至唐而大盛,李、杜之歌行,皆可谓创作。后之妄人,乃谓之曰"五古""七古",不知五言作于汉代,七言尤不得为古,其起与律诗同时(律诗起于六朝。谢灵运、江淹之诗,皆为骈偶之体矣,则虽谓律诗先于七古,可也)。若《周颂》《商颂》则真"古诗"耳。故李、杜作"今诗",而后人谓之"古诗";韩、柳作"今文",而后人谓之"古文"。不知韩、柳但择当时文体中之最近于文言之自然者而作之耳。故韩、柳之为韩、柳,未可厚非也。及白话之文体既兴,语录用于讲坛,而小说传于穷巷。当此之时,"今文"之趋势已成,而明七子之徒乃必欲反之于汉魏以上,则罪不容辞矣。归、方、刘、姚之志与七子同,特不敢远攀周秦,但欲近规韩、柳、欧、曾而已,此其异也。吾故谓古文家亦未可一概抹杀。分别言之,则马、班自作汉人之文,韩、柳自作唐代之文,其作文之时,言文之分尚不成一问题。正如欧洲中古之学者,人人以拉丁文著书,而不知其所用为"死文字"也。宋代之文人,北宋如欧、苏皆常以白话入词,而作散文则必用文言;南宋如陆放翁常以白话作律诗,而其文集皆用文言;朱晦庵以白话著书写信,而作"规矩文字"则皆用文言,此皆过渡时代之不得已。如十六七世纪欧洲学者著书往往并用己国俚语与拉丁两种文字(狄卡儿之《方法论》用法文,其《精思录》则用拉丁文。倍根之《杂论》有英文、拉丁文两种。倍根自信其拉丁文书胜于其英文书,然今人罕有读其拉丁文《杂论》者矣),不得概以古文家冤之也。唯元以后之古文家,则居心在于复古,居心在于过抑通俗文学而以汉、魏、唐、宋代之。此种人乃可谓真正"古文家"!吾辈所攻击者,亦仅限于此一种"生于今之世反古之道"之真正"古文家"耳!

(第三卷第三号,一九一七年五月一日)

读胡适先生《文学改良刍议》

余元濬

际兹民智蔽塞、民识薄弱如我国今日之时,不有以谋通俗之启迪,而谓能增进其立身立国上必需之要识者,此虽丧心病狂之尤,将不敢加之首肯。今胡适先生乃如斯出其再四研思之《文学改良刍议》以享吾人,而为通俗之启迪计者,非所谓应运而生者欤?其有益于民生,直欲超昌黎而上之矣。细味其言,乃不觉吾辞喋喋,欲言而不知所云。爰杂辑而姑妄说之,用以微尽鄙陋之愚忱于阅者诸君,并以就正于胡先生之门云耳。然胡先生之言实渊博无涯,鄙见所及,谨就其中之主要者说之,而微有所伸焉。余则其理极为正确,是非管见之能极也。

胡先生所言之八事,其第一即为"须言之有物"。言之有物云者,谓"感情"及"思想"。夫"感情""思想"二者,本为文字之起源。所谓文生于言,言基于意者是也。故无情与思之文字,显然与原旨相背。此等文字,不如不作之为愈。但鄙意之微有不能满意者,则胡先生所谓"吾所谓'物',非古人所谓文以载道之说也"。要知文以载道之"道"字,本非甚浮泛。果视为浮泛,则固宜为胡先生之所鄙夷。实则此处之"道"字,本在胡先生所谓"物"字之中。以"物"字既分"思想"与"情感"而言,则所谓"物"者,非必名词(Noun)而后可。道之云者，直一种上乘之思想已耳。若必以为一种不可思议之最虚渺之空论也，岂通论哉。胡先生其亦知此界说，而实不能认为"物"乎？则所谓"物"者，其内容诚觉太隘，无丝毫意味之可言。

第二即"不摹仿古人"。胡先生此论，鄙意亦颇以为然。盖抄袭、拿扯成文以相标榜者，在在皆然，实属可耻故耳。惟亦尚须有一定之限制。若课童初步，欲使知文字之意义及虚字之应用，则势非使之摹仿古人之作不为功。故所谓"不摹仿古人"者，只在有所著述之人。其所言之"物"既与古人殊，则固不妨自有其文章、自有其议论也。

鄙意之最不敢表赞同如胡先生者，即其第三所列之"须讲求文法"。盖以言语为"思想""情感"之代表，而文字又为言语之代表。我国文字之起源，有以异乎西人者。推其原因，亦根于二者不同之"思想""情感"耳。我国文字之所以向无文法之规就者，正所以表示我黄胄特种之"思想""情感"。即西人文字之有文法（Grammar），亦究竟不能在文字上占完全之地位。所谓方言（Idiom）者，亦起而占有其一部份之地位。况我国之方言，较之西人，不更属繁琐乎？近时所出版之文法书（指我国现出版者言），大半属于强凑的，良以其规定之不易也。

胡先生之所谓"不作无病之呻吟""务去烂调套语"，二者其理由非常充足。而其校正文学界中之病弊非常可钦服，鄙意以为起苏张而诘之，亦必无辞矣。"不用典"一事，已经诸家反复伸论，且限制其范围，亦属正确。惟举例以王渔洋《秋柳》一首，虽引用亦属正确，而不曾稍谅渔洋感遇之苦衷，及其窥避文字狱之用意，似微嫌苛刻。"不讲对仗"，则一本昌黎遗意的，是正论，可以药懦起弱矣。

末所谓"不避俗语俗字"，此不能不于应用上规定其范围。盖文字之为物，本以适用为唯一之目的。"俗语俗字"，虽有时可以达文理上之所不能达，然果用之太滥，则不免于烦琐。易言之，即用文理仅一二语即足以表出者，用"俗语俗字"则觉连篇累牍，刺刺不能自休，且亦最易惹起人之厌恶，此犹就狭义言之也。其广义易起学者之怠惰心，何则？学者之于文学，常自恐其不足以应用，故能孳而谋所以充实之。若一旦使得以"俗语俗字"凑入文理之中，则其为事诚易易，果足所求焉，则自画而止。于是渐渐演出一般鄙陋寡见闻之学者，于古人载籍、近贤名述，其文稍涉邃奥者，将与咋舌张口而不能一读。乃至古人之学理竟由斯失传，名贤之著述竟由斯搁笔，可乎哉！可乎哉！鄙意诚浅陋，乃如此竟不得不抱杞人之忧，而敢为之有所陈述焉。然又不能不服胡先生之说，以其可以济文理之穷也。则又姑为之说曰，不能不于应用上规定其范围。

抑有进者，胡先生所谓"以施耐庵、曹雪芹、吴趼人为文学正宗"之论，究竟是否适合于今日之所需，亦不可不加考研。彼施、曹辈诚非无文学上之价值者可比，然诸子百家以及各代之著作家之学术，虽未能悉合正轨，而所阐明之经理艺术，实不为寡。学施、曹辈之学，往往出于鄙陋猥亵之一途。即以坊肆间之旧板小说论之，十九皆淫猥，十九皆为白话。无他，以所学之者易，自不必进而求之，终至杜其意识于不觉耳。总观之，从文理入者，虽亦不无有害，而有益者亦多。从白话入者，有害者实多，而有益者盖寡，有之不过施、曹辈数人已耳。且亦未必其为有益也。胡先生将谓此为道德方面不完全之效果乎？抑知恶劳顺性，人有恒情，习于其局者率从其事，非可以道德绳也。

由是观之,鄙意对于胡先生之说,既不敢取绝对的服从,则有折衷之论在乎？曰有,即分授之说是也。对于小学生,则授以普通之应用文字,文理与白话二者可精酌而并取；中等以上之学者,则取纯一的文理,而示以深邃精奥之所在。如此则庶几无人不识应用之文字,而所谓邃奥文理者,亦自有一般专门之学者探讨,而使古来本有之经理艺术不因是而火其传也。胡先生其首肯乎？至此项分授详细计画,如蒙不弃,庸当于他日续为诸君述之。

(第三卷第三号,一九一七年五月一日)

诗与小说精神上之革新

刘半农

介绍约翰生、樊戴克两氏之文学思想。

我尝说诗与小说是文学中两大主干,其形式上应行改革之处,已就鄙见所及说过一二。此篇专就精神上立论,分述如下。

一　曰诗

朱熹《诗传序》曰:"人生而静,天之性也。感于物而动,性之欲也。夫既有欲矣,则不能无思。既有思矣,则不能无言。既有言矣,则言之所不能尽,而发于咨嗟咏叹之余者,必有自然之音响节奏而不能已焉。此诗之所以作也。"曹文埴《香山诗选序》曰:"自知诗之根于性情,流于感触,而非可以牵强为者。而彼尚戈戈焉比拟于字句声调间也,则曷反之于作诗之初心,其亦有动焉否耶?"袁枚《随园诗话》有曰:"须知有性情,便有格律。格律不在性情外。三百篇半是劳人思妇,率意言情之事。谁为之格,谁为之律,而今之谈格调者,能出其范围否?"可见作诗本意,只须将思想中最真的一点,用自然音响节奏写将出来,便算了事,便算极好。故曹文埴又说:"三百篇者,野老征夫游女怨妇之辞皆在焉。其悱恻而缠绵者,皆足以感人心于千载之下。"可怜后来诗人,灵魂中本没有一个

"真"字，又不能在自然界及社会现象中，放些本领去探出一个"真"字来。却看得人家做诗，眼红手痒，也想勉强胡诌几句，自附风雅。于是真诗亡而假诗出现于世。

　　《国风》是中国最真的诗——《变雅》亦可勉强算得——以其能为野老征夫游女怨妇写照，描摹得十分真切也。后来只有陶渊明、白香山二人可算真正诗家。以老陶能于自然界中见到真处，老白能于社会现象中见到真处，均有绝大本领，决非他人所及。然而三千篇"诗"，被孔丘删剩了三百十一篇。其余二千六百八十九篇中，尽有绝妙的"国风"。这老头儿糊糊涂涂，用了那极不确当的"思无邪"的眼光，将它一概抹杀，简直是中国文学上最大的罪人了。

　　现在已成假诗世界。其专讲声调格律，拘执着几平几仄方可成句，或引古证今，以为必如何如何始能对得工巧的，这种人我实在没工夫同他说话。其能脱却这窠臼，而专在性情上用功夫的，也大都走错了路头。如明明是贪名受利的荒伧，却偏喜做山林村野的诗。明明是自己没甚本领，却偏喜大发牢骚，似乎这世界害了他什么。明明是处于青年有为的地位，却偏喜写些颓唐老境。明明是感情淡薄，却偏喜做出许多极恳挚的"怀旧"或"送别"诗来。明明是欲障未曾打破，却喜在空阔幽渺之处立论，说上许多可解不解的话儿，弄得诗不像诗，偈不像偈。诸如此类，无非是"不真"二字在那儿捣鬼。自有这种虚伪文学，他就不知不觉与虚伪道德互相推波助澜，造出个不可收拾的虚伪社会来。至于王次回一派人，说些肉麻淫艳的轻薄话，便老着脸儿自称为情诗。郑所南一派人，死抱了那"但教大宋在，即是圣人生"的顽固念头，便摇头摆脑，说是有肝胆有骨气的爱国诗，亦是见理未真之故。（余尝谓中国无真正的情诗与爱国诗，语虽武断，却至少说中了一半）近来，易顺鼎、樊增祥等人拼命使着烂污笔墨，替刘喜奎、梅兰芳、王克琴等做斯文奴隶，尤属丧却人格，半钱不值，而世人竟奉为一代诗宗。又康有为作《开岁忽六十》一诗，长至二百五十韵，自以为前无古人，报纸杂志，传载极广。据我看来，即置字句之不通，押韵之牵强于不问，单就全诗命意而论，亦恍如此老已经死了，儿女们替他发了通哀启。又如乡下大姑娘进了城，回家向大伯小叔摆阔。胡适之先生说，仿古文章，便做到极好，亦不过在古物院中添上几件"逼真赝鼎"。我说此等没价值诗，尚无进古物院资格，只合抛在垃圾桶里。

朋友！我今所说诗的精神上之革新，实在是复旧。因时代有古今，物质有新旧，这个"真"字，却是唯一无二，断断不随着时代变化的。约翰生论此甚详，介绍其说如下（约翰生博士 Dr. Samuel Johnson，生于一七○九年，殁于一七八四年。为十八世纪英国文学界中第一人物，性情极僻，行事极奇。我国杂志中，已有译载其本传者，兹不详述。氏所著书，以《英文字典》（*English Dictionary*）《诗人传》（*The Lives of English Poets*）两种为毕生事业中最大之成就。而《拉塞拉司》（*Rasselas*）《人类愿望之虚幻》（*Vanity of Human Wishes*）《漫游人》（*The Rambler*）诸书，亦多为后世珍重。此段即从《拉塞拉司》中译出。书为寓言体，言"亚比西尼亚 abyssinia 有一王子，曰拉塞拉司，居快乐谷 The Happy Valley 中，谷即人世'极乐地'Paradice。四面均属高山，有一秘密之门，可通出入。王子居之久，觉此中初无乐趣，与二从者窃门而逃，欲一探世界中何等人最快乐。卒至遍历地球，所见所遇，在在均是苦恼。然后兴尽返谷，恍然于谷名之适当云"。氏思想极高，文笔以时代之关系，颇觉深奥难读。本篇所译，力求平顺翔实，要以句句不失原义而止）。

"应白克曰：'……我辈无论何往，与人说起做诗，大都以为这是世间最高的学问。而且将它看得甚重，似乎人之所能供献于神的自然界者，便是个诗。然有一事最奇怪，世界不论何国，都说最古的诗便是最好的诗。推求其故，约有数说。一说为别种学问，必须从研究中渐渐得来。诗却是天然的赠品，上天将它一下子送给了人类，故先得者独胜。又一说，谓古时诗家于榛狉蒙昧之世，忽地做了些灵秀婉妙的诗出来，时人惊喜赞叹，视为神圣不可几及。后来信用遗传，千百年后，仍于人心习惯上，享受当初的荣誉。又一说，谓诗以描写自然与情感为范围，而自然与情感却始终如一，永久不变的。古时诗人既将自然界中最足动人之事物，及情感界中最有趣味的遭遇，一概描写净尽，半些儿没有留给后人。后人做诗，便只能跟着古人，将同样的事物重新抄录一通，或将脑筋中同样的印象翻个花样布置一下，自己却造不出什么。此三说，孰是孰非，且不必管。总而言之，古人做诗，能把自然界据为己有，后人却只有些技术，古人心中能有充分的魄力与发明力，后人却只有些饰美力与敷陈力了。

"我甚喜作诗，且极望微名得与前此至有光荣之诸兄弟（指诗人）并列。波斯及阿拉伯诸名人诗集，我已悉数读过，又能背诵麦加大回教寺中所藏诗卷。然仔细想来，徒事模仿，有何用处？天下岂有从模仿上着力，而能成其为伟人哲士者？于是我爱好之心，立即逼我移其心力于自然与人生两方面。以自然为吾仆役，恣吾驱使。而以人生为吾参证者，俾是非好坏，得有一定之依据。自后无论何物，倘非亲眼见过，绝不妄为描写。无论何人，倘其意向与欲望，尚未为我深悉，我亦绝不望我之情感为彼之哀乐所动。

"我既立意要做一诗家，遂觉世上一切事物，各个为我生出一种新鲜意趣来。我心意所注射的地域,亦于刹那间拓充百倍。自知无论何事,无论何种知识,均万不可轻轻忽过。我尝排列诸名山、诸沙漠之印象于眼前,而比较其形状之同异。又于心头作画,凡森林中有一株之树,山谷中有一朵之花,但令曾经见过,即收入幅中。岩石之高顶,宫阙之塔尖,我以等量之心思观察之。小河曲折,细流淙淙,我必循河徐步,以探其趣。夏云倏起,弥布天空,我必静坐仰观,以穷其变。所以然者,深知天下无诗人无用之物也。而且诗人理想,尤须有并蓄兼收的力量。事物美满到极处,或惨怖到极处,在诗人看来,却是习见。大而至于不可方物,小而至于纤眇不能目睹,在诗人亦视为相狎有素,不足为奇。故自园中之花,森林中之野兽,以至地下之矿藏,天上之星象,无不异类同归,互相联结,而存储于诗人不疲不累之心栈中。因此等意思,大有用处,能于道德或宗教的真理上,增加力量。小之亦可,于饰美上增进其自然真确之描画。故观察愈多,所知愈富,则做诗时愈能错综变化其情景,使读者睹此精微高妙之讽辞,心悦诚服,于无意中受一绝好之教训。

"因此之故,我于自然界形形色色,无不悉心研习。足迹所至,无一国,无一地,不以其特有之印象见惠,以益我诗力而伴我行旅之劳。"

拉塞拉司曰:"君游踪极广,见闻极博,想天地间必尚有无数事物,未经实地观察。如我之局促群山之中,身既不能外出,耳目所接,悉皆陈旧。欲见所未见,观察所未观察而不可得,则如何?"

应白克曰:"诗人之事业,是一般特性的观察,而非各个的观察。但能于事物实质上大体之所备具,与形态上大体之所表见,见着个真相便好。若见了郁金香花,便一株株地数它叶上有几条纹,见了树林,便一座座地量它影子是方是圆,多长多阔,岂非麻烦无谓。即所做的诗,亦只须从大处落墨,将心中所藏自然界无数印象,择其关系最重而情状最足动人者,一一陈列出来。使人人见了,心中恍然于宇宙的真际:'原来如此。'至于意识中认为次一等的事物,却当付诸删削。然这删削一事,也有做得甚认真,也有做得甚随便。这上面就可见出诗人的本分,究竟谁是留心,谁是贪懒了。

"但是诗人观察自然,还只下了一半功夫,其又一半,即须娴习人生现象。凡种种社会、种种人物之乐处苦处,须精密调查,而估计其实量。情感的势力,及其相交相并之结果,须设身处地以观察之。人心的变化及其受外界种种影响后所呈之异象,与夫因天时及习俗的势力所生的临时变化,自人人活泼康健的儿童时代起,直至其颓唐衰老之日止,均须循其必经之轨道,穷迹其去来之踪。能如是,其诗人之资格犹未尽备。必须自能剥夺其时代上及国界上牢不可破之偏见,而从抽象的及不变的事理中判一是非。尤须不为一时的法律与舆论所羁累,而超然高举,与至精无上、圆妙无极、万古同一的真理相接触。如此,则心中不特不急急以求名,且以时人的推誉为可厌,只把一生欲得之报酬,委之于将来真理彰明之后。于是所做的诗,对于自然界是个天人联络的译员,对于人类是个灵魂中的立法家。他本人也脱离了时代与地方的关系,独立太空之中,对于后世一切思想与状况,有控御统辖之权。

"虽然诗人所下苦工犹未尽也。不可不习各种语言,不可不习各种科学。诗格亦当高尚,俾与思想相配。至措词必如何而后隽妙,音调必如何而后和叶,尤须于实习中求其练熟……"

二　曰小说

"小说为社会教育之利器,有转移世道人心之能力。"此话已为今日各小说杂志发刊词中必不可少之套语。然问其内容,有能不用"迎合社会心理"的功夫,以遂其"孔方兄速来"之主义者乎？愿小说出版家各凭良心一答我言。

"文情"二字,又今日谈小说者视为构成小说之原质者也。然我尝举一"文"字,问业于一颇负时名之小说家,其答语曰:"作文言小说,近当取法于《聊斋》,远当取法于'史汉'。作白话小说,求其细腻,当取法于《红楼》。求其瘦硬,当取法于《水浒》。然《红楼》又脱胎于《杂事秘辛》诸书,《水浒》又脱胎于《飞燕外传》诸书。则谓小说即是古文,非古文不能称小说可也。"又尝举一"情"字,问业于一喜读小说之出版家,其答语曰:"情节离奇是小说的骨子。必须起初一个闷葫芦,深藏密闭,直到临了才打破,方为上乘。其次亦当如金圣叹评《大易》,所谓'手轻脚快,一路短打'方是。若在古文上用功夫,句句是乌龟大翻身,有何趣味？"由前说言,中国原有古文,已觉读之不尽,何必再做？且何不竟做古文,而做此刻鹄类鹜、画虎类狗之小说为？由后说言,街头巷尾,小书摊上所卖"穷秀才落难中状元,大小姐后园赠衣物"的大丛书,亦尽可消闲破闷,何必浪费笔墨,再出新书？

小说家最大的本领有二:第一是根据真理立言,自造一理想世界。如施耐庵一部《水浒》,只说了"做官的逼民为盗"一句话,是当时虽未有"社会主义"的名目,他心中已有了个"社会主义的世界"。托尔斯泰所作社会小说,亦是此旨。其宗教小说,则以"Where's Love, there's God"一语为归宿,是意中不满于原有的宗教,而别有一理想的"新宗教世界"也。此外如提福之《鲁滨生》一书,则以

"社会不良,吾人是否能避此社会"？及"吾人脱离社会后能否独立生活"？两问题,构成一"人有绝对的独立生活力"的新世界。欧文所著各书,则以"风俗浇漓足以造成罪恶",而虚构一"浑浑噩噩之古式的新世界"。虞哥所撰各书,则破坏"一切制造罪恶的法律",而虚构一"以天良与觉悟代法律的新世界"。王尔德所著各书,能于"爱情真谛"之中,辟一"永远甜蜜"的新世界。左拉所著各书,能以"悲天悯人"之念,辟一"忠厚良善"之新世界。虽各人立说不同,其能发明真理之一部分,以促世人之觉悟则一。第二是各就所见的世界,为绘一惟妙惟肖之小影。此等功夫,已较前稍逊。然如吾国之曹雪芹、李伯元、吴研人,英国之狄铿士、萨克雷、吉伯林、史梯文生,法国之龚枯尔兄弟与莫泊桑,美国之欧·亨利与马克·吐温,其心思之细密,观察力之周至,直能将此世界、此社会表面里面所具大小精粗一切事物,悉数吸至笔端,而造一人类的缩影,此是何等本领！至如惠尔司之撰科学小说,康南道尔之撰侦探小说,维廉勒苟之撰秘密小说,瑟勒勃郎之撰强盗小说,已非小说之正,且亦全无道理,与吾国《花月痕》《野叟曝言》《封神榜》《七侠五义》等书同一胡闹。然天地间第一笨贼,却出在我国。此人为谁？曰：俞仲华之撰《荡寇志》是！

　　同是一头两手,同是一纸一笔,何以所做小说,好者如彼而恶劣者如此,曰：此是头脑清与不清之故。果能清也,天分高,功夫深,固可望大成；即不高不深,亦可望小成。否则,说上一辈子呓话,博得俗伦叫好而已。我今介绍樊戴克之说,即是洗清头脑的一剂灵药。(樊戴克博士 Dr. Henry van Dyke, 为美国当代第一流文豪。曾任 Princeton 大学英文学主讲。其著作有 *Isherman's Luck*、*Little Rivers*, *The Blue Flowers*, *The Ruling Passion*, *Music, and other po-*

ems, *The House of Rimon*, *The Toiling of Felix*, *and other poems* 等。首二种为记事写生文,次二种为小说,余为诗集,均极有声誉。此节见于 *RulingPassion* 一书之篇首,标题曰《著作家之祈祷》*a writer's Request of His Mas'er*。盖用教会中祈祷文体,以发表其小说上之观念,正所以自明其视文学为神圣的学问也。其言甚简,却字字着实,句句见出真学问,实不可多得之短文也。)

"愿上帝佑我,永远勿任我贸然以道德问题与小说相牵涉,且永远勿任我叙述一无意义之故事。愿汝督察我,令我敬重我之材料,俾不敢轻视自己之著述。愿汝助我以诚实之心对待文字与人类,因此皆有生命之物也。愿汝示我以至清明之途径,因著书如泅水,少许之澄清,胜于多许之混浊也。愿汝导我观察事物之色相,而不昧我心中潜蓄之灵光。愿汝以理想赐我,俾我得立足于纺机之线,循序织入人类之锦,然后于朦昧不明之一大疑团中,探得其真际所在。愿汝管束我,勿令我注意书籍有过于人类,注意技术有过于人生。愿汝保持我,使我尽其心力,作此一节之功课,至于圆满充足而后止。既毕事,则止我,且给我以酬,如汝之意。更愿汝助我,从我安静之心中,说一感谢汝恩之亚门。"

此说专对小说立论,与约翰生之论诗,虽题目各殊,用意实出一轨。可知诗与小说,仅于形式上异其趋向,骨底仍是一而二,二而一,即诗与小说而外,一切确有文学的价值之作物,似亦未必不可以此等思想绳之。

结论

前文云云,我不敢希望于今之"某老某老"之大吟坛,亦不敢希望于报纸中用二号大字刊登"洛阳纸贵""著作等身"之小说大家。即持此以与西洋十先令或一便士的廉价出版品——有时亦可贵至一圆三角半或三先令六便士！——之著作家说话，亦是对牛弹琴，大杀风景。然则此文究竟做给何等人看？曰：做给爱看此文者看。

"If this will not suffice, it must appear

That malice bears down Truth."——Shakespeare

"Truth crashed to earth shall rise again;

The eternal years of God are hers."——Bryant

(第三卷第五号，一九一七年七月一日)

改良文学之第一步

易 明

今日文界,论古文则有王湘绮、章太炎诸先生辈,论时文则有梁任公、汪精卫诸先生辈。然文之体裁,犹未尽备也。诸先生辈或长于骈散之文,或专于声咏之学,或以词胜,或以理胜,洵足为文坛健者,发挥学业,迥非后生所可及。虽然诸先生辈逝者逝矣,老者老矣,或仆仆风尘之中,或汶汶浊世之内。求欲奉斯人以改良文学,虽心有所向,恐亦势所不能。然则负此重任冀造福于吾国者,其惟我辈青年乎?

夫文以载道,学以致用,古人语我以宝筏矣。何以谓之道?则起居饮食、稻粱菽麦,以至于牛溲马溺,皆载道之具也。何以谓之学?则于个人、于社会、于国家,大而至于天下,皆致用之地也。明乎此,庶可与言文学,庶可与言改良文学。

窃以为文学改良,当先普行俗语。盖中国文字之繁难极矣,从其事者尽毕生之力,始克有成,推其极又不过夸耀一人,尊重一世。而于收普及之效,遗千载斯民之歌颂,则邈乎未之前闻。岂其力不足以致此耶?非也。盖落古人之窠臼,坐斯弊而莫知救也。然惟用俗语,庶足以挽回斯弊。吾故视为文学改良之第一步。

今试举数例,以见俗语之适用于时,使阅者于文学改良上有所研究焉。

（一）论说类　仆读吴君稚晖所著之论说，极为赞成，极其钦佩。以其能广引俗语笑话，润以滑稽之笔，参以精透之理，使观其文者有如仲尼之闻韶，三月不知肉味。而其文势又如天马之行空，鹰隼之搏击。昔东坡嬉笑怒骂，皆为文章，吴君庶足当之。然吾非不喜梁、汪诸人之文章也，特欲从改良文学上设想，仍当推吴君为先着。

（二）书简类　仆与友人冯若飞来往手札，皆纯用白话体。自以为心所欲言者，无不可达之处。非若以文藻饰者，故意引经据典，反失其本意也。仆最厌今人写信，其于起首必书敬启者某某仁兄大人，或兹有恳者等字样；其于收尾必书肃此敬请某安、纸短情长、余容后述等字样。既不能连结上下文，又为千篇一律。此等又臭又烂之客套语，惟俗人始能写出之，亦惟俗语始能纠正之。

（三）小说类　仆以为此层更有须用俗语之必要。何则？以其描写情态，非俗语必不能尽达其意也，试披览吾国之几部有名小说，如《红楼梦》《水浒》《三国演义》《西游记》等，何一非用俗语做成者？虽其间参有几首诗词，亦不过点缀之笔，而其力实足以移风俗、感人心（如看《红楼梦》则羡宝黛，看《三国演义》则恨阿瞒）。且如《西厢记》之绝妙好词，加以金圣叹之批，更形出色。至于《聊斋志异》等书，纯以文词见重，佳则佳矣，惜其用仅限于文人一部分耳。乃近世一般自号为小说大家者，极力摹仿其笔，以为小说之能力至此观止矣，亦何可笑耶？

以上数端，不过略举一二而已。其他有关于人心风俗，而有裨益于社会、造福于国家者尚多。总之文学改良，亦当今之一大急务。仆不敏，愿执鞭以从诸君子之后。兹以课忙未能枚举，俟他日有暇，当详论之，以质于诸君子之前，幸垂教焉。

(第三卷第五号，一九一七年七月一日)

文学革新申义

北京大学文科学生　傅斯年

中国文学之革新,酝酿已十余年。去冬胡适之先生草具其旨,揭于《新青年》,而陈独秀先生和之。时会所演,从风者多矣。蒙以为此个问题含有两面。其一,对于过去文学之信仰心加以破坏。其二,对于未来文学之建设,加以精密之研究。过去文学,乃历史上之出产品。其不全容于今日,自不待智者而后明。故破坏一端,在今日似成过去,但于建设上讨论而已。然以愚近中所接触者言之,国人于此抱怀疑之念者至多。恶之深者,斥为邪说,稍能容者,亦以为异说高论,而不知其为时势所造成之必然事实。国人狃于习俗,此类恒情,原无足怪。然欲求新说之推行,自必于旧者之不合时宜处,重申详绎,方可奏功。然则破坏一端,尚未完全过去。此篇所说,原无宏旨,不过反覆言之,期于共喻而已。

本篇所陈,纷杂无次,综其大旨,不外三端。一、为理论上之研究。就文学性质上以立论,而证其本为不佳者。二、为历史上之研究。泛察中国文学升降之历史,而知变古者恒居上乘,循古者必成文弊。三、为时势上之研究。今日时势,异乎往者。文学一道,亦应有新陈代谢作用。为时势所促,生于兹时也。此外偶有所涉,皆为附属之义。

今试作文学之界说曰:"文学者,群类精神上之出产品,而表以文字者也。"此界说中有"群类精神"上出产品之总(Genus)与"表以文字"之差(Difference)。历以论理形式,尚无舛谬。文学之内情本为精神上之出产品,其寄托之外形本为文字。故就质料言之,此界说亦能成立。既认此界说为成立,则文学之宜革不宜守,不待深思而解矣。文学特精神上出产品之一耳(Genus必为复数)。他若政治、社会、风俗、学术等,皆群类精神上出产品也,以群类精神为总纲,而文学与政治、社会、风俗、学术等为其支流。以群类精神为原因,而文学与政治、社会、风俗、学术等为其结果。文学既与政治、社会、风俗、学术等同探本于一源,则文学必与政治、社会、风俗、学术等交互之间有相联之关系。易言之,即政治、社会、风俗、学术等之性质皆为可变者,文学亦应为可变者。政治、社会、风俗、学术等为时势所迫概行变迁,则文学亦应随之以变迁,不容独自保守也。今知政治、社会、风俗、学术等性质本为变迁者,则文学可因旁证以审其必为变迁者。今日中国之政治社会风俗学术等皆为时势所挟大经变化,则文学一物,不容不变。更就具体方面举例言之,中国今日革君主而定共和,则昔日文学中与君主政体有关系之点,若颂扬铺陈之举,理宜废除;中国今日除闭关而取开放,欧洲文化输入东土,则欧洲文学中优点为中土所无者,理宜采纳;中国今日理古的学术已成过去,开后的学术将次发展,则于重记忆的古典文字,理宜洗濯,尚思想的益智文学,理宜孳衍。且文学之用,在所以宣达心意。心意者,一人对于政治、风俗、社会、学术等一切心外景象所起之心识作用也。政治、社会、风俗、学术等一切心外景象俱随时变迁,则今人之心意,自不能与古人同。而以古人之文学达之,其应必至于穷,无可疑者。知政治、社会、风俗、学术等应为今日的而非历史的,则文学亦应为今日的而非历史的。晚周有晚周特殊之政俗,遂有晚周特殊之文学;两汉有两汉特殊之政俗,遂有两汉特殊之文学;南朝有南朝特殊之风俗,遂有南朝特殊之文学。降及后代,莫不如此,理至明也。

且精神上之出产品,不一其类,而皆为可变者。固由其所从出之精神,性质变动,迁流不居。子生于母,自应具其特质。精神生活本有创造之力,故其现于文学而为文学之精神也,则为不居的而非常住的,无尽的而非有止的,创造的而非继续的。今吾党所以深信文学之必趋革新,而又极望其革新者,正所以尊崇吾国之文学,爱护吾国之文学,推本文学之性质,可冀其辉光日新也。或者竟欲保持旧观,以往古之文学,达今日之政俗、学问。一闻革新之论,实不能容。揆彼心理,诚谓今日以往之文学,造乎其极,蔑以加矣。夫造乎其极,蔑以加者,止境也,即死境也。口持保存国粹之言,乃竟以文学末日待之,何不肖、不祥至于斯也。保存国粹之念,谁则让人。惟其有保存国粹之念,而思所以保存之道,然后有文学革新之谈。犹之欲保存中国,然后扑满清政府而建共和耳。

中夏文学之殷盛,肇自六诗,踵于楚辞(此就屈、宋、景言,不包汉世楚辞)。全本性情,直抒胸臆,不为词限,不因物拘。虽敷陈政教,褒刺有殊,悲时悯身,大小有异,要皆"因情生文",而情不为文制也。惟其以感慨为主,不牵词句,不矜事类,故能吐辞天成,情意备至。而屈宋之文,遂能"决乎若翔风之运轻赮,洒乎若元泉之出乎蓬莱而注渤澥"。降及汉世,政教失而学术息,章句兴而性灵蔽。武功方张,吐辞流于夸诞;小学深修,奇字多入赋篇。独夫在上,谀声大作。心灵不起,浮泛成文。故能义贫而词富,情寡而文繁。炫耀博学,夸张声势,大而无当,放而无归,瓠落而无所容。于是六义大国,夷为三仓附庸;抒情之文,变作隶胥之录。相如唱之,扬雄和之,犹然天下从风,斯文敝之始也。东京以还,此道更盛。《京》《都》之制,全无性灵。堆积为工,诞夸成性。而性灵亦为文词所拘,末由发展。建安、黄初之间,曹王特出。子建之诗,直追枚、李;仲宣之赋,大革汉风。浮词去而气质尚,上跻乎变风、变雅之间,非舍本逐末之赋家所能比拟。诚文学界中一大革新,亦是文学一大进化。无如狂澜方挽,迷途又生。渡江而后,"诗必柱下之旨归,赋乃漆园之义疏"。文学依附玄家,不能自立。谢容易以光景之文,斯足美矣。而乃"启心闲绎,托辞华瞻,巧倚迂回","晦涩费解"。以贵族之习气,合山林之幽阻,不谓为文弊不可也。则有吟咏性情。反贵用事。天才短谢,物类乃崇。"崎岖牵引","拘挛补衲","唯睹事类,顿失精采"。"大明、泰始中,文章殆同书按"矣。又如沈约制韵,"使文徒多拘忌,伤其真美"。性灵汩没,不知其几何也。简文变古,淫艳当途。声色使人目眩,荡情致人心乱。岂仅害于文章,亦大伤于世道。徐、庾承其流化,辞重情轻之倒置,积重难返矣。其于六代之中,"前不见古人,后不见来者",独辟致远之境,不染斫辞之病,起江东之独秀者,则陶潜其人也。(以上略本钟嵘、刘勰二家言及五代诸史传论)隋唐之间,清风乃振。炀帝、太宗皆有变古之才。而开元之间,李、杜挺起,除六朝之文弊,启文囿之封疆,性灵大宏矣。降及元和,微之宫词,妇人能解;香山乐府,全写民情。革险阻而趋平易,舍小己以入群伦。又有昌黎、柳州,作范其间,除人造之俪辞,返天然之散体。论其造诣所及,柳则大启后世小说家刺时之旨(唐代小说本盛,然柳州之旨,却与当时芜滥卑劣者不同),又为持论者示精确之准的。韩则论文论学,皆启有宋一代之风化(别有详论),于骈体横被一世之际,独不惜人之"大怪"。于是开元、元和之间，诗文俱革旧观。言乎文情，靡靡者易为积健，拘文者易为直抒，辞重者易为情重。体渐通俗，市语入文。况述社会，略见端倪。言乎文体，又多有创作。七言长风至李杜始成体制，至香山乃能纪事。七律、排律虽不始于此时，而创作奇格，实出杜公。太白古乐府，尤复一篇一格，句法长短参差，竟空前而绝后。又汉乐府之遗意，久已乖亡。晋宋以降。庙堂之制，则摹古不通，燕寝之作，则轻艳浮浅。唐世词张而乐离，乐府之为用已不可存。太白、香山独创新声以应之，后世名之曰词，遂成宋、金、元、明新文学之前驱，斯又足贵也。然则开元、元和之间，又为文学界中一大革新，亦是文学一大进化。旷观此千年中，变古者大开风流，循旧者每况愈下。文学不贵师古，不难一言断定也。历观楚汉至今二千年中文学升降之迹，则有因循前修，逐其末流，而变本加厉者。若扬马之承屈景，南朝之承魏晋，北宋吴蜀六士之承韩公。皆于古人已具之病，益之使深，终以成文弊。又有不辟新境，全摹古人，若明清二代诸家之复古，极其能事，不过"优孟衣冠"，而其自身已无存在之价值，更何论乎性情之发展？别有挟古人之糟粕，当风化之已沫，斫成新体，专刻皮鞯。如樊南之四六、欧王之宋骈，内心疲苶不存，岂有不枯薄者耶？至为曹王变古，独开宗风。李、杜、韩、柳，俱启新境。宋词、元曲，尤多作之自我。惟其不袭古人，故能独标后代也。凡此四格，因革各异，良劣有殊。宏治嘉靖复古之风，至今未斩。虽所托因人不同，其舍己则一。不以摹拟为门径，竟以摹拟为归宿。纵能希抗古人，亦仅为其奴隶（词曲本宋元新文学，自明清复古家作之，亦复同流合污），斯乘之最下者也。若夫刻其皮鞯，逐其末流，一则徒辨乎体貌，一则流连而忘归，亦非宏宝之涂也。此三者均未脱离古人，其能附骥尾而行以传于后者，幸也。

明清复古之文，尤少谈之者。既无殊特之点，更无殊特之位置。而今之惑人犹复一步趋古人为名高，岂非大左乎？革新诸家。亦多诡词复古。故太白则曰："圣代复远古，垂衣贵清真。"昌黎则曰："非两汉之书不敢观。"词曲不袭前人矣，犹装其门面曰："古乐府之遗。"斯有贵古贱今，华人恒性。语人自作古始，听者将掩耳而走，何如因利乘便，诡辞以为名高乎？且所谓变古者，非继祖龙以肆虐，束文藉而不观。贤者识其大者，不贤者识其小者，尽可取为我用。但能以"我"为本，而用古人，终不为古人所用，则正义几矣。易曰："革之时义大矣哉。"变动不居，推陈出新。今虽无人提倡文学革命，而时势要求，终不能自已也。

古典文学所由成立之历史，殊不足观也。周秦诸子动引古人，凡所持论，必谓古之道术有在于是者。此则求征以信人，取喻以足理，庄子所谓重言与后世之古典文学渺不相涉者也。自西汉景武以降，词赋家盛起。虽具环玮之才，而乏精密之思。欲为无尽之言，必敷枝叶之词。义少文多，自当取贵于事类。事类客也，今则变为主。所以足言也，今则言足犹取事类。壅肿不治，尾大不掉之病，此其肇端也。又词赋家之意旨，原不剀切。取用于质言，将每至于词穷，幸能免于词穷，亦未足以动人。故利用事举之含胡，以为进退申缩之地；利用事类之炜烨，以为引人入迷之方。此古典文学所由成立之第一因也。两汉章句之儒，博于记诵，贫于性情。发为文章，自必炫其所长，藏其所短。引古人之言以为重，取古人之事以相成，当其能事于事古，其流乃成堆砌之体。斯风流传，久而不沬。于是书按之文，字林之赋，充斥于文苑。京都之作，人且以方物志待之矣。此古典文学所由成立之第二因也。魏晋以降，浮夸流为妄言。禹域未一，而曰"肃慎贡矢，夜郎请职"。克敌未竟，而曰:"斩俘部众,以万万计。"但取材于成言,初无顾于事实。则直为古人所用,而不能用古人矣。斯习所被,遂成不作之言,全以古风事代替之风。此古典文学所由成立之第三因也。降及齐梁,声律对偶,刻削至严。取事取类,工细已深。概以故事代今事,不容质说,古典文学之体于是大定。自斯而后,众家体制,为古典主义所范者多矣。寻其流弊,则意旨为古典所限,而莫能尽情;文词为古典所蔽,而莫由得真;发展性灵之力为记忆古典所夺,而莫能尽性。文以足言之用,全失其效,且反为言害矣。故综此四端,可一言以蔽之,曰:舍本逐末而已。今文学所以急待改革者,正求置末务本。于此舍本逐末之古典文学,理宜加以掊击。然用古典能得足志足言之效者,即不可与古典文学同在废置之例。古典原非绝对不可用,所恶于古典者文学,为其专用古典而忘本也。陈仲甫先生曰:"行文本不必禁止用典,惟彼古典主义,乃为典所用,而非用典也,是以薄之耳。"诚深得其情之言也。

欲知今后文言之宜合,当先知上古文言何由分判。太古文言,固合而不离也。周诰殷盘,诘屈聱牙,正由以语入文,古今语异,乃不可解耳。(今人恶白话,以为不古。而中国第一部书即以白话为之。托词名高者其可以已乎)古人竹简繁重,流传端赖口耳。欲口耳之易传,必巧饰其词。杂以骈句,润以声节。浸成修整之文,渐远天然之语。不观尚书之多韵语、偶辞乎?斯文言分离第一步也。周承二代之后,郁乎其文。大夫行人,多闻博古,自能吐辞温润,动引故言。孔子谓诵《诗》可以专对,专对之尚文可知也。《左传》载行人之语多有雷同者,其刻画可知也。士夫之言曰美,遂为文章之宗;农牧之言仍质,乃成市语之体。斯文言分离第二步也。秦汉以还,动多师古,不敢如晚周之世,以当时语言为文章。(诸子之中,自荀子等数家外，多用当时通用之语著之竹帛，即《论语》亦然也）而文言分离之象大定。斯其第三步也。然汉魏六朝之文，内情终不远离于语言。《史记》《汉书》，多载彼时市语，学者诂经，好引当代方言。二陆往来之书，竟通篇为白话焉。魏晋以降，文章典丽，语言称是。《晋书·博物志》《世说新语》等所载当时口语，少因笔削，概由直录。齐梁韵学入文，亦入于语。周颙之徒，双声叠韵，铿锵其话语言。至于隋唐，此风不替。李密隔河数字文化及罪，化及不解，曰："何须作书语耶。"化及粗顽，自不解书语，然密既腾诸口说，必彼时上流用之也。循上所言之事实以观察之，可得四问。第一，中国语之文分离，强半为贵族政体所造成。贵族之性，端好修饰，吐辞成章，亦复如是。今苟不以高华典贵为文章之正宗，即应多取质言。且贵族之政，学不下庶人，文言分离，无害于事也。今等差已泯，群政艾兴。既有文言通用于士流，复有俗语传行于市民，俗语著之纸墨，别为白话文体。于是一群之中，差异其词。言语文章之用，固所以宣情，今则反为隔阂情意之具。与其樊然淆乱，难知其辨，何若取而齐之，以归于一乎？第二，语文体貌虽异，而性情相关。一代文辞之风气，必随一代语言以为转变。今世有今世之语，自应有今世之文以应之，不容借用古者。与其于今世语言之外，别造今世之文辞，劳而无功，又为普及智慧之阻，何如即以今世语言为本，加以改良，而成文言合一之器乎？第三，《论语》所用虚字，全与《尚书》违。屈景所用，若"羌""些"者，又为他国所无。彼所以勇于作古者，良由声气之宣，非已死虚字所能为。故不以时语为俚，不以方言为狭。惟其用当时之活虚字，乃能曲肖神情，此白话优于文言一巨点也。第四，《史记》《汉书》以下，何以必杂当代白话，二陆书简，何以必用市语。岂非由白话近真，文言易于失旨乎？《史记》云"诸君必以为便便国家"，《汉书》易为文言，朵气极矣。且宋人语录，全以白话为之。议者将曰，理学家不重文章也，从事文辞，劳费精神，有妨于研理也，玩物而丧志也。此皆浅言也。文不尽言，言不尽意。言语本为思想之利器，用之以宣达者。无如思想之体，原无涯略，言语之用，时有困穷。自思想转为言语，经一度之翻译，思想之失者，不知其几何矣。文辞本以代言语，其用乃不能恰如言语之情。自言语转为文辞，经二度之翻译，思想之失者，更不知其几何矣。苟以存真为贵，即应以言代文。一转所失犹少，再转所失遂巨也。且唐宋诗人，多用市语，词曲之体，几尽白话，固为其切合人情。以之形容，恰得其宜；以之达意，毕肖心情。今犹有卑视白话者，岂非大惑乎。

今世流行之文派，得失可略得言。桐城家者，最不足观，循其义法，无适而可。言理则但见其庸讷而不畅微旨也，达情则但见其陈死而不移人情也，纪事则故意颠倒天然之次叙，以为波澜。匿其实相，造作虚辞，曰不如是不足以动人也。故析理之文，桐城家不能为，则饰之曰：文学家固有异夫理学也。疏证之文，桐城家不能为，则饰之曰：文章家固有异夫朴学也。抒感之文，桐城家不能为，则饰之曰：古文家固有异夫骈体也。举文学范围内事，皆不能为，而忝颜曰文学家。其所谓文学之价值可想而知。故学人一经瓣香桐城，富于思想者，思力不可见；博于学问者，学问无由彰；长于情感者，情感无所用；精于条理者，条理不能常。由桐城家之言，则奇思不可为训，学问反足为累，不崇思力，而性灵终归泯灭；不尚学问，而知识日益空疏。托辞曰"庸言之谨"，实则戕贼性灵以为文章耳。桐城嫡派无论矣，若其别支，则恽子居异才，曾涤笙宏才，所成就者如此其微，固由于桎梏拘束，莫由自拔。钱玄同先生以为"谬种"，盖非过情之言也。世有为桐城辩者，谓桐城义法，去泰去甚。明季末流文弊，一括而去之。余则应之曰，桐城遵循矩矱，自非张狂纷乱者所可呵责。然吾不知桐城之矩矱果何矩矱也。其为荡荡平平之矩矱，后人当遵之弗畔。若其为桎梏心灵戕贼性情之矩矱，岂不宜首先斩除乎？

中国本为单音之语文，故独有骈文之出产品。论其外观，修饰华丽，精美绝伦。用为流连光景、凭吊物情之具，未尝无独到之长也。然此种文章，实难能而非可贵，又不适用于社会。将来文学趋势大迁，只有退居于"历史上艺术"之地位，等于鼎彝，供人玩好而已。且骈文有一大病根存，即导人伪言是也。模棱之词，含糊之言，以骈文达之，恰充其量。告言之文，多用骈体，利其情之易于伸缩，进退皆可也。今新文学之伟大精神，即在篇篇有明确之思想，句句有明确之义蕴，字字有明确之概念。明确而非含糊，即与骈文根本上不能相容。尚旨而不缛辞，又与骈文性质上渺不相涉。况含糊模棱，无信之词也。专用譬况，遁辞之常也。骈文之于人也，教之矜伐，诲之严饰，启其意气，泯其懿德。学之而情为所移，便将与鸟、兽、草、木、虫、鱼不群，而不与斯人之徒相与。欲其有济于民生，作辅于社会，诚万不可能之事。而况六朝文人，多畀薄行，鲜有令终。诵其诗，读其文，与之俱化。上焉者，发为游仙之想；中焉者，流成颓唐之气；下焉者，浸变淫哇之风。今欲崇诚信而益民德，写人生以济群类，将何用此骈体为也。

龚定庵久与汪容甫、魏默深号称三家，今更磅礴海内，寻其独立不羁，自作古始，曷尝不堪服膺。生逢桐城滑泽文学盛行之日，又当试帖四六混合体之骈文家角立之时，独能希抗诸子，高振风骨，可以为难矣。然而佶屈聱牙，不堪入口，既乖"字妖"之条，又违

"易造难识"之戒。故为惊众之言，实非高人之论，多施僻隐之字，又岂达者之为？用辞含糊，等于骈体，庞然自大，类于古文。文章本以宣意，何必深其壁垒乎？张皋文等好作难解之文，固可与龚氏齐视。余尝读其《赋钞序》《黄山赋》诸篇，几乎不能句读。穷日夜力以释之，及乎既解，则又卑之无甚高论，果何用此貌似深奥者为也？故龚氏之变当时文体则是矣，惜其所变者未当。彼龚氏者，文学界中不中用之怪杰也。

自汪容甫、李申耆标举三国晋宋之文，创作骈散交错之体，流风所及，于今为盛。章太炎先生其挺出者也。盖汉人制文，每牵于章句。梁后俪体，专务乎雕琢。唐宋不免于粗犷，清代尽附于科举。（散文与八比合，骈文与试帖诗赋合）以三国晋宋疏通致远之文当之，则皆望风不及。苟非物换时移，以成今日之世代者，虽持而勿坠可也。无若时势之要求，风化之浸变，陈词故谊，将不适用于今日。魏晋持论，固多精审，然以视西土逻辑家言，尚嫌牵滞句文，差有浮辞。其达情之文，专尚"风容色泽放旷精清"，衡以西土表象写实之文，更觉舍本务末，不切群情。故论其精神，则"意度格力，固无取焉"。论其体式，则"简慢舒徐，斯为病矣"。况文学本逐风尚为转移，今不能以《世说新语》为今后之风俗史，即不能以三国晋宋文体为今后之正家，理至显也。

西方学者有言："科学盛而文学衰。"此所谓文学者，古典文学也。人之精力有限，既用其精力于科学，又焉能分神于古典，故科学盛而文学衰者，势也。今后文学既非古典主义，则不但不与科学作反比例，且可与科学作同一方向之消长焉。写实表象诸派，每利用科学之理，以造其文学，故其精神上之价值有迥非古典文学所能望其肩背者。方今科学输入中国，违反科学之文学，势不能容，利用科学之文学，理必孳育。此则天演公理，非人力所能逆从者矣。

平情论之，纵使今日中国犹在闭关之时，欧土文化犹未输入，民俗未丕变，政体未革新。而乡愿之桐城，淫哇之南社，死灰之闽派，横塞域中。独不当起而翦除，为末流文弊进一解乎？而况文体革迁，已十余年，辛壬之间，风气大变。此酝酿已久之文学革命主义，一经有人道破，当无有间言。此本时势迫而出之，非空前之发明，非惊天之创作。始为文学革命论者，苟不能制作模范，发为新文，仅至于持论而止，则其本身亦无何等重大价值，而吾辈之闻风斯起者，更无论焉。若于此犹存怀疑，非拘墟于情感，即缺乏于常识。此篇所言。全无妙义，又多盈辞，实已等于赘旒。今后但当从建设的方面有所抒写。至于破坏既往，已成定论，不待烦言矣。

(第四卷第一号，一九一八年一月十五日)

论小说及白话韵文

胡 适 钱玄同

玄同先生：前奉读"二十世纪第十七年七月二日"的长书，至今尚未答复。此中原因，想蒙原谅。先生对于吾前书所作答语，大半不须我重行答复。仅有数事，略有鄙见，欲就质正：

（4）（数目字指三卷第六号中原书之各条）《三国演义》一书，极为先生所不喜。然先生于吾原书所云，似有误会处。吾谓此书"能使今之妇人、女子皆痛恨曹孟德，亦可见其魔力之大"。吾并非谓此书于曹孟德、刘备诸人褒贬得当。吾但谓以小说的魔力论，此书实具大魔力耳。先生亦言："《说岳》既出，不甚有何等之影响。《三国演义》既出，于是关公，关帝，关夫子，闹个不休。"此可见《说岳》之劣而《三国演义》之优矣。平心而论，《三国演义》之褒刘而贬曹，不过是承习凿齿、朱熹的议论，替他推波助澜，并非独抒己见。况此书于曹孟德，亦非一味丑诋。如白门楼杀吕布一段，写曹操人品实高于刘备百倍。此外写曹操用人之明，御将之能，皆远过于刘备、诸葛亮。无奈中国人早中了朱熹一流人的毒，所以一味痛骂曹操。戏台上所演《三国演义》的戏，不是《逼宫》，便是《战宛城》，凡是曹操的好处，一概不编成戏。此则由于编戏者之不会读书，而《三国演义》之罪实不如是之甚也。先生又谓此书"写刘备成一庸懦无用的人,写诸葛亮成一阴险诈伪的人"。此则非关作者"文才笨拙",乃其所处时代之影响也。彼所处之时代,固以庸懦无能为贤,以阴险诈伪为能,故其写刘备、诸葛亮亦只如此。此如古人以"杀人不眨眼""喝酒三四十大碗"为英雄,今人如张春帆之徒以能"吊膀子"为风流。故《水浒传》之武松,自西人观之,必诋为无人道;而《九尾龟》之章秋谷,自吾与先生观之,必诋为淫人。此与吾前书所言《品花宝鉴》不知男色为恶事,同一道理。此理于读书甚有益,故不惮重言之。即如孔子时代,原不以男女相悦为非,故叔梁纥与征在"野合而生孔子"(见《史记》),时人不以此遂轻孔子。及孔子选《诗》,其三百篇中,大半皆情诗也。即如《关雎》一篇,明言男子恋一女子,至于"寤寐思服""辗转反侧",害起"单思病"来了。孔子不以为非,却说"《关雎》乐而不淫,哀而不伤"。又如"陟彼南山,言采其蕨。未见君子,忧心惙惙。亦既见止,亦既觏止,我心则说"。明言女子与男子期会于野。凡此诸诗,所以能保存者,正以春秋时代本不以男女私相恋爱为恶德耳。后之腐儒,不明时代之不同,风尚之互异,遂想出种种谬说来解《诗经》。诗之真价值遂历二千余年而不明,则皆诸腐儒之罪也。更举一例:白香山的《琵琶行》,本是写实之诗。后之腐儒不明风俗之变迁,以为朝廷命官岂可深夜登有夫之妇之舟而张筵奏乐。于是强为之语,以为此诗全是寓言。不知唐代人士之自由,固有非后世腐儒所能梦见者矣。先生以为然否?

(5)先生与独秀先生所论《金瓶梅》诸语,我殊不敢赞成。我以为今日中国人所谓男女情爱,尚全是兽性的肉欲。今日一面正宜力排《金瓶梅》一类之书,一面积极译著高尚的言情之作,五十年后,或稍有转移风气之希望。此种书即以文学的眼光观之,亦殊无价值。何则？文学之一要素,在于"美感"。请问先生读《金瓶梅》,作何美感？

又先生屡称苏曼殊所著小说。吾在上海时,特取而细读之,实不能知其好处。《绛纱记》所记,全是兽性的肉欲。其中又硬拉入几段绝无关系的材料,以凑篇幅,盖受今日几块钱一千字之恶俗之影响者也。《焚剑记》直是一篇胡说。其书尚不可比《聊斋志异》之百一,有何价值可言耶？

以上答先生见答之语竟。

先生论吾所作白话诗,以为"未能脱尽文言窠臼"。此等诤言,最不易得。吾于去年(五年)夏秋初作白话诗之时,实力屏文言,不杂一字。如《朋友》《他》《尝试篇》之类皆是。其后忽变易宗旨,以为文言中有许多字尽可输入白话诗中。故今年所作诗词,往往不避文言。吾曾作"白话解",释白话之义,约有三端：

（一）白话的"白",是戏台上"说白"的白,是俗语"土白"的白。故白话即是俗话。

（二）白话的"白",是"清白"的白,是"明白"的白。白话但须要"明白如话",不妨夹几个文言的字眼。

（三）白话的"白",是"黑白"的白。白话便是干干净净没有堆砌涂饰的话,也不妨夹入几个明白易晓的文言字眼。

但是先生今年十月三十一日来书所言,也极有道理。先生说："现在我们着手改革的初期,应该尽量用白话去做才是。倘使稍怀顾忌,对于'文'的一部分不能完全舍去,那么便不免存留旧污,于进行方面,很有阻碍。"我极以这话为然。所以在北京所做的白话诗,都不用文言了。

先生与刘半农先生都不赞成填词,却又都赞成填西皮二黄。

古来作词者，仅有几个人能深知音律。其余的词人，都不能歌。其实词不必可歌。由诗变而为词，乃是中国韵文史上一大革命。五言七言之诗，不合语言之自然，故变而为词。词旧名长短句。其长处正在长短互用，稍近语言之自然耳。即如稼轩词：

  落日楼头，断鸿声里，江南游子。把吴钩看了，阑干拍遍，无人会，登临意。

  此决非五言七言之诗所能及也。故词与诗之别，并不在一可歌而一不可歌，乃在一近言语之自然而一不近言语之自然也。作词而不能歌之，不足为病。正如唐人绝句大半可歌，然今人不能歌亦不妨作绝句也。

  词之重要，在于其为中国韵文添无数近于言语自然之诗体。此为治文学史者所最不可忽之点。不会填词者，必以为词之字字句句皆有定律，其束缚自由必甚。其实大不然。词之好处，在于调多体多，可以自由选择。工词者，相题而择调，并无不自由也。人或问既欲自由，又何必择调？吾答之曰，凡可传之词调，皆经名家制定，其音节之谐妙，字句之长短，皆有特长之处。吾辈就已成之美调，略施裁剪，便可得绝妙之音节，又何乐而不为乎？（今人作诗往往不讲音节。沈尹默先生言作白话诗尤不可不讲音节，其言极是）

  然词亦有二短。（一）字句终嫌太拘束。（二）只可用以达一层或两层意思，至多不过能达三层意思。曲之作，所以救此两弊也。有衬字，则字句不嫌太拘。可成套数，则可以作长篇。故词之变为曲，犹诗之变为词，皆所以求近语言之自然也。

最自然者，终莫如长短无定之韵文。元人之小词，即是此类。今日作"诗"（广义言之）似宜注重此种长短无定之体。然亦不必排斥固有之诗词曲诸体。要各随所好，各相题而择体，可矣。

至于皮黄，则殊无谓。皮黄或十字为句，或七字为句，皆不近语言之自然。能手为之，或亦可展舒自如，不限于七字十字之句，如《空城计》之城楼一段是也。然不如直作长短句之更为自由矣。

以上所说，皆拉杂不成统系，尚望有以教正之。

民国六年十一月二十夜　胡　适

惠书敬悉。我个人的意见：以为《三国演义》所以具这样的大魔力者，并不在乎文笔之优，实缘社会心理迂谬所致。因为社会上有这种"忠孝节义""正统""闰统"的谬见，所以这种书才能迎合社会，乘机而入。我因为要祛除国人的迂谬心理，所以排斥《三国演义》，这正和先生的排斥《金瓶梅》同一个意思。至于前书论《金瓶梅》诸语，我亦自知大有流弊，所以后来又写了一封信给独秀先生说："从青年良好读物上面着想，实在可以说，中国小说没有一部好的，没有一部应该读的。"（此信是七月秒间写的，亦见三卷六号）这就是我自己取消前说的证据。且我以为不但《金瓶梅》流弊甚大，就是《红楼》《水浒》，亦非青年所宜读。吾见青年读了《红楼》《水浒》，不知其一为实写腐败之家庭，一为实写凶暴之政府，而乃自命为宝玉武松，因此专务狎邪以为情，专务"拆稍"以为勇者甚多。我现在要再说几句话：中国今日以前的小说，都该退居到历史的地位。从今日以后，要讲有价值的小说，第一步是译，第二步是新做。先生以为然否？论填词一节，先生最后之结论，也是归到"长短无定之韵文"，是吾二人对于此事，持论全同，可以不必再辩。惟我之不赞成填词，正与先生之主张废律诗同意，无非因其束缚自由耳。先生谓"工词者相题而择调，并无不自由"。然则工律诗者所作律诗，又何尝不自然？不过未"工"之时，做律诗勉强对对子，填词硬扣字数，硬填平仄，实在觉得劳苦而无谓耳。总而言之，今后当以"白话诗"为正体（此"白话"，是广义的，凡近乎言语之自然者皆是。此"诗"，亦是广义的，凡韵文皆是）。其他古体之诗及词、曲，偶一为之，固无不可，然不可以为韵文正宗也。填皮黄之说，我不过抄了半农先生的话，老实说，我于此事全然不懂。至于"先帝爷，白帝城，龙归海禁"这种句调，也实在觉得可笑。不过中国现在可歌之调，最普通者惟有皮黄。（昆腔虽未尽灭，然工者极少。梆子，则更卑下矣）故为是云云也。

钱玄同

（第四卷第一号，一九一八年一月十五日）

新文学与今韵问题

钱玄同

　　半农先生：本志三卷所登先生对于文学革新的大作两篇，我看了非常佩服，以为同适之先生的《文学改良刍议》正如车之两轮，鸟之双翼，相辅而行，废一不可。文学革新的事业，有你们两位先生这样的积极提倡，必可预卜其成绩之佳良。我真欢喜无量。惟我对于《我之文学改良观》一篇，略略有些与先生不同的意见。现在把他写在下面：

　　先生说，"酬世之文，一时虽不能尽废。……"我以为这些什么"寿序""祭文""挽对""墓志"之类，是顶没有价值的文章。我们提倡文学革新，别的还不过是改良，惟有这一类的文章，应该绝对的排斥消灭。"寿序"一类，就是《选》学家、桐城派，也晓得不该做。至于"祭文""墓志"之类，因为中国人二千年来受了儒家"祖宗教"的毒，专门借了死人来表自己的假孝心，假厚道，以为这是不可少的。但是到了现在，总该有些觉悟，有些进步罢！章太炎先生说得好："靡财于一奠者此谓贼，竭思于祝号者此谓诬。"又说："封墓以为表识，藏志以防发掘，此犹随山刊木，用记地望，本非文辞所施。"（均见《国故论衡》中"正斋送"。）我的意思：以为这一类的文章，Language 和 Literature 里面都放不进，只合和八股一律看待。新名词这样东西，我以为应该尽量采用。梁任公的文章，颇为一班笃旧者所不喜。据我看来，任公文章不好的地方，正在旧气未尽涤除，八股调太多，理想欠清晰耳。至于用新名词，则毫无不合。我以为中国旧书上的名词，决非二十世纪时代所够用。如其从根本上解决，我则谓中国文字止有送进博物院的价值；若为此数十年之内暂时应用计，则非将"东洋派之新名词"大掺特掺，掺到中国文里来不可。既然 Language 里采用了，则已成为口头常语，又何妨用到 Literature 里去呢？至于先生所谓"漂亮雅洁"？在我看来，"东洋派之新名词"，又何尝不"漂亮雅洁"？"手续""场合"，原不必用，若"目的""职工"，则意义很对，有何不可用呢？我觉得日本人造的新名词，比严复高明得多。像严氏所造的什么"拓都""幺匿""罔两"之类，才叫人费解哩！至于自造新字，或新名词，固无不可。然使造得不好，像"微生物"一名，某君造了个"百"字（和"千百"之"百"同形异字）某学校造了个"墼"字之类，这不是比日本的新名词差得远了吗？"春朝朝日，秋夕夕月"，底下的"朝""夕"两个字作"祭"字解，此则近于不通。然《诗经》训"大"之"骏"，《武成》《管子》训"速"之"骏"，似不当以"拙劣不通"讥之，因为经、子中常用此字，后世往往变了，别用彼字，于是常觉得此字古奥难解。那些无识的文人偷了去造假古董，像苏绰的《大诰》，韩愈的《平淮西碑》之类，这是非骂不可的。若在三代之时则此等字正是极通行的语言。像殷《盘》、周《诰》，后世看了，觉得"佶屈聱牙"。然在当时，实是白话告示。所以如"骏"字之类，在《诗》《书》《管子》里，决非是乱用古字。至某氏"其女珠其母下之"之妙文，则去不通尚有二十年。此公之文，本来连盖酱缸都不配，只有用先生的法子，把他抛入垃圾桶罢了。

先生此文最有价值之论,为"造新韵"及"以今语作曲"二事。以今语作曲之说,通极,通极。世人多以为作曲须用元语,此与苏绰拟《大诰》何异?我以为现在用"兀的""么哥""颠不剌"这些字样来做曲,和后世述皇帝口气用"都俞吁咈"一样,这是最不通的办法,当然应该革除。造新韵一事,尤为当务之急。今人所用之韵,大约可分三类:(1)做律诗绝句的人,都用什么《诗韵》。这《诗韵》是本于满清的什么《佩文韵》,《佩文韵》本于《平水韵》,《平水韵》乃根据隋唐北宋以来二〇六韵之旧韵而并合其"同用""通用"之韵。所以《诗韵》虽陋,然和李杜元白苏黄这些人的用韵,也还不差什么。今人做律诗绝句,以为非造唐宋的假古董不可,所以用《诗韵》。(2)做曲的人,是用《词林正韵》一类的韵书。因为这类韵书,起于胡元,元曲所用,就是如此。今人做曲,以为非造元朝的假古董不可,所以如此用韵。(3)还有那做古诗的人,大概有两派:一派是胆子小一点的,他所用的韵,凡在《诗韵》上可押而汉魏人亦押者,用之;在《诗韵》上虽不可押而汉魏人曾押者,亦用之;在诗韵上虽可押而汉魏人不押者,则不用。今人做古诗,以为非造汉魏的假古董不可,所以如此用韵。换言之,即未见汉魏人用过的,他一定不敢用。至于那一派,因为自己通了一点小学,于是做起古诗来,故意把押"同""蓬""松"这些字中间,嵌进"江""窗""双"这些字,以显其懂得古音"东""江"同韵;故意把押"阳""康""堂"这些字中间,嵌进"京""庆""更"这些字,以显其懂得古音"阳""庚"同韵。全不想想看,你自己是古人吗?你的大作各个字能读古音吗?要是不能,难道别的字都读今音,就单单把这"江""京"几个字读古音吗?我说这三类人所主张,固然都是不对,但是若无"标准韵",又叫他们怎么用韵呢?所以制造新韵,我是极端赞成。但先生文中引顾炎武的话,归罪沈约的韵做得不好,并谓"在旧文学上已失其存在之资格",这话恐有不合。沈约的《四声谱》,乃见论诗文平仄之法,并非韵书。即谓其是韵书,然韵书之始作者,为魏李登之《声类》,后有晋吕静之《韵集》,均在沈约之前,亦不可专罪沈约。况今韵古韵,都是因时制宜:李吕之书,是就魏晋之音而作;沈约之论"四声,"也是据着齐梁的音而定。虽不合于三代,却颇合于当时。我谓李吕沈诸人所作,正与我辈在今日想做新韵书相同。顾炎武这个人,学问虽精,思想则不免顽固。他那《音学五书》自序里又说:"天之末丧斯文,必有圣人复起,举今日之音而还之淳古者。"他有了这种顽固思想,所以要责备沈约"不能上据雅、南,旁摭骚、子,以成不刊之典"了。后来江永驳他道:"音之流变已久,休文亦据今音定谱,为今用耳。如欲绳之以古,……举世其谁从之?"又道:"……譬犹窑器既兴,则不宜于笾豆;壶斛既便,则不宜于尊罍。今之孜孜考古音者,亦第告之曰:'古人本用笾豆、尊罍,非若今日之窑器壶斛耳。'又示之曰:'古人笾豆、尊罍之制度本如此,后之模仿为之者,或失其真耳。'若废今人之所日用者,而强易以古人之器,天下其谁从之?"此乃通人之论也。照此看来,岂非不可据顾氏之说以讥沈约乎?又,先生说:"无韵之诗,我国亦有先例。"这话固然很对,但是《终南》这首诗,却非无韵,"梅""裘""哉"三个字,古言都在"咍"韵,读做 Mai, Kái, Tsai,这是从文字"谐声"上,从古人用韵上有的确证据的,与宋人"叶韵"之谬说全不相同。云"古音"者,谓今人此字读甲音,古人则本在乙音也,这是非有证据不能瞎说的。云"叶韵"者,谓今人此字读甲音,古人也读甲音,但在此诗之内,则硬改读乙音,这简直是胡说乱道。朱熹上了吴棫的当,拿起一部《诗经》来硬行改读:把《行露》第二章之"家"读做 Kuh,第三章之"家"读做 Kung；《驺虞》第一章之"虞"读做 Nga，第二章之"虞"读做 Ngung。此种谬举，到了明朝的焦竑陈第顾炎武诸人，才把他廓清净尽，专从证据上去考求古音。满清一代，那些小学家讲求此事，甚为精密。所以如"梅""裘""哉"之类，知道在古音里的确是同韵，并非叶韵，也并非无韵。《诗经》里有通体无韵之诗：如《清庙》《维天之命》《昊天有成命》《时迈》诸篇是也。有一篇之中有一部分不用韵之诗：如《我将》之末三句，《思文》之末四句皆是也。以上拉拉杂杂，写了许多，都是无关弘旨的。先生如不嫌麻烦，幸祈赐教。

钱玄同　一九一七年十一月二十一日

玄同先生：

辱承赐教，多谢多谢。奖饰不敢当。

我所谓"酬世之文"云云者，非谓我心中不欲废之，实因现在的虚伪社会上，一时尚有不能尽废之势。请看办丧事人家，无论死的是阿猫阿狗，灵前必挂上一两副挽对，与童男童女争光。一班狗头文士，也极喜欢借了死人做题目，在"悲惨的热闹场"中，大出其"不通的风头"。这种的人心理，与"春王正月"，在城隍庙场上打着小锣唱《小热昏》的"体面叫化"无异；而其"流行性的霉菌"，又已蔓延得遍地皆是。若要我辈费神，一一拿来抛入垃圾桶，恐怕桶中装不了许多。钱谦益说："有遗矢于地者，一人逐而甘之。甘之者固非，沮之者未必便是。"——意思是如此，文句已忘却，恕不检查原书。——故我等对于此等文字，尽可援小说家"一笔表过不提"的成例，听他自然消灭便了。

新名词一层，先生说"尽量采用"，固然很对。然既有"采"字的限制，当然采其"漂亮雅洁"而不采其不"漂亮雅洁"者。果能"漂亮雅洁"，Literature 断无闭门不纳之理。至于自造新字或新名词，我当时虽然说了这句话，心中并无具体的办法。若严复之"拓都""版克"，某君之"佰"，某校之"堃"，直与武则天自造名字无二，理会他做甚？

先生说"中国文字只有送进博物院的价值"，我对于这个问题，向来没有研究过，暂且不置可否。论虚字实用，实字虚用的一段，是极，是极。至于以俗语作曲及改造新韵二事，第一事有关音乐，将来研究有得，当另撰一文详论之。——因为中国的雅乐俗乐，我都不懂；西乐虽然一知半解，颇觉程度幼稚，非向专家好好讨论一番，不敢胡说白道。——第二件事，却要完全仰仗先生。因为我在"小学"上面，简直一点钟的功夫都没有用过。做那篇文章的时候，只知现在的《诗韵》，在实用上很不相宜，在理路、历史两方面，却未顾到。故沈约被我冤骂了，顾炎武的话又错引了。却不料发表之后，陈独秀先生第一个赞成，"您"钱先生也说他很有价值，大学研究会又将"制定《标准韵》"列为"特别研究"项目，——闻由先生主任其事，这真可说声"万非始料所及"了。先生是音韵训诂专家，《标准韵》果能制成，文学革命诸同志之脑中，必一一为先生铸一无形之铜像！

　　　　　　　　刘半农　一九一七年十一月二十八日

（第四卷第一号，一九一八年一月十五日）

尝试集序

钱玄同

　　一九一七年十月，胡适之君拿这本《尝试集》给我看。其中所录，都是一年以来适之所做的白话韵文。
　　适之是现在第一个提倡新文学的人。我以前看见他做的一篇《文学改良刍议》，主张用俗语俗字入文。现在又看见这本《尝试集》，居然就采用俗语俗字，并且有通篇用白话做的。"知"了就"行"，以身作则，做社会的先导。我对于适之这番举动，非常佩服，非常赞成。
　　但是有人说：现在中华的国语，还未曾制定，白话没有一定的标准，各人做的白话诗文，用字造句，不能相同，或且采用方言土语和离文言太远的句调，这种情形，却也不好。我以为这一层，可以不必过虑。因为做白话韵文，和制定国语，是两个问题。制定国语，自然应该折衷于白话文言之间，做成一种"言文一致"的合法语言。至于现在用白话做韵文，是有两层缘故：(1)用今语达今人的情感，最为自然。不比那用古语的，无论做得怎样好，终不免有雕琢硬砌的毛病。(2)为除旧布新计，非把旧文学的腔套全数删除不可。至于各人所用的白话不能相同，方言不能尽祛，这一层在文学上是没有什么妨碍的。并且有时候，非用方言不能传神。不但方言，就是外来语，也可采用。像集中《赠朱经农》一首，其中有"辟克匿克来江边"一句，我以前觉得以外来语入诗，似乎有所不可。现在仔细想想，知道前此所见甚谬。语言本是人类公有的东西，甲国不备的话，就该用乙国话来补缺：这"携食物出游，即于游处食之"的意义，若是在汉文里没有适当的名词，就可直用"辟克匿克"来补它，这是就国语方面说的。至于在文学方面，则适之那时在美国和朱经农讲话的时候，既然说了这"辟克匿克"的名词，那么这首赠诗里，自然该用"辟克匿克"才可显出当时说话的神情。所以我又和适之说：我们现在做白话文章，宁可失之于俗，不要失之于文。适之对于我这两句话，很说不错。

我现在想：古人造字的时候，语言和文字，必定完全一致。因为文字本来是语言的记号，嘴里说这个声音，手下写的就是表这个声音的记号，断没有手下写的记号，和嘴里说的声音不相同的。拿"六书"里的"转注"来一看，很可以证明这个道理：像那表年高的意义的话，这边叫做 lau，就造个"老"字；那边叫做 Khau，便又造个"考"字。同是一个意义，声音小小不同，便造了两个字，可见语言和文字必定一致。因为那边既叫做 Khau，假如仍写"老"字，便显不出它的音读和 lau 不同，所以必须别造"考"字。照这样看来，岂不是嘴里说的声音，和手下写的记号，不能有丝毫不同。若是嘴里声音变了，那就手下记号也必须跟着它变的。所以我说造字的时候，语言和文字必定完全一致。

再看《说文》里的"形声"字：正篆和或体所从的"声"，尽有不在一个韵部里的；汉晋以后的楷书字，尽有将《说文》里所有的字改变它所从的"声"的；又有《说文》里虽有"本字"，而后人因为音读变古，不得不借用别的同音字的。这都是今音与古不同而字形跟了改变的证据。

至于文言和白话的变迁,更有可以证明的:像那"父""母"两个字,音变为 pa、ma,就别造"爸""妈"两个字;"矣"字音变为 li,就别造"哩"字;"夫"(读为扶)字在句末——表商度——音变为 bo,就别造"啵"字,再变为 ba 就再借用"罢"字(夫的古音本读 bu)。"无"字在句末——表问——音变为 mo,就借用"么"字,再变为 ma,就再别造"吗"字("无"的古音本读 mu)。这更可见字形一定跟着字音转变。

照这样看来,中华的字形,无论虚字实字,都跟着字音转变,便该永远是"言文一致"的了。为什么二千年来,语言和文字又相去到这样的远呢?

我想这是有两个缘故:

第一,给那些独夫民贼弄坏的。那独夫民贼,最喜欢摆架子。无论什么事情,总要和平民两样,才可以使他那野蛮的体制尊崇起来:像那吃的、穿的、住的和妻妾的等级、仆役的数目,都要定得不近人情,并且决不许他人效法。对于文字方面,也用这个主义。所以嬴政看了那"皋犯"的"皋"字,和皇帝的"皇"字("皇"字的古写),上半都从"自"字,便硬把罪犯改用"罪"字;"朕"字本来和"我"字一样,在周朝,无论什么人,自己都可以称"朕",像那屈平的《离骚》第二句云:"朕皇考曰伯庸",就是一个证据。到了嬴政,又把这"朕"字独占了去,不许他人自称。此外像"宫"字、"玺"字、"钦"字、"御"字之类,都不许他人学他那样用。又因为中华国民很有"尊古"的麻醉性,于是又利用这一点,做起那什么"制""诏""上谕"来,一定要写上几个《尚书》里的字眼像什么"诞膺天命""寅绍丕基"之类,好叫那富于奴性的人可以震惊赞叹。于是那些小民贼也从而效尤,定出许多野蛮的款式来。凡是做到文章,尊贵对于卑贱必须要装出许多妄自尊大看不起人的口吻。卑贱对于尊贵,又必须要装出许多弯腰屈膝胁肩谄笑的口吻。其实这些所谓尊贵卑贱的人,当面讲白话,究竟彼此也没有什么大分别,只有做到文章,便可以实行那"骄""谄"两个字。若是没有那种"骄""谄"的文章,这些独夫民贼的架子便摆不起来了,所以他们是最反对那质朴的白话文章的。这种没有道理的办法,行得久了,习非成是,无论什么人,反以为文章不可不照这样做的,若是有人不照这样做,还要说他不对。这是言文分离的第一个缘故。

第二,给那些文妖弄坏的。周秦以前的文章,大都是用白话:像那《盘庚》《大诰》,后世读了,虽然觉得佶屈聱牙,异常古奥,然而这种文章,实在是当时的白话告示。又像那《尧典》里用"都""俞""吁""咈"等字,和现在的白话文里用"阿呀""嗄""哝""唉"等字有什么分别?《公羊》用齐言,《楚辞》用楚语,和现在的小说里掺入苏州上海广东北京的方言有什么分别?还有一层,所用的白话,若是古今有异,那就一定用今语,决不硬嵌古字,强摹古调。像《孟子》里说的"洚水者洪水也""泄泄犹沓沓也",这是因为古今语言不同,古人叫"洚水"和"泄泄",孟轲的时候叫"洪水"和"沓沓",所以孟轲自己行文,必用"洪水"和"沓沓",到了引用古书,虽未便直改原文然而必须用当时的语言去说明古语。再看李耳孔丘墨翟庄周孟轲荀况韩非这些人的著作,文笔无一相同,都是各人做自己的文章,绝不摹拟别人。所以周秦以前的文章很有价值。到了西汉,言文已渐分离。然而司马迁做《史记》,采用《尚书》,一定要改去原来的古语,做汉人通用的文章:像"庶绩咸熙"改为"众功皆兴","嚚庸可乎"改为"顽凶勿用"之类。可知其时言文虽然分离,但是做到文言,仍旧不能和当时的白话相差太远。若是过于古奥的,还是不能直用。东汉王充做《论衡》,其《自纪》篇中有曰:"《论衡》者,论之平也。口则务在明言,笔则务在露文。"又曰:"言以明志。言恐灭遗,故著之文字。文字与言同趋,何为犹当隐闭指意?"又曰:"经传之文,贤圣之语,古今言殊,四方谈异也。言当事时,非务难知,使指隐闭也。"这是表明言文应该一致。什么时代的人,便用什么时代的话。不料西汉末年,出了一个扬雄,做了文妖的"原始家"。这个文妖的文章,专门摹拟古人:一部《法言》,看了真要叫人恶心。他的辞赋,又是异常雕琢。东汉一代,颇受他的影响。到了建安七子,连写封信都要装模作样,安上许多浮词。六朝的骈文,满纸堆垛词藻,毫无真实的情感。甚至用了典故来代实事,删割他人名号去就他的文章对偶。打开《文选》一看,这种拙劣恶滥的文章,触目皆是。直到现在,还有一种妄人说:"文章应该照这样做","《文选》文章为千古文章之正宗"。这是第一种弄坏白话文章的文妖。唐朝的韩愈柳宗元,矫正"《文选》派"的弊害,所做的文章,却很有近于语言之自然的。假如继起的人能够认定韩柳矫弊的宗旨,渐渐地回到白话路上来,岂不甚好。无如宋朝的欧阳修苏洵这些人,名为学韩学柳,却不知道学韩柳的矫弊,但会学韩柳的句调间架,无论什么文章,那"起承转合",都有一定的部位。这种可笑的文章,和那"《文选》派"相比,真如二五和一十,半斤和八两的比例。明清以来,归有光方苞姚鼐曾国藩这些人拼命做韩柳欧苏那些人的死奴隶,立了什么"桐城派"的名目,还有什么"义法"的话,搅得昏天黑地。全不想想,做文章是为的什么?也不看看,秦汉以前的文章是个什么样子?分明是自己做的,偏要叫做"古文",但看这两个字的名目,便可知其人一窍不通,毫无常识。那曾国藩说得更妙,他道:"古文无施不宜,但不宜说理耳。"这真是自画供招,表明这种"古文"是最没有价值的文章了。这是第二种弄坏白话文章的文妖。这两种文妖,是最反对那老实的白话文章的。因为做了白话文章,则第一种文妖,便不能搬运他那些垃圾的典故,肉麻的词藻。第二种文妖,便不能卖弄他那些可笑的义法,无谓的格律。并且若用白话做文章,那么会做文章的人必定渐多,这些文妖,就失去了他那会做文章的名贵身份,这是他最不愿意的。

现在我们认定白话是文学的正宗:正是要用质朴的文章,去铲除阶级制度里的野蛮款式。正是要用老实的文章,去表明文章是人人会做的,做文章是直写自己脑筋里的思想,或直叙外面的事物,并没有什么一定的格式。对于那些腐臭的旧文学,应该极端驱除,淘汰净尽,才能使新基础稳固。

以前用白话做韵文的,却也不少:《诗经》《楚辞》固不消说,就是两汉以后,文章虽然被那些民贼文妖弄坏,但是明白的人,究竟也有,所以白话韵文,也曾兴盛过。像那汉魏的乐府歌谣,白居易的新乐府,宋人的词,元明人的曲,都是白话的韵文。——陶潜的诗,虽不是白话,却很合于语言之自然。——还有那宋明人的诗,也有用白话做的。可见用白话做韵文,是极平常的事。

现在做白话韵文,一定应该全用现在的句调,现在的白话。那"乐府""词""曲"的句调,可以不必效法。"乐府""词""曲"的白话,在今日看来,又成古语,和三代汉唐的文言一样。有人说:做曲子必用元语。据我看来,曲子尚且不必做,——因为也是旧文学了——何况用元语?即使偶然做个曲子,也该用现在的白话,决不该用元朝的白话。

上面说的,都是很浅近的话,适之断没有不知道的,并且适之一定还有高深的话可以教我。不过我的浅见,只有这一点,便把它写了出来,以博适之一笑。

钱玄同　一九一八年一月十日

(第四卷第二号,一九一八年二月十五日)

旅京杂记

胡　适

记张九成的白话诗

近来因搜求古代的白话文学，颇发见了许多材料。去年在家时，见《艺海珠尘》内有南宋张九成的《论语绝句》一百首，多是白话诗。张九成字子韶，宋绍兴二年进士第一人，历官宗正少卿，谪南安军，起知温州，卒谥"文忠"。这一百首《论语绝句》，为题目所限，颇有许多迂腐的话。但是其中也有几首好诗，因为他是专意作白话诗的一位老前辈，所以我把他的诗抄几首在此：

《吾不复梦见周公》："向也于公隔一重，寻思常在梦魂中。于今已是心相识，你自西行我自东。"

《子见南子，子路不悦》："未识机锋莫浪猜！行藏吾只许颜回。苟能用我吾何慊，不惜因渠也一来。"

这一首颇能描写孔二先生官兴大发的神气。我因想起辛稼轩的词道："长忆商山，当年四老，尘埃也走咸阳道。为谁书到便幡然？至今此意无人晓。"原来商山四老的行径乃是仿效大圣人的！

《辞达而已矣》："扬雄苦作艰深语，曹操空嗟'幼妇'词。晚悟师言'达而已',不须此外更支离。"

这一首是作者作白话诗的宣言书,可以当作他这一百首诗的题词读。

记石鹤舫的白话词

石鹤舫名芝字眉士,安徽绩溪之石家村人。生当嘉庆道光之际。其生平事迹,于今都不可考。他有诗集词集各一部,当时有刻本,乱后便不存了。吾乡有几部抄本,先父也曾手抄了一部。他的词中,很有许多可存的白话。我且抄他几首,给大家看看。

太常引·鹧鸪

江南多爱好烟波,偏汝惜蹉跎。谁不是哥哥?是那个殷勤教他? 似闻说道,"有人为我,青鬓暗消磨!"便算汝情多,问听得人儿奈何?

步蟾宫

晓风料峭鸣窗纸,乍睡醒,乳鸦声里。思量幽梦忒匆匆,只恋却枕儿不起。 春花秋月如流水,怕回首愁罗恨绮。别时言语在心头,那一句依他到底!

即如"别时言语在心头,那一句依他到底!"这两句岂是文言能达得出的吗?

步蟾宫

帘儿不卷裙儿绉,见约略凤尖儿瘦。是谁兜上小心儿,惹几颗泪珠儿溜？敛儿薰得香儿透。也不理一些儿绣。人儿万一梦儿中，又恐被黄莺儿咒！

如梦令（十之四）

贪看月来云破，耽误银床清卧。灯下故相偎，团做影儿一个。无那，无那，更把新词重和。

为理鬓蝉钗凤，款步佩环摇动；背里替拈花，又被镜中调弄。情重，情重，门外月寒休送。

尽把眉尖松放，紧向心窝兜上；不肯说相思，别是相思新样。惆怅，惆怅，争遣绮年情况？

不采湖中红藕，不认风前乌桕；留取一丝情，系在白门疏柳。回首！回首！看是谁将心负！

记刘申叔《休思赋》

有许多人说我们所提倡的白话文学是很没有价值的，是很失身份的。我有一天走到琉璃厂，买了一部《中国学报》，看见内中有一篇刘申叔先生的《休思赋》，我拿回来，读了半天，查了半天的字典，还不能懂得百分之一二。我惭愧得很，便拿到国立北京大学去，请一位专教声音训诂的教授讲解给我听。不料这位专教声音训诂的教授读了一遍，也有许多字句，不能懂得。我想这篇赋一定是很有身份，很有价值的了。所以我便把这篇赋抄了下来，给大家见识见识。

休思赋
仪征刘师培撰

绎夤惕之哲训兮，熙穆清于内娱。缤侗矜之穴躬兮，意郁伊而不悛。嗟大经于日稷兮，阅天祥于蔀家。谅需汦之乖吉兮，夐解拇之訾乎。何朔风之孔儇兮，绵雨雪而载途。云祁祁而键辉兮。阴壇壇而弗旸。葛樛藟以萦林兮，柞析枂而盈冈。鹈韩飞而庚天兮，鱼衡沵而仿佯。懿悔吝之生动兮，象畴晦而不章。私复心而悰隐兮，体成列于玄黄。惟薰溧之兴替兮，驱启塞而还周。春晰阳而博施兮，冬伏物而大刘。忱昊旻之迗德兮，奥庶情之睽求。俯素矩而胸营兮，错陵谷之平波。湮隰皋而为牧兮，鹭偃渚而为规。州泮九而承天兮，胡帱载之岐施。系阴阳之胶樛兮，禽芸象于大炉。鸰乖穴而恺巢兮，鹊谊风而越都。鸿渐槃而衍食兮，鹈庚梁而不濡。总形质于祖肇兮，诊禽施于殊响。彼微箕之共廷兮，舛萃涣于东邻。由点同其桀圣兮，逮摅志而异诠。鹀厣椹而贻音兮，骐乳木而怆仁。岂元亨之职变兮，沟柔刚于共门。矧戚忻之区津兮，殃与庆其若循。谷发策而丧羊兮，钽采薪而得麖。众女竞其乘轩兮，饥姞蔚于南山。瞻县鹑之在庭兮，谣伐辕于河干。判渫池其若斯兮，鲁叟颇测其造端。昔余爱此芬苾兮，妊其滋于寸萌。禽黄龙于寒门兮，鼓阳犟于大冥。嘉桑虫之翾飞兮，沦荨苈而冬荣。众草纷其咸淳兮，矫庶敖而蜇征。何曳轮之濡尾兮，遭壮颀而踽行。伊田祖之秉畀兮，神炎灵于炽甾。玩盆瓶之置陉兮，报先炊于爨馈。地吐物而秋紫兮，蛬创甲而春祠。奚盼蚤之终歆兮，亮践迹之足怀。缅殷后之格天兮，休逸勤于保衡。旦愍劳而抚躬兮，迺居东而愁成。惘鸥鸥而罢怡兮，阔鸣凤而弗聆。谓天命之裴谌兮，胡风雷之动威。谓积善之必庆兮，胡发篇之佻时。十巫骈其陟降兮，即丰沮而筮疑。曰天道其洵远兮，盍探册而擘机。绎灵训而祎透兮，栖六籍而宅思。聆㾊音于璧流兮，相施化于时台。天宗恍其御中兮，存五精于太微。伙三统之序生兮，诹六沴之会批。允休祥之靳袭兮，谌瑞哉之弗兼。味丧马之勿逐兮,珍亢龙之恒潜。幡渊志而和情兮,遨形想于洪濞。康衡泌之西遨兮,谓介岑之嶔岩。陟峤山而无扲兮,燔沛泽而昧炎。死生弛其絜括兮,夫何贞悔之足觇。重曰:白石邻邻,德不渝兮。积疑张弧,蒉短狐兮。狐狸而苍,紫夺朱兮。迪亶蹇涟,马般如兮。相彼哲命,贻生初兮。依福依灾,坊不逾兮。正位以俟,寡沦胥兮。舆困有终,来荼荼兮。载魄抱一,周六虚兮。谦轻豫怡,葆元符兮。

论"奴性的逻辑"

我近作《西洋哲学史大纲》的《导言》,内中有一段,似乎可提出来,供《新青年》的读者的讨论,所以我把它抄在下面:

(上略)第四,除了这三种用处之外,研究西洋哲学史,还有一层大用处:还可以救正今日中国思想界和言论界的"奴性逻辑"。什么叫做奴性的逻辑呢?例如甲引"妇人,伏于人也",以为男女不当平等;乙又引"妻者,齐也",以为男女应当平等。这便是奴性的逻辑。如今的人,往往拿西洋的学说,来做自己的议论的护身符。例如你引霍布士来驳我,我便引卢骚来驳你;甲引哈蒲浩来辩护自由主义,乙便引海智尔来辩护君主政体,丙又引柏拉图来辩护贤人政治。却不知道霍布士有霍布士的时势,卢骚有卢骚的时势,哈蒲浩、海智尔、柏拉图又各有他们不同的境遇时代。因为他们所处的时势,境遇,社会各不相同,所以他们怀抱的救世方法便也各不相同。不去研究中国今日的现状应该用什么救济方法,却去引那些西洋学者的陈言来辩护自己的偏见,这已是大错了。至于引那些合我脾胃的西洋哲人,来驳那些不合我脾胃的西洋哲人,全不管这些哲人和那些哲人是否可以相提并论，是否于中国今日的问题有可以引证的理由，这不是奴性的逻辑吗？要救正这种奴性逻辑，须多习西洋哲学史。懂得西洋哲学史，然后知道柏拉图、卢骚、霍布士、海智尔……的学说，都由个人的时势不同，才性不同。所受的教育又不同；所以他们的学说都有个性的区别，都有个性的限制，并不能施诸四海而皆准，也不能推诸万世而不悖，更不能胡乱供给中国今日的政客作言论的根据了。

我说这段话，并不是说一切学理都不配作根据。我但说：大凡一个哲学家的学说，百分之中，有几分是守着师承的旧说、有几分是对于前人的革命反动、有几分是受了时人的攻击，有激而发的；有几分是自己的怪僻才性的结果；有几分是为当时的学术所限，以致眼光不远，看得差了；有几分是眼光太远，当时虽不能适用，后世却可实行的；有几分是正对当时的弊病下的猛药，只可施于那时代，不能行于别地别时代的。研究哲学史的人，须要把这几层仔细分别出来，譬如披沙拣金，要知哪一分是沙石，哪一分是真金；要知哪一分是个人的偏见，哪一分是一时一国的危言，哪一分是百世可传的学理。这才是历史的眼光，这才是研究哲学史最大的益处。

（第四卷第三号，一九一八年三月十五日）

文学革命之反响

王敬轩

　　新青年诸君子大鉴。某在辛丑壬寅之际，有感于朝政不纲，强邻虎视，以为非采用西法，不足以救亡。尝负笈扶桑，就梅谦博士讲习法政之学。归国以后，见士气嚣张，人心浮动，道德败坏，一落千丈。青年学子，动辄诋毁先圣，蔑弃儒书，倡家庭革命之邪说。驯至父子伦亡。夫妇道苦，其在妇女则一入学堂尤喜摭拾新学之口头禅。语以贤母良妻为不足学，以自由恋爱为正理，以再嫁失节为当然，甚至剪发髻，曳革履，高视阔步恬不知耻。鄙人观此，乃知提倡新学流弊甚多，遂噤不敢声。辛亥国变以还，纪纲扫地，名教沦胥，率兽食人，人将相食。有识之士，尽焉心伤。某虽具愚公移山之志，奈无鲁阳挥戈之能，遁迹黄冠者，已五年矣。日者过友人案头，见有贵报，颜曰《新青年》，以为或有扶持大教，昌明圣道之论，能拯青年于陷溺，回狂澜于既倒乎。因亟假读，则与鄙见所期，一一皆得其反。噫，贵报诸子，岂犹以青年之沦于夷狄为未足，必欲使之违禽兽不远乎。贵报排斥孔子，废灭纲常之论，稍有识者虑无不发指。且狂吠之谈，固无伤于日月，初无待鄙人之驳斥。又观贵报对于西教，从不排斥，以是知贵报诸子殆多西教信徒，各是其是，亦不必置辩。惟贵报又大倡文学革命之论，权兴于二卷之末，三卷中乃大放厥词，几于无册无之。四卷一号更以白话行文，且用种种奇形怪状之钩挑以代圈点。贵报诸子工于媚外，惟强是从，常谓西洋文明胜于中国，中国宜亟起效法。此等钩挑，想亦是效法西法文明之一。但就此形式而论，其不逮中国圈点之美观，已不待言。中国文字，字字匀整，故可于每字之旁施以圈点。西洋文字，长短不齐，于是不得不于断句之处志以符号，于是符号之形式遂不能不多变。其在句中重要之处，只可以二钩记其上下，或亦用密点，乃志于一句之后。拙劣如此，而贵报乃不惜舍己以从之。甚矣其惑也。贵报对于中国文豪，专事丑诋。其尤可骇怪者。于古人，则神圣施耐庵曹雪芹而土芥归震川方望溪。于近人，则崇拜李伯元吴趼人而排斥林琴南陈伯严，甚至用一网打尽之计。目桐城为谬种，选学为妖孽。对于易哭庵樊云门诸公之诗文，竟曰烂污笔墨，曰斯文奴隶，曰丧却人格，半钱不值。呜呼！如贵报者虽欲不谓之小人而无忌惮，盖不可得矣。今亦无暇一一辨驳。第略论其一二，以明贵报之偏谬而已。贵报三卷三号胡君通信，以林琴南先生而方姚卒不之蹈之之字为不通。历引古人之文，谓之字为止词。而蹈字是内动词，不当有止词。贵报固排斥旧文学者，乃于此处因欲驳林先生之故，不惜自贬声价，竟乞灵于孔经，已足令识者齿冷。至于内动词、止词诸说，则是拾马氏文通之唾。余马氏，强以西文律中文，削趾适屦，其书本不足道。昔人有言，文成法立。又曰，文无定法。此中国之言文法，与西人分名动、讲起止、别内外之文法相较，其灵活与板滞，本不可以道里计。胡君谓林先生此文可言，而方姚卒不蹈，亦可言方姚卒不因之而蹈，却不可言方姚卒不之蹈。不知此处两句起首皆有而字，皆承上文论文者独数方姚一句，两句紧相衔接，文气甚劲。若依胡君改为而方姚卒不蹈，则句太短促,不成音节。若改为而方姚卒不因之而踣,则文气又近懈矣。贵报于古文三昧全未探讨,乃率尔肆讥,无乃不可乎？林先生为当代文豪,善能以唐代小说之神韵,迻译外洋小说,所叙者皆西人之事也。而用笔措词,全是国文风度,使阅者几忘其为西事,是岂寻常文人所能企及。而贵报乃以不通相诋,是真出人意外。以某观之,若贵报四卷一号中,周君所译陀思之小说,则真可当不通二字之批评。某不能西文,未知陀思原文如何,若原文亦是如此不通,则其书本不足译。必欲译之,亦当达以通顺之国文。乌可一遵原文迻译,致令断断续续,文气不贯,无从讽诵乎？噫,贵报休矣。林先生渊懿之古文,则目为不通。周君蹇涩之译笔,则为之登载。真所谓弃周鼎而宝康瓠者矣。林先生所译小说,无虑百种,不特译笔雅健,即所定书名,亦往往斟酌尽善尽美,如云吟边燕语,云香钩情眼。此可谓有句皆香,无字不艳,香钩情眼之名。若依贵报所主张,殆必改为革履情眼而后可。试问尚复几何说话。又贵报之白话诗,则尤堪发噱。其中有数首,若以旧日之诗体达之,或尚可成句。如两个黄蝴蝶改为双蝶,飞上天改为凌霄。不知为什么改为底事。则辞气雅洁,远乎鄙倍矣。此外如胡君之他,通首用他字押韵。沈君之月夜,通首用着字叶韵,以及刘君之相隔一层纸,竟以老爷二字入诗。则真可谓前无古人,后无来者。吾意作者下笔之时恐亦不免颜赧。不过既欲主张新文学,则必异想天开,取旧文学中所绝无者而强以凑入耳。此等妙诗,恐亦非西洋所有也。贵报之文,什九皆嵌入西洋字句。某意贵报诸子必多留学西洋,沐浴欧化,于祖国文学,本非所知,深恐为人耻笑,于是先发制人,攻踣之不遗余力,而后可以自便。某迂儒也。生平以保存国粹为当务之急。居恒研究小学,知中国文字制作最精。（如人字左笔为男,男为阳为天。故此笔之末,尖其锋以示轻清上浮之意。右笔为女,女为阴为地。故此笔之末,顿其锋以示重浊下凝之意。又如暑字中从土、上从日,谓日晒地上也。下又从日,谓夕阳西下之后日入地下也。土之上下皆有日,斯则暑气大盛也。中以丿贯其上下二日,以见二日仍是一日。古人造字之精如此)字义含蕴既富,字形又至为整齐,少至一画,多或四五十画。书于方寸之地,大小可以停匀。(如一字不觉其扁,鸾字不觉其长)。古人造字之妙,岂西人所能梦见?其对偶之工,尤为巧不可阶。故楹联之文,亦为文学中之一体。西字长短无定,其楹联恐未能逮我。不但楹联,如赋如颂如箴如铭,皆中国国粹之美者,然言西洋文学者,未尝称道及此。即贵报专以提倡西洋文学为事,亦只及诗与小说二种。而尤偏重小说。嗟夫,论文学而以小说为正宗,其文学之荒伧幼稚,尚何待论。此等文学,居然蒙贵报诸子之崇拜,且不惜举祖国文学而一网打尽,西人固应感激贵报矣。特未识贵报同人扪心自问,亦觉内疚神明否耶。今请正告诸子,文有骈散,各极其妙,惟中国能之。骈体对仗工整,属句丽辞不同凡响,引用故实,采撷词藻,非终身寝馈于文选诸书者,不能工也。(胡钱诸君皆反对用典。胡君斥王渔洋秋柳诗,谓无不可作几样说法。钱君斥佩文韵府为恶腐朽之书,此等论调。正是二公自暴其俭学,以后望少说此等笑话,免致贻讥通人)散体则起伏照应,章法至为谨严,其曲折达意之处,多作波澜,不用平笔,令读者一唱三叹,能得弦外余音。非深明桐城义法者,又不能工也。选学之文,宜于抒情。桐城之文,宜于论议。悉心研求,终身受用不穷。与西人之白话诗文,岂可同年而语。顾乃斥之曰妖孽,曰谬种,恐是夫子自道耳。某意今之真能倡新文学者,实推严几道林琴南两先生。林先生之文,已如上述,若严先生者不特能以周秦诸子之文笔达西人发明之新理,且能以中国古训补西说之未备。如论理学译为名学,不特可证西人论理即公孙龙惠施之术,且名教名分名节之义非西人论理学所有,译以名学则诸义皆备矣。中性译为罔两,假异兽之名以明无二之义。理想,国译为乌托邦,则乌有与寄托二义皆大显明。其尤妙者,译音之字,亦复兼义。如名学曰逻辑,逻盖指演绎法,辑盖指归纳法。银行曰板克,大板谓之业,克胜也。板克者,言营业操胜算也。精妙如此,信非他人所能几及。与贵报诸子之技穷不译,径以西字嵌入华文中者相较,其优劣何如？望平心思之。鄙人非反对新文学者,不过反对贵报诸子之排斥旧文学而言新文学耳。鄙人以为能笃于旧学者,始能兼采新知,若得新忘旧,是乃荡妇所为。愿贵报诸子慎勿蹈之也。自海禁大开以还,中国固不可不讲求新学,然讲求可也,采用亦可也,采彼而弃我,则大不可也。况中国为五千年文物礼义之邦,精神文明,复非西人所能企及。(即物质文明,亦尽有胜于西者。以医学而论,中医神妙之处甚多。如最近山西之鼠疫,西人对之束手无策。近见有戴子光君发明之治鼠疫神效汤,谓在东三省已治愈多人,功效极速,云云。又如白喉一症,前有白喉忌表抉微一书,论症拟方,皆极精当。西人则除用血清外,别无它法。于此可见西医之不逮中医)惟工艺技巧,彼胜于我,我则择取焉可耳。总之中学为体,西学为用,则西学无流弊。若专恃西学而蔑弃中学则国本既隳,焉能五稔。以上所言,知必非贵报诸子所乐闻。鄙人此书,不免有失言之愆。然心所谓危,不敢不掬诚相告。知我罪我,听诸国人之公论而已。呜呼！见披发于伊川知百年之将戎,辛有之叹不图于吾生亲见之矣。哀哉哀哉！率布不尽顺颂。

撰安

戊午夏历新正二日　王敬轩鞠

敬轩先生：

来信"大放厥辞"，把记者等狠狠地教训了一顿。照先生的口气看来，幸而记者等不与先生见面，万一见了面，先生定要挥起"巨灵之掌"，把记者等一个嘴巴打得不敢开口，两个嘴巴打得牙齿缝里出血而后快！然而记者等在逐段答复来信之前，应先向先生说声"谢谢"，这因为人类相见，照例要有一句表示敬意的话，而且记者等自从提倡新文学以来，颇以不能听见反抗的言论为憾，现在居然有你老先生"出马"，这也是极应欢迎，极应感谢的。

以下是答复先生的话。

第一段。（原信"某在辛丑壬寅之际，……各是其是，亦不必置辩。"）

原来先生是个留学日本速成法政的学生，又是个"遁迹黄冠"的遗老，失敬失敬。然而《新青年》杂志社，并非督抚衙门，先生把这项履历背了出来，还是在从前"听鼓省垣"，"听候差遣"时在"手版"上写惯了，流露于不知不觉呢？——还是要拿出老前辈的官威来，恐吓记者等呢？

先生以为"提倡新学，流弊甚多"，又如此这般的说了一大串，几乎要把"上下五千年，纵横九万里"的一切罪恶，完全归到一个"新"字上。然而我要问问："辛丑壬寅"以前，"扶持大教，昌明圣道"的那套老曲子，已唱了二千多年，始终没有什么"洋鬼子"——这个名目，是先生听了很欢喜的——"新法"去打搅他，为什么要弄到"朝政不纲，强邻虎视"呢？

本志排斥孔丘，自有排斥孔丘的理由。先生如有正当的理由，尽可切切实实写封信来，与本志辩驳。本志果然到了理由不能存立的时候，不待先生督责，就可在《新青年》杂志社中，设起香案，供起"至圣先师大成孔子"的牌位来！如先生对于本志所登排斥孔教的议论，尚未完全读过，或读了之后，不能了解，或竟了解了，却没有正当的理由来辩驳，只用那"孔子之道，如日月经天，江河行地"的空话来搪塞，或用那"岂犹以青年之沦于夷狄为未足，必欲使之违禽兽不远乎"的村妪口吻来骂人，则本志便要把先生所说的"狂吠之谈，固无伤于日月"两句话，回敬先生了！

本志记者并非西教信徒，其所以"对于西教，不加排斥"者，因西教之在中国，不若孔教之流毒无穷，在比较上，尚可暂从缓议。至于根本上，陈独秀先生早说了"以科学解决宇宙之谜"的一句话，蔡孑民先生又发表过了"以美术代宗教"的一篇文章，难道先生竟没有看见么？若要本志记者，听了先生的话，替孔教徒做那"攻乎异端"的事业。哼哼！恐怕你这位"道人"也在韩愈所说的"火其书，庐其居"之列罢！

第二段。（原文"惟贵报又大倡文学革命之论，……甚矣其惑也。"）

浓圈密点，本科场恶习，以曾国藩之顽固，尚且知之，而先生竟认为"形式美观"，且在来信之上，大圈特圈，大点特点。想先生意中，以为"我这篇经天纬地的妙文，定能使《新青年》诸记者，拜服得五体投地"。又想先生提笔大圈大点之时，必定摇头摆脑，自以为这一句是"一唱三叹"，那一句是"弦外之音"，这一句"平平仄仄平平"对那一句"仄仄平平仄仄"对得极工。初不知记者等虽然主张新文学，旧派的好文章，却也读过不少。像先生这篇文章，恐怕即使起有清三百年来之主考文宗于地下，也未必能给你这么许多圈点罢！

　　闲话少说。句读之学，中国向来就有的。本志采用西式句读符号，是因为中国原有的符号不敷用，乐得把人家已造成的借来用用。先生不知"钩挑"有辨别句读的功用，却说他是代替圈点的；又说引号（""）是表示"句中重要之处"，不尽号（……）是把"密点"移在"一句之后"。知识如此鄙陋，记者惟有敬请先生去读了三年外国书，再来同记者说话，如先生以为读外国书是"工于媚外，惟强是从"，不愿下这工夫，那么，先生，便到了你"墓木拱矣"的时候，还是个不明白！

　　第三段。（原文"贵报对于中国文豪……无乃不可乎。"）

　　先生所说的"神圣施曹而土芥归方……目桐城为谬种，选学为妖孽"，本志早将理由披露，不必再辩。至于樊易二人，笔墨究竟是否"烂污"，且请先生看着——

　　"……你为我喝彩时，震得人耳聋；你为我站班时，羞得人脸红。不枉你风月情浓，到今朝枕衾才共，卸下了《珍珠》衫，做一场《蝴蝶梦》……这《小上坟》的祭品须丰，那《大劈棺》的斧头休纵。今日个唱一出《游宫射雕》，明日里还接演《游龙戏凤》，你不妨《三谒碧游宫》，我还要《双戏桃山洞》。我便是《缝褡膊》的小娘，你便是《卖胭脂》的朝奉。……"——见樊增祥所著《琴楼梦》小说。

　　"……一字之评不愧'鲜'，生香活色女中仙。牡丹嫩蕊开春暮，螺碧新茶摘雨前。……玉兰片亦称珍味，不及灵芝分外鲜。……佳人上吊本非真，惹得人人思上吊！……试听喝彩万声中，中有几声呼'要命'！两年喝彩声惯听，'要命'初听第一声。'不音若自其口出'，'忽独与余兮目成'！我来喝彩殊他法，但道'丁灵芝可杀'！丧尽良心害世人，占来琐骨欺菩萨。……"——见易顺鼎

《咏鲜灵芝诗》。

敬轩先生！你看这等著作怎么样？你是"扶持名教"的，却"摇身一变"，替这两个淫棍辩护起来，究竟是什么道理呢？

林琴南"而方姚卒不之踣"一句的不通，已由胡适之先生论证得很明白。先生果然要替林先生翻案，应当引出古人成句，将他证明才是。若无法证明，只把"不成音节"，"文气近懈"的话头来敷衍，是先生意中，以为文句尽可不通。音节文气，却不得不讲。请问天下有这道理没有？胡先生"历引古人之文"，正是为一般顽固党说法，以为非用此"以子之矛，攻子之盾"的办法，不能折服一般老朽之心。若对略解文法之人——只须高小学生程度——说话，本不必"自贬身价"，"乞灵孔经"。不料先生连这点儿用意都不明白，胡先生唯有自叹不能做那能使"顽石点头"的生公，竟做了个"对牛弹琴"的笨伯了！

《马氏文通》一书，究竟有无价值，天下自有公论，不必多辩。唯先生引了"文成法立""文无定法"两句话，证明文法之不必讲求，实在是大错大错！因为我们所说的文法，是在通与不通着想的"句法"。古人所说的文法，是在文辞结构上着想的"章法"。——"章法"之不应死守前人窠臼，半农《我之文学改良观》一文"破除迷信"项下，已说得很明白。这章法句法，面目之不同，有如先生之与记者，先生竟把他并作一谈，足见昏聩！

第四段。（原文"林先生为当代文豪……恐亦非西洋所有也。"）

林先生所译的小说，若以看"闲书"的眼光去看它，亦尚在不必攻击之列。因为他所译的"哈氏丛书"之类，比到《眉语莺花》杂志，总还"差胜一筹"，我们何必苦苦的"凿他背皮"。若要用文学的眼光去评论他,那就要说句老实话:便是林先生的著作,由"无虑百种"进而为"无虑千种",还是半点儿文学的意味也没有!何以呢?因为他所译的书,第一是原稿选择得不精,往往把外国极没有价值的著作,也译了出来,真正的好著作,却未尝——或者是没有程度——过问。先生所说的"弃周鼎而宝康瓠",正是林先生译书的绝妙评语。第二是谬误太多,把译本和原本对照,删的删,改的改,"精神全失,面目皆非"——这两句,先生看了,必说"做还做得不错,可惜太荒谬"——这大约是和林先生对译的几位朋友,外国文本不高明,把译不出的地方,或一时懒得查字典,便含糊了过去(其中有一位,自言能口译狄更士小说者,中国只有他一人,这大约是害了神经病中的"夸大狂"了!)。林先生遇到文笔謇涩,不能达出原文精奥之处,也信笔删改,闹得笑话百出。以上两层,因为先生不懂西文,即使把原本译本,写了出来对照比较,恐怕先生还是不懂,只得"一笔表过不提",待将来记者等有了空,另外做出一篇"林译小说正误记"来,"以为知者道",那时先生如已翻然变计,学习了些外国文,重新取来研究研究,"方知余言之不谬"。

　　第三层是林先生之所以能成其为"当代文豪",先生之所以崇拜林先生,都因为他"能以唐代小说之神韵,迻译外洋小说"。不知这件事,实在是林先生最大的病根。林先生译书虽多,记者等始终只承认他为"闲书",而不承认他为有文学意味者,也便是为了这件事。当知译书与著书不同,著书以本身为主体,译书应以原本为主体,所以译书的文笔,只能把本国文字去凑就外国文,决不能把外国文字的意义神韵硬改了来凑就本国文。即如我国古代译学史上最有名的两部著作,一部是后秦鸠摩罗什大师的《金刚经》,一部是唐玄奘大师的《心经》。这两人,本身生在古代,若要在译文中用些晋唐文笔，眼前风光，俯拾即是，岂不比林先生仿造二千年以前的古董，容易得许多。然而他们只是实事求是，用极曲折极缜密的笔墨，把原文精义达出，既没有自己增损原义一字，也始终没有把冬烘先生的臭调子打到"经"里去。所以直到现在，凡是读这两部"经"的，心目中总觉这种文章是西域来的文章，决不是"先生不知何许人也"的晋文，也决不是"龙嘘气成云"的唐文。此种输入外国文学使中国文学界中别辟一个新境界的能力，岂一般"没世穷年，不免为陋儒"的人所能梦见！然而鸠摩罗什大师，还虚心得很，说译书像"嚼饭哺人"，转了一转手，便要失去真义。所以他译了一世的经，没有自称为"文豪"，也没有自称为"译'经'大家"，更没有在他所译的三百多卷经论上面，加上一个什么"鸠译丛经"的总名目！若《吟边燕语》本来是部英国的戏考，林先生于"诗""戏"两项，尚未辨明，其知识实比"不辨菽麦"高不了许多。而先生竟称之曰"所定书名，……斟酌尽善尽美"。先生如此拥戴林先生，北京的一班"捧角家"，洵视先生有愧色矣！《香钩情眼》，原书未为记者所见，所以不知道原名是什么。然就情理上推测起来，这"香钩情眼"，本来是刁刘氏的伎俩。外国小说虽然也有淫荡的，恐怕还未必把这等肉麻字样来做书名。果然如此，则刁刘氏在天之灵，免不了轻展秋波，微微笑曰："吾道其西！"况且外国女人并不缠脚，"钩"于何有。而"钩"之香与不香，尤非林先生所能知道。难道林先生之于书中人，竟实行了沈佩贞大闹醒春居时候的故事么？又先生"有句皆香"四字，似有语病。因为上面说的是书名，并没有"句"，先生要做文章，还要请在此等处注意一点。

先生所说"陀思之小说"，不知是否指敝志所登"陀思妥夫斯奇之小说"而言？如其然也，先生又闹了笑话了。因为陀思妥夫斯奇，是此人的姓，在俄文只有一个字，并不是他尊姓是陀雅篆是思，也不是复姓陀思，大名妥夫，表字斯奇，照译名的通例，应该把这"陀思妥夫斯奇"的姓完全写出，或简作"陀氏"，也还勉强可以。像先生这种横路法，便是林琴南先生，也未必赞成。记得从前有一部小说，说有位抚台，因为要办古巴国的交涉，命某幕友翻查约章。可笑这位"老夫子"，脑筋简单，记不清"古巴"二字，却照英吉利简称曰英法兰西简称曰法的办法，单记了一个古字。后来翻遍了衙门里所有的通商书，约章书，竟翻不出一个古国来。先生与这位老夫子，可称无独有偶！然而这是无关弘旨的，不过因为记者写到此处，手已写酸，乐得"吹毛求疵"，与先生开开玩笑，然在先生，却也未始无益，这一回得了这一点知识，将来便不至于再闹第二次笑话了。（又日本之梅谦次郎，是姓梅，名谦次郎。令业师"梅谦博士"，想或另是一人。否则此四字之称谓，亦似稍欠斟酌。）先生这一段话，可分作两层解释：如先生以为陀氏的原文不好，则陀氏为近代之世界的文豪，以全世界所公认的文豪，而犹不免为先生所诟病，记者对于先生，尚有何话可说？——如先生以为周作人先生的译笔不好，则周先生既未自称其译笔之"必好"，本志同人，亦断断不敢如先生之捧林先生，把他说得如何如何好法。然使先生以不作林先生"渊懿之古文"，为周先生病，则记者等无论如何不敢领教。周先生的文章，大约先生只看过这一篇。如先生的国文程度——此"程度"二字，是指先生所说的"渊懿""雅健"说，并非新文学中之所谓程度——只能以林先生的文章为文学止境，不能再看林先生以上的文章，那就不用说。万一先生在旧文学上所用的功夫较深，竟能看得比林先生分外高古的著作，那就要请先生费些功夫，把周先生十年前抱复古主义时代所译的域外小说集看看。看了之后，亦许先生脑筋之中，竟能放出一线灵光，自言自语道："哦！原来如此。这位周先生，古文功夫本来是很深的，现在改做那一路新派文章，究竟为着什么呢？难道是全无意识的么？"

承先生不弃，拟将胡适之先生《朋友》一诗，代为删改。果然改得好，胡先生一定投过门生帖子来。无如"双蝶""凌霄"，恐怕有些接不上，便算接得上了，把那首神气极活泼的原诗，改成了"双蝶凌霄，底事……"的"乌龟大翻身"模样，也未必是"青出于蓝"罢！又胡先生之《他》均以"他"字上一字押韵，沈尹默先生之《月夜》，均以"着"字上一字押韵，先生误以为以"他""着"押韵，不知是粗心浮气，没有看出来呢？还是从前没有见识过这种诗体呢？——"二者必居其一"，还请先生自己回答。至于半农的《相隔一层纸》以"老爷"二字入诗，先生骂为"异想天开，取旧文学中绝无者而强以凑入"，不知中国古代韵文，如《三百篇》，如《离骚》，如汉魏古诗，如宋元词曲，所用方言白话，触目皆是。先生既然研究旧文学，难道平时读书，竟没有留意及此么？且就"老爷"二字本身而论，《元史》上有过"我董老爷也"一句话，宋徐梦莘所做的《三朝北盟会编》，也有"鱼磨山寨军乱，杀其统领官，马老爷"两句话。这一部正史，一部在历史上极有价值的私家著作，尚把"老爷"二字用入，半农岂有不能用入诗中之理。半农要说句俏皮话，先生说半农是"前无古人"，半农要说先生是"前不见古人"，所谓"不见古人"者，未见古人之书也！

第五段。（原文"贵报之文，什九皆嵌入西洋字句……亦觉内疚神明否耶？"）

文字是一种表示思想学术的符号，是世界的公器，并没有国籍，也决不能彼此互分界限——这话太高了，恐怕先生更不明白——所以作文的时候，但求行文之便与不便，适当之与不适当，不能限定只用那一种文字。如文章的本体是汉文，讲到法国的东西，非用法文不能解说明白，便尽可把法文嵌进去，其余英文俄文日文之类，亦是如此。

哼！这一节，要用严厉面目教训你了！你也配说"研究'小学'"，"颜之厚矣"，不怕记者等笑歪嘴巴么？中国文字，在制作上自有可以研究之处，然"人"字篆文作"八"，是个象形字，《说文》说他是"象臂胫之形"，极为明白。先生把他改作会意字，又扭扭捏捏说出许多可笑的理由，把这一个"人"，说成了个两性兼具的"雌雄人"。这种以楷书解说形体的方法，真可谓五千年来文字学中的大发明了。"暑"字篆文作"曧"是个形声字，《说文》说他"从日，者声"。——凡从"者"声的字，古音都在"模"韵，就是罗马字母中"U"的一个母音，如"渚""楮""奢""猪"四字，是从"水""木""火""豕"四个偏旁上取的形与义，从"者"字上取的声，即"者"字本身，古音也是读作"Tu"字的音，因为"者"字的篆文作"龖"，从"白""米"声。"白"同"自"，"米"即古"旅"字，所以先生硬把"暑"字的形声字改作会意字，在楷书上是可以说得过去，若依照篆文把他分作"日""旅""自"三字，先生便再去拜了一万个"拆字先生"做老师，还是不行不行又不行。

文字这样东西，以适于实用为唯一要义，并不是专讲美观的陈设品。我们中国的文字，语尾不能变化，调转又不灵便，要把这种极简单的文字，应付今后的科学世界之种种实用，已觉左支右绌，万分为难。推求其故，总是单音字的制作不好。先生既不知今后的世界是怎么样一个世界，哪里再配把"今后世界中应用何种文字？"一个问题来同你讨论。

至于赋,颂箴,铭,楹联,挽联之类,在先生则视为"中国国粹之美者",在记者等却看得半钱不值。因为这些东西,都在字面上用功夫,骨子里半点好处没有,若把它用来敷陈独夫民贼的功德,或把胁肩谄笑的功夫,用到死人的枯骨上去,"是乃荡妇所为",本志早已结结实实的骂过几次了。西文中并无楹联,先生说他"未能逮我",想来已经研究过,比较过,这种全世界博物院里搜罗不到的奇物,还请先生不吝赐教,录示一二,使记者等可以广广眼界,增些见识!

先生摇头叹曰,"嗟夫!论文学而以小说为正宗……"是先生对于小说,已抱了"一网打尽"的观念,一般反对小说的狗头道学家,"固应感激"先生"矣","特未识"先生对于大捧特捧的林先生,"扪心自问,亦觉内疚神明否耶?"

第六段。(原文"今请正告诸子……恐是夫子是道耳!")

敝志反对"桐城谬种","选学妖孽",已将他们的弊病,逐次披露,先生还要无理取闹,刺刺不休,似乎不必仔细申辩。今且把这两种人所闹的笑话,说几种给先生听听——《文选》上有四句话,说"胡广累世农夫,伯始致位卿相;黄宪牛医之子,叔度名动京师",这可谓不通已极。又《颜氏家训》上说,"……陈思王武帝诔,'遂深永蛰之思'。潘岳《悼亡赋》,'乃怆手泽之遗':是方父于虫,匹妇于考也。"又说,"诗云,'孔怀兄弟':孔,甚也;怀,思也;言甚可思也。陆机《与长沙顾母》书,述从祖弟士璜死,乃言'痛心拔脑,有如孔怀';心既痛矣,即为甚思,何故言'有如'也?观其此意,当谓亲兄弟为'孔怀'。诗云,'父母孔迩',而呼二亲为'孔迩',于义通乎?"此等处,均是滥用典故,滥打调子的好结果。到了后世,笑话愈闹愈多,如《谈苑》上说"省试……《贵老为其近于亲赋》云,'睹兹黄耆之状,类我严君之容',试官大噱。又《贵耳集》上说"余千有王德者,僭窃九十日为王。有一士人被执,作诏云,'两条胫腱,马赶不前;一部髭髯,蛇钻不入。身坐银铰之椅;手执铜锤之铩。翡翠帘前,好似汉高之祖;鸳鸯殿上,有如秦始之皇。'"又相传有两句骈文道,"我生有也晚之悲,当局有者迷之叹。"又当代名士张柏桢——此公即是自以为与康南海徐东海并称"三海不出,如苍生何!"的张沧海先生!——文集里有一篇文章,是送给一位朋友的祖父母的"重圆花烛序",有两联道,"马齿长而童心犹在,徐娘老而风韵依然!"敬轩先生,你既爱骈文,请速即打起调子,吊高喉咙,把这几段妙文拜读几千百遍,如有不明白之处,尽可到佩文韵府上去查查。

至于王渔洋的《秋柳》诗,单就文笔上说,毛病已不止胡先生所举的一端——因为他的诗,正如约翰生博士所说"只有些饰美力与敷陈力"(见本志三卷五号《诗与小说精神上之革新文》中),气魄既不厚,意境也不高,宛然像个涂脂抹粉,搔首弄姿的荡妇,决不能"登大雅之堂"——若说他别有用意,更不成话。我们做文人的,既要拿了笔做文章,就该有三分胆量,无论何事,敢说便说,不敢说便罢!要是心中存了个要如何如何说法的念头,笔头上是半吞半吐,请问文人的价值何在?不同那既要偷汉,又要请圣旨,竖牌坊的烂污寡妇一样么?

散体之文,如先生刻意求古,竟要摹拟《周诰·殷盘》;则虽非"孺子可教",也还值得一辨。今先生所崇拜的至于桐城而止,所主张的至于"多作波澜,不用平笔"二语而止。记者又何必费了许多气力与你驳,只须请章实斋先生来教训教训你。他文史通义《古文十弊》一篇里说:"……夫古人之书,今不尽传。其文见于史传评选之家,多从史传采录。而史传之例,往往删节原文,以就隐括。故于文体所具,不尽全也。评选之家,不察其故,误为原文如是。又从而为之辞焉。于引端不具,而截中径起者,诩为发轫之离奇;于刊削余文,而遽入正传者,诧为篇终之崭峭。于是好奇而寡识者,转相叹赏,刻意追摹。殆如左氏所云,'非子之求,而蒲之觅'矣!有明中叶以来,一种不情不理,自命为古文者,起不知所自来,收不知所自往,专以此等出人思议,夸为奇特。于是坦荡之途生荆棘矣……"

先生!这段议论,你如果不肯领教,我便介绍一部妙书给你看看。那书唤作《别下斋丛书》,我记得他中间某书——书名已忘了——里有一封信,开场是——

"某白:复何言哉!当今之世,知文者莫如足下,能文者莫如我。复何言哉!……"

这等妙文,想来是最合先生胃口的,先生快去买他一部,朝夕讽诵罢!

第七段。(原文"某意今之真能倡新文学者,……望平心思之。")

译名一事,正是现在一般学者再三讨论而不能解决的难问题。记者等对于此事,将来另有论文——或谈话——发表,现在暂时不与先生为理论上之研究,单就先生所举的例,略略说一说。

西洋的 Logic,与中国的名学与印度的因明学,这三种学问,性质虽然相似,而范围的大小,与其精神特点,各有不同之处。所以印度人既不能把 Logic 攫为己有,说他是原有的因明学,中国人亦决不能把他硬当做名学。严先生译"名学"二字,已犯了"削趾适屦"的毛病,先生又把"名教,名分,名节"一股脑儿拉了进去,岂非西洋所有一种纯粹学问,一到中国,便变了本《万宝全书》,变了个大垃圾桶么？要之，古学是古学，今学是今学，我们把他分别研究，各不相及，是可以的；分别研究之后，互相参证，互相发明，也是可以的。若并不仔细研究，只看了些皮毛，便把他附会拉拢，那便叫做"混账"！

严先生译"中性"为"罔两"，是以"罔"字作"无"字解，"两"字指"阴阳两性"，意义甚显。先生说他"假异兽之名，以明无二之义"，是一切"中性的名词"，都变做了畜生了！先生如此附会，严先生知道了，定要从鸦片铺上一跃而起，大骂"该死"！（且"罔两"有三义：第一义是《庄子》上的"罔两问景"，言"影外微阴"也；第二义是《楚辞》上的"神罔两而无主"，言"神无依据"也；第三义是《鲁语》上的"木石之怪，曰夔，罔两"，与"魍魉"同。若先生当真要附会，似乎第二义最近一点，不知先生以为如何？）

"Utopia"译为"乌托邦"，完全是译音。若照先生所说，作为"乌有寄托"解，是变作"无寄托"了。以"逻辑"译"Logic"也完全是取的音，因为"逻"字决不能概括"演绎法"，"辑"字也决不能概括"归纳法"。而且既要译义，决不能把这两个连接不上的字放在一起。又"Bank"译为"板克"，也是取音。先生以"大板谓之业"来解释这"板"字，是无论哪一种商店都可称"板克"，不必专指"银行"。若有一位棺材店的老板，说"小号的圆心血'板'，也可以在'营业上操胜算'，小号要改称'板克'"，先生也赞成么？又严先生的"板克"，似乎写作"版克"的，先生想必分外满意，因"版"是"手版"，用"手版"在"营业上操胜算"，不又是先生心中最喜欢的么？

先生对于此等问题，似乎可以"免开尊口"，庶不致"贻讥通人"，现在说了"此等笑话"，"自暴其俭学"，未免太不上算！

第八段。（原文"鄙人非反对新文学者……"）

先生说"能笃于旧学者,始能兼采新知"。记者则以为处于现在的时代,非富于新知,具有远大眼光者,断断没有研究旧学的资格。否则弄得好些,也不过造就出几个"抱残守缺"的学究来,犹如乡下老妈子,死抱了一件红大布的嫁时棉袄,说他是世间最美的衣服,却没有见过绫罗锦绣的面,请问这等陋物,有何用处?(然而已比先生高明万倍!)弄得不好,便造就出许多"胡说乱道","七支八搭"的"混蛋"!把种种学问,闹得非驴非马,全无进境。(先生即此等人之标本也)此等人,钱玄同先生平时称他为"古今中外党",半农称他为"学愿"。将来尚拟做他一篇论文,大大地抨击一下,现在且不多说。

原信"自海禁大开"以下一段,文调甚好,若用在乡试场中,大可中得"副榜"!记者对于此段,惟有于浩叹之后,付之一笑!因为现在正有一班人,与先生大表同情,以为外国人在科学上所得到的种种发明,种种结果,无论有怎样的真凭实据,都是靠不住的——所以外国人说人吃了有毒霉菌要害病,他们偏说蚶子虾米还吃不死人,何况微菌;外国人说鼠疫要严密防御,医治极难,他们偏说这不打紧,用黄泥泡汤,一吃就好;甚至为了学习打拳,竟有那种荒谬学堂,设托塔李天王的神位,命学生拜跪;为了讲求卫生,竟有那种谬人,打破了运动强身的精理,把道家"采补"书中所用的"丹田""泥丸宫"种种屁话,著书行世,到处演说。照此看来,恐怕再过几年,定有聘请拳匪中"大师兄""二师兄"作体育教习的学堂;定有主张定叶德辉所刊《双梅景闇丛书》为卫生教科书的时髦教育家!哈哈!中国人在阎王簿上,早就注定了千磨万劫的野蛮命。外国的科学家,还居然同他以人类之礼相见,还居然遵守着"科学是世界公器"的一二句话,时时刻刻把新知识和研究的心得交付给他,正如康有为所说"享爰居以钟鼓,被猿猱以冠裳"了!

　　来信已逐句答毕,有几句骂人话——如"见披发于伊川,知百年之将戎"等——均不必置辩。但有一语,忠告先生:先生既不喜新,似乎在旧学上,功夫还缺乏一点,能用上十年功,到《新青年》出到第二十四卷的时候,再写书信来与记者谈谈,记者一定"刮目相看"!否则记者等就要把"不学无术,顽固胡闹"八个字送给先生"生为考语,死作墓铭"!(这两句,是南社里的出品,因为先生喜欢对句,所以特向专门制造这等对句的名厂里,借来奉敬,想亦先生之所乐闻也)又先生填了"戊午夏历新正二日"的日期,似乎不如竟写"宣统十年"还爽快些!末了那个"翢"字,孔融曹丕及韩愈柳宗元等人的书札里,似乎未曾用过,不知当作何解。先生"居恒研究小学",知"古人造字之妙",还请有以语我来!余不白。

　　　　　　　　记者(半农)　一九一八年二月十九日

　　　　　　　　　(第四卷第三号,一九一八年三月十五日)

建设的文学革命论

国语的文学——文学的国语
胡　适

一

我的《文学改良刍议》发表以来,已有一年多了。这十几个月之中,这个问题居然引起了许多很有价值的讨论,居然受了许多很可使人乐观的响应。我想我们提倡文学革命的人,固然不能不从破坏一方面下手。但是我们仔细看来,现在的旧派文学实在不值得一驳,什么桐城派的古文哪,《文选》派的文学哪,江西派的诗哪,梦窗派的词哪,《聊斋志异》派的小说哪——都没有破坏的价值。它们所以还能存在国中,正因为现在还没有一种真有价值,真有生气、真可算作文学的新文学起来代它们的位置。有了这种"真文学"和"活文学",那些"假文学"和"死文学",自然会消灭了。所以我望我们提倡文学革命的人,对于那些腐败文学,个个都该存一个"彼可取而代也"的心理,个个都该从建设一方面用力,要在三五十年内替中国创造出一派新中国的活文学。

我现在做这篇文章的宗旨,在于贡献我对于建设新文学的意见。我且先把我从前所主张破坏的八事引来做参考的资料:

一、不做"言之无物"的文字。

二、不做"无病呻吟"的文字。

三、不用典。

四、不用套语滥调。

五、不重对偶：文须废骈，诗须废律。

六、不做不合文法的文字。

七、不模仿古人。

八、不避俗话俗字。

这是我的"八不主义"，是单从消极的，破坏的一方面着想的。

自从去年归国以后，我在各处演说文学革命，便把这"八不主义"都改作了肯定的口气，又总括作四条，如下：

一、要有话说，方才说话。这是"不做言之无物的文字"一条的变相。

二、有什么话，说什么话；话怎么说，就怎么说。这是（二）（三）（四）（五）（六）诸条的变相。

三、要说我自己的话，别说别人的话。这是"不模仿古人"一条的变相。

四、是什么时代的人，说什么时代的话。这是"不避俗话、俗字"的变相。

这是一半消极，一半积极的主张。一笔表过，且说正文。

二

我的"建设新文学论"的唯一宗旨只有十个大字："国语的文学，文学的国语。"我们所提倡的文学革命，只是要替中国创造一种国语的文学。有了国语的文学,方才可有文学的国语。有了文学的国语,我们的国语才可算得真正国语。国语没有文学,便没有生命,便没有价值,便不能成立,便不能发达。这是我这一篇文字的大旨。

我曾仔细研究：中国这二千年何以没有真有价值真有生命的"文言的文学"？我自己回答道："这都因为这二千年的文人所做的文学都是死的,都是用已经死了的语言文字做的。死文字决不能产出活文学,所以中国这二千年只有些死文学,只有些没有价值的死文学。"

我们为什么爱读《木兰辞》和《孔雀东南飞》呢？因为这两首诗是用白话做的。为什么爱读陶渊明的诗和李后主的词呢？因为他们的诗词是用白话做的。为什么爱杜甫的《石壕吏》《兵车行》诸诗呢？因为他们都是用白话做的。为什么不爱韩愈的《南山》呢？因为他用的是死字死话。……简单说来,自从《三百篇》到于今,中国的文学凡是有一些价值,有一些儿生命的,都是白话的,或是近于白话的。其余的都是没有生气的古董,都是博物院中的陈列品！

再看近世的文学,何以《水浒传》《西游记》《儒林外史》《红楼梦》,可以称为"活文学"呢？因为他们都是用一种活文字做的。若是施耐庵、邱长春、吴敬梓、曹雪芹,都用了文言做书,他们的小说一定不会有这样生命,一定不会有这样价值。

读者不要误会,我并不曾说凡是用白话做的书都是有价值有生命的。我说的是,用死了的文言决不能做出有生命有价值的文学来。这一千多年的文学,凡是有真正文学价值的,没有一种不带有白话的性质,没有一种不靠这个"白话性质"的帮助。换言之,白话能产出有价值的文学,也能产出没有价值的文学,可以产出《儒林外史》，也可以产出《肉蒲团》。但是那已死的文言只能产出没有价值没有生命的文学，决不能产出有价值有生命的文学：只能做几篇"拟韩退之《原道》"或"拟陆士衡《拟古》"，决不能做出一部《儒林外史》。若有人不信这话，可先读明朝古文大家宋濂的《王冕传》，再读《儒林外史》第一回的《王冕传》，便可知道死文学和活文学的分别了。

为什么死文字不能产生活文学呢？这都由于文学的性质。一切语言文字的作用在于达意表情。达意达得妙，表情表得好，便是文学。那些用死文言的人，有了意思，却须把这意思翻成几千年前的典故。有了感情，却须把这感情译为几千年前的文言。明明是客子思家，他们须说"王粲登楼"，"仲宣作赋"；明明是送别，他们却须说"阳关三叠"，"一曲渭城"；明明是贺陈宝琛七十岁生日，他们却须说是贺伊尹、周公传说；更可笑的，明明是乡下老太婆说话，他们却要叫她打起唐宋八家的古文腔儿；明明是极下流的妓女说话，他们却要她打起胡天游洪亮吉的骈文调子！……请问这样做文章如何能达意表情呢？既不能达意，既不能表情，哪里还有文学呢？即如那《儒林外史》里的王冕，是一个有感情、有血气、能生动、能谈笑的活人。这都因为做书的人能用活言语活文字来描写他的生活神情。那宋濂集子里的王冕，便成了一个没有生气、不能动人的死人。为什么呢？因为宋濂用了二千年前的死文字来写二千年后的活人，所以不能不把这个活人变作二千年前的木偶，才可合那古文家法。古文家法是合了，那王冕也真"作古"了！

因此我说，"死文言决不能产出活文学。"中国若想有活文学，必须用白话，必须用国语，必须做国语的文学。

三

上节所说，是从文学一方面着想，若要活文学，必须用国语。如今且说从国语一方面着想，国语的文学有何等重要。

有些人说："若要用国语做文学，总须先有国语。如今没有标准的国语，如何能有国语的文学？"我说，这话似乎有理，其实不然。国语不是单靠几位言语学的专门家就能造得成的，也不是单靠几本国语教科书和几部国语字典，就能造成的。若要造国语，先须造国语的文学。有了国语的文学，自然有国语。这话初听了似乎不通，但是列位仔细想想便可明白了。天下的人谁肯从国语教科书和国语字典里面学习国语？所以国语教科书和国语字典，虽是很要紧，决不是造国语的利器。真正有功效有势力的国语教科书，便是国语的文学，便是国语的小说、诗文、戏本。国语的小说、诗文、戏本通行之日，便是中国国语成立之时。试问我们今日居然能拿起笔来做几篇白话文章，居然能写得出好几百个白话的字，可是从什么白话教科书上学来的吗？可不是从《水浒传》《西游记》《红楼梦》《儒林外史》等书学来的吗？这些白话文学的势力，比什么字典教科书都还大几百倍。字典说"这"字该读"鱼彦反"，我们偏读它做"者个"的"者"字；字典说"么"字是"细小"，我们偏把它用作"什么""那么"的"么"字；字典说"没"字是"沈也"，"尽也"，我们偏用它做"无有"的"无"字解；字典说"的"字有许多意义，我们偏把它用来代文言的"之"字、"者"字、"所"字和"徐徐尔，纵纵尔"的"尔"字……总而言之，我们今日所用的"标准白话"，都是这几部白话的文学定下来的。我们今日要想重新规定一种"标准国语"，还须先造无数国语的《水浒传》《西游记》《儒林外史》《红楼梦》。

所以我以为我们提倡新文学的人，尽可不必问今日中国有无标准国语。我们尽可努力去做白话的文学。我们可尽量采用《水浒传》《西游记》《儒林外史》《红楼梦》的白话；有不合今日的用的，便不用它；有不够用的，便用今日的白话来补助；有不得不用文言的，便用文言来补助。这样做去，决不愁语言文字不够用，也决不用愁没有标准白话。中国将来的新文学用的白话，就是将来中国的标准国语。造中国将来白话文学的人，就是制定标准国语的人。

我这种议论并不是"向壁虚造"的。我这几年来研究欧洲各国国语的历史，没有一种国语不是这样造成的，没有一种国语是教育部的老爷们造成的，没有一种是言语学专门家造成的，没有一种不是文学家造成的。我且举几条例为证：

一、意大利。五百年前，欧洲各国但有方言，没有"国语"。欧洲最早的国语是意大利文。那时欧洲各国的人多用拉丁文著书通信。到了十四世纪的初年，意大利的大文学家 Dante（但丁）极力主张用意大利话来代拉丁文。他说拉丁文是已死了的文字，不如他本国俗话的优美。所以他自己的杰作《喜剧》，全用 Tuscany（意大利北部的一邦）的俗话，这部《喜剧》，风行一世，人都称它做《神圣喜剧》。那《神圣喜剧》的白话后来便成了意大利的标准国语。后来的文学家 Boccaccio（1313—1375）和 Lorenzode, Medici 诸人也都用白话作文学。所以不到一百年，意大利的国语便完全成立了。

二、英国。英伦虽只是一个小岛国，却有无数方言。现在通行全世界的"英文"在五百年前还只是伦敦附近一带的方言，叫做"中部土话"。当十四世纪时，各处的方言都有些人用来做书。后来到了十四世纪的末年，出了两位大文学家，一个是 Chaucer（乔叟 1340—1400），一个是 Wycliffe（1320—1384）。Chaucer 做了许多诗歌散文，都用这"中部土话"。Wyciffe把耶教的《旧约》《新约》也都译成"中部土话"。有了这两个人的文学，便把这"中部土话"变成英国的标准国语。后来到了十五世纪，印刷术输进英国，所印的书多用这"中部土话"。国语的标准更确定了。到十六、十七两世纪，Shakespeare（莎士比亚）和"伊里沙白时代"的无数文学大家，都用国语创造文学。从此以后，这一部分的"中部土话"不但成了英国的标准国语，几乎竟成了全地球的世界语了！

此外，法国德国及其他各国的国语，大都是这样发生的，大都是靠着文学的力量才能变成标准的国语的。我也不去一一的细说了。

意大利国语成立的历史，最可供我们中国人的研究。为什么呢？因为欧洲西部北部的新国，如英吉利、法兰西、德意志，它们的方言和拉丁文相差太远了，所以他们渐渐地用国语著作文学，还不算稀奇。只有意大利是当年罗马帝国的京畿近地，在拉丁文的故乡，各处的方言又和拉丁文最近。在意大利提倡用白话代拉丁文，真正和在中国提倡用白话代汉文有同样的艰难。所以英法德各国语，一经文学发达以后，便不知不觉地成为国语了。在意大利却不然。当时反对的人很多，所以那时的新文学家，一方面努力创造国语的文学，一方面还要做文章鼓吹何以当废古文，何以不可不用白话。有了这种有意的主张（最有力的是Dante和Albert两个人），又有了那些有价值的文学，才可造出意大利的"文学的国语"。

我常问我自己道："自从施耐庵以来，很有了些极风行的白话文学，何以中国至今还不曾有一种标准的国语呢？"我想来想去，只有一个答案：这一千年来，中国固然有了一些有价值的白话文学，但是没有一个人出来明目张胆地主张用白话为中国的"文学的国语"。有时陆放翁高兴了,便做一首白话诗;有时柳耆卿高兴了,便做一首白话词;有时朱晦庵高兴了,便写几封白话信,做几条白话札记;有时施耐庵吴敬梓高兴了,便做一两部白话的小说。这都是不知不觉的自然出产品,并非是有意的主张。因为没有"有意的主张",所以做白话的只管做白话,做古文的只管做古文,做八股的只管做八股。因为没有"有意的主张",所以白话文学从不曾和那些"死文学"争那"文学正宗"的位置。白话文学不成为文学正宗,故白话不曾成为标准国语。

我们今日提倡国语的文学,是有意的主张要使国语成为"文学的国语"。有了文学的国语,方有标准的国语。

四

上文所说,"国语的文学,文学的国语",乃是我们的根本主张。如今且说要实行做到这个根本主张,应该怎样进行。

我以为创造新文学的进行次序,约有三步:(一)工具,(二)方法,(三)创造。前两步是预备,第三步才是实行创造新文学。

(一)工具。古人说得好:"工欲善其事,必先利其器。"写字的要笔好,杀猪的要刀快。我们要创造新文学,也须先预备下创造新文学的"工具"。我们的工具就是白话。我们有志造国语文学的人,应该赶紧筹备这个万不可少的工具,预备的方法,约有两种:

(甲)多读模范的白话文学。例如《水浒传》《西游记》《儒林外史》《红楼梦》,宋儒语录、白话信札、元人戏曲、明清传奇的说白。唐宋的白话诗词也该选读。

(乙)用白话作各种文学。我们有志造新文学的人,都该发誓不用文言作文，无论通信、做诗、译书、做笔记、做报馆文章、编学堂讲义、替死人作墓志、替活人上条陈……都该用白话来做。我们从小到如今，都是用文言作文，养成了一种文言的习惯，所以虽是活人，只会作死人的文字。若不下一些狠劲，若不用点苦工夫，决不能使用白话圆转如意。若单在《新青年》里面做白话文字，此外还依旧做文言的文字，那真是"一日暴之十日寒之"的政策，决不能磨炼成白话的文学家。不但我们提倡白话文学的人应该如此做去，就是那些反对白话文学的人，我也奉劝他们用白话来做文字。为什么呢？因为他们若不能做白话文字，便不配反对白话文学。譬如那些不认得中国字的中国人若主张废汉文，我一定骂他们不配开口。若是我的朋友钱玄同要主张废汉文，我决不敢说他不配开口了。那些不会做白话文字的人来反对白话文学，便和那些不懂汉文的人要废汉文是一样的荒谬。所以我劝他们多做些白话文字，多做些白话诗歌，试试白话是否有文学的价值。如果试了几年，还觉得白话不如文言，那时再来攻击我们也还不迟。

还有一层，有些人说："做白话很不容易，不如做文言的省力。"这是因为中毒太深之过。受病深了，更宜赶紧医治。否则真不可救了。其实做白话并不难。我有一个侄儿今年才十五岁，一向在徽州不曾出过门，今年他用白话写信来，居然写得极好。我们徽州话和官话差得很远，我的侄儿不过看了一些白话小说，便会做白话文字了。这可见做白话并不是难事。不过人性懒惰的居多数，舍不得抛"高文典册"的死文字罢了。

（二）方法。我以为中国近来文学所以这样腐败，大半虽由于没有适用的"工具"，但是单有"工具"，没有方法，也还不能造新文学。做木匠的人，单有锯凿钻刨，没有规矩师法，决不能造成木器。

文学也是如此。若单靠白话便可造新文学，难道把郑孝胥陈三立的诗翻成了白话，就可算得新文学了吗？难道那些用白话做的《新华春梦记》《九尾龟》，也可算作新文学吗？我以为现在国内新起的一班"文人"，受病最深的所在，只在没有高明的文学方法。我且举小说一门为例。现在的小说，单指中国人自己著的，看来看去，只有两派。一派最下流的，是那些学《聊斋志异》的札记小说。篇篇都是"某生，某处人，生有异禀，下笔千言……一日于某地遇一女郎……好事多磨，……遂为情死"；或是"某地某生，游某地，眷某妓，情好綦笃，遂订白头之约……而大妇妒甚，不能相容，女抑郁以死……生抚尸一恸几绝"。……此类文字，只可抹桌子，固不值一驳。还有那第二派是那些学《儒林外史》或是学《官场现形记》的白话小说。上等的如《广陵潮》，下等的如《九尾龟》。这一派小说只学了《儒林外史》的坏处，却不曾学得它的好处。《儒林外史》的坏处在于体裁结构太不紧严，全篇是杂凑起来的，例如娄府一群人，自成一段，杜府两公子自成一段；马二先生又成一段；虞博士又成一段；萧云仙郑孝子又各自成一段。分出来，可成无数札记小说，接下去，可长至无穷无极。《官场现形记》便是这样。如今的章回小说，大都犯这个没有结构，没有布局的懒病。却不知道《儒林外史》所以能有文学价值者，全靠一副写人物的画工本领。我十年不曾读这书了，但是我闭了眼睛，还觉得书中的人物，如严贡生，如马二先生，如杜少卿，如权勿用……个个都是活的人物。正如读《水浒》的人，过了二三十年，还不会忘记鲁智深、李逵、武松、石秀……一班人。请问列位读过《广陵潮》和《九尾龟》的人，过了两三个月，心目中除了一个"文武全才"的章秋谷之外，还记得几个活灵活现的书中人物？——所以我说，现在的"新小说"，全是不懂得文学方法的，既不知布局，又不知结构又不知描写人物，只做成了许多又长又臭的文字，只配与报纸的第二张充篇幅，却不配在新文学上占一个位置。小说在中国近年，比较地说来，要算文学中最发达的一门了。小说尚且如此，别种文学，如诗歌戏曲，更不用说了。

如今且说什么叫做"文学的方法"呢？这个问题不容易回答，况且又不是这篇文章的本题，我且约略说几句。

大凡文学的方法可分三类。

（1）集收材料的方法。中国的"文学"，大病在于缺少材料。那些古文家，除了墓志、寿序、家传之外，几乎没有一毫材料。因此他们不得不做那些极无聊的"汉高帝斩丁公论"、"汉文帝、唐太宗优劣论"。至于近人的诗词，更没有什么材料可说了。近人的小说材料，只有三种：一种是官场，一种是妓女，一种是不官而官，非妓而妓的中等社会（留学生、女学生之可作小说材料者，亦附此类），除此以外，别无材料，最下流的，竟至登告白征求这种材料。做小说竟须登告白征求材料，便是宣告文学家破产的铁证。我以为将来的文学家收集材料的方法，约如下：

（甲）推广材料的区域。官场妓院与龌龊社会三个区域，决不够采用。即如今日的贫民社会，如工厂之男女工人，人力车夫，内地农家，各处小负贩及小店铺，一切痛苦情形，都不曾在文学上占一位置。并且今日新旧文明相接触，一切家庭惨变，婚姻苦痛，女子之位置教育之不适宜……种种问题，都可供文学的材料。

（乙）注重实地的观察和个人的经验。现今文人的材料大都是关了门虚造出来的。或是间接又间接地得来的，因此我们读这种小说，总觉得浮泛敷衍，不痛不痒的，没有一毫精采。真正文学家的材料大概都有"实地的观察和个人自己的经验"做个根底。不能作实地的观察，便不能做文学家；全没有个人的经验，也不能做文学家。

（丙）要用周密的理想作观察经验的补助。实地的观察和个人的经验，固是极重要，但是也不能全靠这两件。例如施耐庵若单靠观察和经验，决不能做出一部《水浒传》。个人所经验的，所观察的究竟有限。所以必须有活泼精细的理想（Imagination），把观察经验的材料，一一地体会出来，一一地整理如式，一一地组织完全：从已知的推想到未知的，从经验过的推想到不曾经验过的，从可观察的推想到不可观察的。这才是文学家的本领。

（2）结构的方法。有了材料，第二步须要讲究结构。结构是个总名词，内中所包甚广，简单说来，可分剪裁和布局两步：

（甲）剪裁。有了材料，先要剪裁，譬如做衣服，先要看哪块料可做袍子，哪块料可做背心。估计定了，方可下剪。文学家的材料也要如此办理。先须看这些材料该用做小诗呢，还是做长歌呢？该用做章回小说呢，还是做短篇小说呢？该用做小说呢，还是做戏本呢？筹划定了，方才可以剪下那些可用的材料，去掉那些不中用的材料，方才可以决定做什么体裁的文字。

（乙）布局。体裁定了，再可讲布局。有剪裁，方可决定"做什么"，有布局，方可决定"怎样做"。材料剪定了，须要筹算怎样做，始能把这材料用得最得当又最有效力。例如唐朝天宝时代的兵祸，百姓的痛苦，都是材料。这些材料，到了杜甫的手里，便成了诗料。如今且举他的《石壕吏》一篇，作布局的例。这首诗只写一个过路的客人一晚上在一个人家内偷听得的事情，只用一百二十个字，却不但把那一家祖孙三代的历史都写出来，并且把那时代兵祸之惨，壮丁死亡之多，差役之横行，小民之苦痛，都写得逼真活现，使人读了生无限的感慨。这是上品的布局工夫。又如古诗《上山采蘼芜,下山逢故夫》一篇,写一家夫妇的惨剧,却不从"某人娶妻甚贤,后别有所欢,遂出妻再娶"说起,只挑出那前妻山上下来遇着故夫的时候下笔,却也能把那一家的家庭情形写得充分满意。这也是神品的布局功夫。——近来的文人全不讲求布局,只顾凑足多少字可卖几块钱,全不问材料用得得当不得当,动人不动人。他们今日做上回的文章,还不知道下一回的材料在何处!这样的文人怎样造得出有价值的新文学呢!

（3）描写的方法。局已布定了,方才可讲描写的方法。描写的方法,千头万绪,大要不出四条：

（一）写人。

（二）写境。

（三）写事。

（四）写情。

写人要举动、口气、身份、才性……都要有个性的区别:件件都是林黛玉,决不是薛宝钗;件件都是武松,决不是李逵。写境要一喧、一静、一石、一山、一云、一鸟……也都要有个性的区别:《老残游记》的大明湖,决不是西湖,也决不是洞庭湖;《红楼梦》里的家庭,决不是《金瓶梅》里的家庭。写事要线索分明,头绪清楚,近情近理,亦正亦奇。写情要真,要精,要细腻婉转,要淋漓尽致。——有时须用境写人,用情写人,用事写人;有时须用人写境,用事写境,用情写境……这里面的千变万化,一言难尽。

如今且回到本文。我上文说的:创造新文学的第一步是工具,第二步是方法。方法的大致,我刚才说了。如今且问,怎样预备方才可得着一些高明的文学方法?我仔细想来,只有一条法子:就是赶紧多多地翻译西洋的文学名著做我们的模范。我这个主张，有两层理由：

第一，中国文学的方法实在不完备，不够作我们的模范。即以体裁而论，散文只有短篇，没有布置周密、论理精严、首尾不懈的长篇；韵文只有抒情诗，绝少纪事诗，长篇诗更不曾有过；戏本更在幼稚时代，但略能纪事掉文，全不懂结构；小说好的，只不过三四部，这三四部之中，还有许多疵病，至于最精彩之"短篇小说""独幕戏"更没有了。若从材料一方面看来，中国文学更没有做模范的价值。才子佳人，封王挂帅的小说；风花雪月，涂脂抹粉的诗；不能说理，不能言情的"古文"；学这个，学那个的一切文学；这些文字，简直无一毫材料可说。至于布局一方面，除了几首实在好的诗之外，几乎没有一篇东西当得"布局"两个字！所以我说，从文学方法一方面看去，中国的文学实在不够给我们作模范。

第二，西洋的文学方法，比我们的文学，实在完备得多，高明得多，不可不取例。即以散文而论，我们的古文家至多比得上英国的 Bacon 和法国的 Montaene，至于像 Plato 的"主客体"，Huxley 等的科学文率，Boswell 和 Morley 等的长篇传记，Mill，Franklin，G ikdon 等的"自传"，Taine 和 Buckle 等的史论……都是中国从不曾梦见过的体裁。更以戏剧而论，二千五百年前的希腊戏曲，一切结构的工夫，描写的工夫，高出元曲何止十倍。近代的 Shakespeare 和 Moliere，更不用说了，最近六十年来，欧洲的散文戏本，千变万化，远胜古代，体裁也更发达了，最重要的，如"问题戏"，专研究社会的种种重要问题；"寄托戏"（Symbolic Drama）专以美术的手腔，作的"意在言外"的戏本；"心理戏"，专描写种种复杂的心境，作极精密的解剖；"讽刺戏"，用嬉笑怒骂的文章，达愤世救世的苦心——我写到这里,忽然想起今天梅兰芳正在唱新编的《天女散花》,上海的人还正在等着看新排的《多尔滚》呢!我也不往下数了——更以小说而论,那材料之精确,体裁之完备,命意之高超,描写之工切,心理解剖之细密,社会问题讨论之透切……真是美不胜收。至于近百年新创的"短篇小说",真如芥子里面藏着大千世界,真如百炼的精金,曲折委婉无所不可。真可说是开千古未有的创局,掘百世不竭的宝藏。——以上所说,大旨只在约略表示西洋文学方法的完备,因为西洋文学真有许多可给我们作模范的好处,所以我说:我们如果真要研究文学的方法,不可不赶紧翻译西洋的文学名著,做我们的模范。

现在中国所译的西洋文学书,大概都不得其法,所以收效甚少。我且拟几条翻译西洋文学名著的办法如下:

(1)只译名家著作,不译第二流以下的著作。我以为国内真懂得西洋文学的学者应该开一会议,公共选定若干种不可不译的第一流文学名著:约数如一百种长篇小说,五百篇短篇小说,三百种戏剧,五十家散文,为第一部西洋文学丛书,期五年译完,再选第二部。译成之稿,由这几位学者审查,并一一为作长序及著者略传,然后付印,其第二流以下,如哈葛得之流,一概不选。诗歌一类,不易翻译,只可从缓。

(2)全书白话,韵文之戏曲,也都译为白话散文。用古文译书,必失原文的好处。如林琴南的"其女珠,其母下之",早成笑柄,且不必论。前天看见一部侦探小说《圆室案》中,写一位侦探"勃然大怒,拂袖而起"。不知道这位侦探穿的是不是康桥大学的广袖制服!——这样译书,不如不译。又如林琴南把 Shakespeare 的戏曲,译成了记叙体的古文!这真是 Shakespeare 的大罪人,罪在《圆室案》译者之上。

（三）创造。上面所说工具与方法两项，都只是创造新文学的预备。工具用得纯熟自然了，方法也懂了，方才可以创造中国的新文学。至于创造新文学是怎样一回事，我可不配开口了。我以为现在的中国，还没有做到实行预备创造新文学的地步，尽可不必空谈创造的方法和创造的手段，我们现在且先去努力做那第一第二两步预备的工夫罢！

(第四卷第四号，一九一八年四月十五日)

论短篇小说

胡 适

这一篇乃是三月十五日在北京大学国文研究所小说科讲演的材料。原稿由研究员傅斯年君记出,载于《北京大学日刊》。今就傅君所记,略为更易,作为此文。

一、什么叫做"短篇小说"?

中国今日的文人大概不懂"短篇小说"是什么东西。现在的报纸杂志里面,凡是笔记杂纂,不成长篇的小说,都可叫做"短篇小说"。所以现在那些"某生,某处人,幼负异才……一日,游某园,遇一女郎,睨之,天人也……"一派的滥调小说,居然都称为"短篇小说"!其实这是大错的。西方的"短篇小说"(英文叫做 Short story),在文学上有一定的范围,有特别的性质,不是单靠篇幅不长便可称为"短篇小说"的。

我如今且下一个"短篇小说"的界说:

短篇小说是用最经济的文学手段,描写事实中最精彩的一段,或一方面,而能使人充分满意的文章。

这条界说中,有两个条件最宜特别注意。今且把这两个条件分说如下：

（一）"事实中最精彩的一段或一方面"。譬如把大树的树身锯断，懂植物学的人看了树身的"横截面"，数了树的"年轮"，便可知道这树的年纪。一人的生活，一国的历史，一个社会的变迁，都有一个"纵剖面"和无数"横截面"。纵面看去，须从头看到尾，才可看见全部。横面截开一段，若截在要紧的所在，便可把这个"横截面"代表这一人，或这一国，或这一个社会。这种可以代表全邦的部分，便是我所谓"最精彩"的部分。又譬如西洋照相术未发明之前，有一种"侧面剪影"（silhouette），用纸剪下人的侧面便可知道是某人。（此种剪像曾风行一时。今虽有照相术，尚有人为之）这种可以代表全形的一面，便是我所谓"最精彩"的方面。若不是"最精彩的"所在，决不能用一段代表全体，决不能用一面代表全形。

（二）"最经济的文学手段"。形容"经济"两个字，最好是借用宋玉的话："增之一分则太长，减之一分则太短；着粉则太白，施朱则太赤。"须要不可增减，不可涂饰，处处恰到好处，方可当"经济"二字。因此，凡可以拉长演作章回小说的短篇，不是真正"短篇小说"。凡叙事不能畅尽，写情不能饱满的短篇，也不是真正"短篇小说"。

能合我所下的界说的，便是理想上完全的"短篇小说"。世间所称"短篇小说"，虽未能处处都与这界说相合，但是那些可传世不朽的"短篇小说"，决没有不具上文所说两个条件的。

如今且举几个例。西历一八七〇年，法兰西和普鲁士开战，后来法国大败，巴黎被攻破，出了极大的赔款，还割了两省地，才能讲和。这一次战争，在历史上，就叫做普法之战，是一件极大的事。若是历史家记载这事，必定要上溯两国开衅的远因，中记战争的详情，下寻战与和的影响。这样记去，可满几十本大册子。这种大事到了"短篇小说家"的手里，便用最经济的手腕去写这件大事的最精彩的一段或一面。我且不举别人，单举 Daudet 和 Maupassant 两个人为例。Daudet 所做普法之战的小说，有许多种，我曾译出一种叫做《最后一课》(*La dernière classe*)（初译名《割地》，登上海大共和日报后改用今名，登留美学生季报第三年）。全篇用法国割给普国两省中一省的一个小学生的口气，写割地之后，普国政府下令，不许再教法文法语。所写的乃是一个小学教师教法文的"最后一课"。一切割地的惨状，都从这个小学生眼中看出，口中写出。还有一种，叫做《柏林之围》(*Le siège de Berlin*)（曾载甲寅第四号）。写的是法皇拿破仑第三出兵攻普鲁士时，有一个曾在拿破仑第一麾下的老兵官，以为这一次法兵一定要大胜了，所以特地搬到巴黎，住在凯旋门边，准备着看法兵"凯旋"的大典。后来这老兵官病了，他的孙女儿天天假造法兵得胜的新闻去哄他。那时普国的兵已打破巴黎。普兵进城之日，他老人家听见军乐声，还以为是法兵打破了柏林奏凯班师呢！这是借一个法国极强时代的老兵，来反照当日法国大败的大耻，两两相形，真可动人。

　　Maupassant 所做普法之战的小说也有多种。我曾译他的《二渔夫》(*Deux amis*)，写巴黎被围的情形，却都从两个酒鬼身上着想。（此篇曾载本报，故不更细述）还有许多篇，如"Mlle. Fifi"之类（皆未译出），或写一个妓女被普国兵士掳去的情形，或写法国内地村乡里面的光棍，乘着国乱，设立"军政分府"作威作福的怪状……都可使人因此推想那时法国兵败以后的种种状态。这都是我所说的"用最经济的手腕，描写事实中最精彩的片段，而能使人充分满意"的短篇小说。

二、中国短篇小说的略史

"短篇小说"的定义既已说明了,如今且略述中国短篇小说的小史。

中国最早的短篇小说,自然要数先秦诸子的寓言了。《庄子》《列子》《韩非子》《吕览》诸书所载的"寓言",往往有用心结构可当"短篇小说"之称的。今举二例。第一例见于《列子·汤问》篇:

太形王屋二山,方七百里,高万仞,本在冀州之南,河阳之北。

北山愚公者,年且九十,面山而居,惩山之塞出入之迂也。聚室而谋曰,"吾与汝毕力平险,指通豫南,达于汉阴,可乎?"杂然相许。其妻献疑曰,"以君之力,曾不能损魁父之丘。如太形王屋何?且焉置土石?"杂曰,"投诸渤海之尾,隐土之北!"

遂率子孙荷担者三夫,叩石垦壤,箕畚运于渤海之尾。邻人京城氏之孀妻,有遗男,始龀,跳往助之。寒暑易节,始一返焉。

河曲智叟笑而止之曰,"甚矣,汝之不慧!以残年余力,曾不能毁山之一毛,其如土石何?"

北山愚公长息曰,"汝心之固,固不可彻,曾不若孀妻弱子!虽我之死,有子存焉。子又生孙,孙又有子,子又有子,子又有孙,子子孙孙,无穷匮也,而山不加增。何苦而不平?"

河曲智叟亡以应。

"操蛇之神"闻之,惧其不已也,告之于帝。帝感其诚,命夸娥氏二子负二山,一厝朔东,一厝雍南。自此,冀之南,汉之阴,无陇断焉。

这篇大有小说风味。第一,因为他要说"至诚可动天地",却平空假造一段,太形王屋两山的历史。

第二,这段历史之中处处用人名地名,用直接会话,写细事小物,即写天神也用"操蛇之神","夸娥氏二子"等私名,所以写来好像真有此事。这两层都是小说家的家数。现在的人一开口便是"某生""某甲",真是不曾懂得做小说的 ABC。

第二例见于《庄子徐无鬼》篇:

庄子送葬,过惠子之墓,顾谓从者曰:

郢人垩漫其鼻端,若蝇翼,使匠石斫之。匠石运斤成风,听而斫之,尽垩而鼻不伤。郢人立不失容。

宋元君闻之,召匠石曰,"尝试为寡人为之!"

匠石曰,"臣则尝能斫之。虽然,臣之质死久矣!"

自夫子(谓惠子)之死也,吾无以为质矣!吾无与言之矣!

这一篇写"知己之感",从古至今,无人能及。看他写"垩漫其鼻端,若蝇翼",写"匠石运斤成风",都好像真有此事,所以有文学的价值。看他寥寥七十个字,看尽无限感慨,是何等"经济的"手腕!

Maupassant 有一篇短篇,叫做 *An Artist*,与庄子这一篇的用意有点相像。但他用了几千字,写来还不如庄子的七十个字。这可见"经济"之中也还有个高下的分别。

自汉到唐这几百年中,出了许多"杂记"体的书,却都不配称做"短篇小说"。最下流的如《神仙传》和《搜神记》之类,不用说了。

最高的如《世说新语》，其中所记，有许多很有"短篇小说"的意味，却没有"短篇小说"的体裁。如下举的例：

（1）桓公（温）北征，经金城，见前为琅琊时种柳，皆已十围，慨然曰，"木犹如此，人何以堪！"攀枝执条，泫然流泪。

（2）王子猷（徽之）居山阴，夜大雪，眠觉开室，命酌酒，四望皎然，因起彷徨，咏左思《招隐》诗，忽忆戴安道。时戴在剡，即便夜乘小船就之。经宿方至，造门不前而返。人问其故。王曰，"吾本乘兴而来，兴尽而返。何必见戴！"

此等记载，都是拣取人生极精彩的一小段，用来代表那人的性情品格，所以我说《世说》很有"短篇小说"的意味。只是《世说》所记都是事实，或是传闻的事实，虽有剪裁，却无结构，故不能称做"短篇小说"。

比较说来，这个时代的散文短篇小说还该数到陶潜的《桃花源记》。这篇文字，命意也好，布局也好，可以算得一篇用心结构的"短篇小说"。此外便须到韵文中去找短篇小说了。韵文中，《孔雀东南飞》一篇是很好的短篇小说，记事言情，面面都到。但是比较起来，还不如《木兰辞》更为"经济"。

《木兰辞》，记木兰的战功，只用"将军百战死，壮士十年归"，十个字。记木兰归家的那一天，却用了一百多字。十个字记十年的事，不为少。一百多字记一天的事，不为多。这便是文学的"经济"，但是比较起来，《木兰辞》还不如古诗《上山采蘼芜》更为神妙。那诗道：

上山采蘼芜，下山逢故夫。长跪问故夫："新人复何如？""新人虽言好，未若故人姝。颜色类相似，手爪不相如。新人从门入，故人从阁去。新人工织缣，故人工织素。织缣日一匹，织素五丈余。将缣来比素，新人不如故。"

这首诗有许多妙处。第一，他用八十个字，写出那家夫妇三口的情形，使人可怜那被逐的"故人"，又使人痛恨那没有心肝，想靠着老婆发财的"故夫"。第二，他写那人弃妻娶妻的事，却不用从头说起，不用说"某某，某处人，娶妻某氏，甚贤。已而别有所欲，遂弃前妻而娶新欢……"他只从这三个人的历史中挑出那日从山上采野菜回来遇着故夫的几分钟，是何等"经济的手腕"！是何等"精彩的片段"！第三，他只用"上山采蘼芜，下山逢故夫"十个字便可写出这妇人是一个弃妇，被弃之后，非常贫苦，只得挑野菜度日。这是何等神妙手段！懂得这首诗的好处，方才可谈"短篇小说"的好处。

到了唐朝，韵文散文中都有很妙的短篇小说。韵文中，杜甫的《石壕吏》是绝妙的例。那诗道：

暮投石壕村，有吏夜捉人，老翁逾墙走，老妇出门看。吏呼一何怒！妇啼一何苦！听妇前致词："三男邺城戍。一男附书至，二男新战死。生者且偷生，死者长已矣！室中更无人，惟有乳下孙。有孙母未去，出入无完裙。老妪力虽衰，请从吏夜归。急应河阳役，犹得备晨炊。"夜久语声绝，如闻泣幽咽。天明登前途，独与老翁别！

这首诗写天宝之乱,只写一个过路投宿的客人夜里偷听得的事,不插一句议论,能使人觉得那时代征兵之制的大害。百姓的痛苦,丁壮死亡的多,差役捉人的横行,一一都在眼前。捉人捉到生了孙儿的祖老太太,别的更可想而知了。

白居易的《新乐府》五十首中,尽有很好的短篇小说。最妙的是《新丰折臂翁》一首。看他写"是时翁年二十四,兵部牒中有名字,夜深不敢使人知,偷将大石捶折臂",使人不得不发生"苛政猛于虎"的思想。白居易的《琵琶行》也可算得一篇很好的短篇小说。白居易的短处,只因为他有点迂腐气,所以处处要把做诗的"本意"来做结尾。即如《新丰折臂翁》篇末加上"君不见开元宰相宋开府"一段,便没有趣味了。又如《长恨歌》一篇,本用道士见杨贵妃,带来信物一件事作主体。白居易虽做了这诗,心中却不信道士见杨妃的神话,所以他不但说杨妃所在的仙山"在虚无缥渺中",还要先说杨妃死时"花钿委地无人收,翠翘金雀玉搔头",这竟直说后来"天上"带来的"钿合金钗"是马嵬坡拾起的了!自己不信,所以说来便不能叫人深信。人说赵子昂画马,先要伏地作种种马相。做小说的人,也要如此,也要用全副精神替书中人物设身处地,体贴入微。做"短篇小说"的人,格外应该如此。为什么呢?因为"短篇小说"要把所挑出的"最精彩的一段"作主体才可有全神贯注的妙处。若带点迂气,处处把"本意"点破,便是把书中事实作一种假设的附属品,便没有趣味了。

唐朝的散文短篇小说很多,好的却实在不多。我看来看去,只有张说的《虬髯客传》可算得上品的"短篇小说"。《虬髯客传》的本旨只是要说"真人之兴,非英雄所冀"。它却平空造出虬髯客一段故事,插入李靖红拂一段情史,写到正热闹处,忽然写"太原公子褐裘而来",遂使那位野心豪杰绝心于事国,另去海外开辟新国。这种立意布局,都是小说家的上等工夫。这是第一层长处。这篇是"历史小说",凡做"历史小说,"不可全用历史上的事,实却又不可违背历史上的事实全用历史的事实,便成了"演义"体,如《三国演义》和《东周列国》志,没有真正"小说"的价值。(三国所以稍有小说价值者,全靠其能于历史事实之外加入许多小说的材料耳)若违背了历史的事实,如《说岳传》使岳飞的儿子挂帅印打平金国,虽可使一班愚人快意,却又不成"历史的"小说了。最好是能于历史事实之外,造成一些"似历史又非历史"的事实,写到结果却又不违背历史的事实。如法国大仲马的《侠隐记》。(商务出版。译者君朔,不知是何人。吾以为近年译西洋小说,当以君朔所译诸书为第一,君朔所用白话,全非抄袭旧小说的白话,乃是一种特创的白话,最能传达原书的神气。其价值高出林纾百倍。可惜世人不会赏识)写英国暴君查尔第一世为克林威尔所囚时,有几个侠士出了死力百计想把他救出来,每次都到将成功时忽又失败。写来极闹热动人,令人急煞,却终不能救免查理第一世断头之刑,故不违背历史的事实。又如《水浒传》所记宋江等三十六人是正史所有的事实。《水浒传》所写宋江在浔阳江上吟反诗,写武松打虎杀嫂,写鲁智深大闹和尚寺等事,处处闹热煞,却终不违历史的事实。《荡寇志》便违背历史的事实了。《虬髯客传》的长处正在他写了许多动人的人物事实,把"历史的"人物(如李靖,刘文静,唐太宗之类)和"非历史的"人物(如虬髯客红拂是)穿插夹混,叫人看了竟像那时真有这些人物事实。但写到后来,虬髯客飘然去了,依旧是唐太宗得了天下,一毫不违背历史的事实。这是"历史小说"的方法,便是《虬髯客传》的第二层长处。此外还有一层好处。唐以前的小说,无论散文、韵文，都只能叙事，不能用全副气力描写人物。《虬髯客传》写虬髯客极有神气，自不用说了。就是写红拂李靖等"配角"，也都有自性的神情风度。这种"写生"手段，是这篇的第三层长处。有这三层长处，所以我敢断定这篇《虬髯客传》是唐代第一篇"短篇小说"。

宋朝是"章回小说"发生的时代。如《宣和遗事》和《五代史平话》等书，都是后世"章回小说"的始祖。《宣和遗事》中记杨志卖刀杀人，晁盖等八人路劫生辰纲，宋江杀阎婆惜诸段，便是施耐庵《水浒传》的稿本。从《宣和遗事》变成《水浒传》，是中国文学史上一大进步。但宋朝是"杂记小说"极盛的时代，故《宣和遗事》等书，总脱不了"杂记体"的性质，都是上段不接下段，没有结构布局的。宋朝的"杂记小说"颇多好的，但都不配称做"短篇小说"。"短篇小说"是有结构局势的，是用全副精神气力贯注到一段最精彩的事实上的。"杂记小说"是东记一段，西记一段，如一盘散沙，如一篇零用账，全无局势结构的。这个区别，不可忘记。

明清两朝的"短篇小说"，可分白话与文言两种。白话的"短篇小说"可用《今古奇观》作代表。

《今古奇观》是明末的书，大概不全是一人的手笔。（如杜十娘一篇，用文言极多，还不如卖油郎，似出两人手笔）书中共有四十篇小说，大要可分两派：一是演述旧作的，一是自己创作的。如《吴保安弃家赎友》一篇，全是演唐人的《吴保安传》，不过添了一些琐屑节目罢了。但是这些加添的琐屑节目便是文学的进步。《水浒》所以比《史记》更好，只在多了许多琐屑细节。《水浒》所以比《宣和遗事》更好，也只在多了许多琐屑细节。从唐人的吴保安，变成《今古奇观》的吴保安；从唐人的李汧公，变成《今古奇观》的李汧公；从汉人的伯牙子期，变成《今古奇观》的伯牙子期——这都是文学由略而详，由粗枝大叶而琐屑细节的进步。此外那些明人自己创造的小说，如《卖油郎》，如《洞庭红》，如《乔太守》，如《念亲恩孝女藏儿》，都可称很好的"短篇小说"。依我看来，《今古奇观》的四十篇之中，布局以《乔太守》为最工，写生以《卖油郎》为最工。《乔太守》一篇，用一个李都管做全篇的线索，是有意安排的结构。《卖油郎》一篇写秦重，花魁娘子，九妈，四妈，各到好处。

《今古奇观》中虽有很平常的小说（如三孝廉，吴保安，羊角哀诸篇），比起唐人的散文小说，已大有进步了。唐人的小说，最好的莫如《虬髯客传》。但《虬髯客传》写的是英雄豪杰，容易见长。《今古奇观》中大多数的小说，写的都是些琐细的人情世故，不容易写得好。唐人的小说大都属于理想主义。（如虬髯客传，红线，聂隐娘诸篇）《今古奇观》中如《卖油郎》《徐老仆》《乔太守》《孝女藏儿》，便近于写实主义了。至于由文言的唐人小说，变成白话的《今古奇观》，写物写情，都更能曲折详尽，那更是一大进步了。

只可惜白话的短篇小说发达不久，便中止了。中止的原因，约有两层。第一，因为白话的"章回小说"发达了，做小说的人往往把许多短篇略加组织，合成长篇，如《儒林外史》和《品花宝鉴》名为长篇的"章回小说"，其实都是许多短篇凑拢来的。这种杂凑的长篇小说的结果，反阻碍了白话短篇小说的发达了。第二，是因为明末清初的文人，很做了一些中上的文言短篇小说。如《虞初新志》，《虞初续志》，《聊斋志异》等书里面，很有几篇可读的小说。比较看来，还该把《聊斋志异》来代表这两朝的文言小说。《聊斋》里面，如《续黄粱》《胡四相公》《青梅》《促织》《细柳》诸篇，都可称为"短篇小说"。《聊斋》的小说，平心而论，实在高出唐人的小说。蒲松龄虽喜说鬼狐,但他写鬼狐却都是人情世故,于理想主义之中,却带几分写实的性质。这实在是他的长处。只可惜文言不是能写人情世故的利器。到了后来,那些学《聊斋》的小说,更不值得提起了。

三、结论

最近世界文学的趋势,都是由长趋短,由繁多趋简要——"简"与"略"不同,故这句话与上文说"由略而详"的进步,并无冲突。——诗的一方面,所重的在于"写情短诗"(Lyricalpoerty 或译"抒情诗"),像 Homer, Milton, Dante,那些几十万字的长篇,几乎没有人做了。就有人做(十九世纪尚多此种)也很少人读了。戏剧一方面,莎士比亚的戏,有时竟长到五出二十幕(此所指乃 Hamlet 也),后来变到五出五幕又渐渐变成三出三幕,如今最注重的是"独幕戏"了。小说一方面,自十九世纪中段以来,最通行的是"短篇小说"。长篇小说如 Tolstoy 的《战争与和平》竟是绝无而仅有的了。所以我们简直可以说"写情短诗""独幕剧""短篇小说"三项,代表世界文学最近的趋向。这种趋向的原因,不止一种。(一)世界的生活竞争一天忙似一天,时间越宝贵了,文学也不能不讲究"经济"。若不经济,只配给那些吃了饭没事做的老爷太太们看,不配给那些在社会上做事的人看了。(二)文学自身的进步,与文学的"经济"有密切关系。斯宾塞说,论文章的方法,千言万语,只是"经济"一件事。文学越进步,自然越讲求"经济"的方法。有此两种原因,所以世界的文学都趋向这三种"最经济的"体裁。今日中国的文学,最不讲"经济"。那些古文家和那"《聊斋》滥调"的小说家,只会记"某时到某地,遇某人,作某事"的死账,毫不懂状物写情是全靠琐屑节目的。那些长篇小说家又只会做那无穷无极《九尾龟》一类的小说,连体裁布局都不知道,不要说文学的经济了。若要救这两种大错,不可不提倡那最经济的体裁——不可不提倡真正的"短篇小说"。

(第四卷第五号,一九一八年五月十五日)

读武者小路君所作《一个青年的梦》

周作人

我平常不大欢喜立论。因为(一)恐怕意见不周密,议论不切实,说出去无价值,就是怕自己的内力不足。(二)觉得问题总是太大、太多,又还太早！这就是对于国人能力的怀疑。

这种怀疑,虽然较胜于夸大狂,究竟是不很好,前次我看见梁漱溟先生作的《吾曹不出如苍生何》一篇文章,是心里是极佩服,但不免又想,这问题太早,又太好了！叫现在的中国商民,自己去求积极的和平？他们懂得么？他们敢么？只要懂得就敢,可是他们那里会懂呢？梁先生这篇文章是白做的了。

这是我当时的意见。近来又读日本武者小路君作的脚本《一个青年的梦》,受了极强的感触,联想起梁先生的文章,起了一个念头,觉得"知其不可为而为之"的必要。虽然力量不及,成效难期,也不可不说,不可不做。现在无用,也可播个将来的种子,即使播在石路上,种子不出时,也可聊破当时的沉闷。使人在冰冷的孤独生活中,感到一丝的温味,鼓舞鼓舞他的生意！

我对于战争这件事,本来不大欢喜。从前无论读什么 Mahon 等歌颂战争的论文或 Tolstoj 等反对战争的小说,总觉得这件事是可怕,是无意义,但是没有想到过应该如何去解决它。

读武者小路君所作《一个青年的梦》

大家总说俄国是欧洲最野蛮，喜侵略的国。他们的皇帝大官和将帅，或者如此，但是世界上反对战争的文学，却要算俄国第一。解决的方法，也是他们想得最早。苦利米亚的战，Tolstoj 亲历战阵，作 sebastopolj 三卷。俄土战争，Tolstoj 的私淑弟子 Garschin，听得他人受苦，烦闷不过，自去投军，情愿一同受苦，可是没有死，受了伤，放回来。作《步兵日记》《四日》（曾经译登域外小说集第二册）等短篇，写出战场上所受肉体同精神的苦痛，人类对于生的执著和死的恐怖。日俄战争，Andrejev 并没有去打仗，作了一篇小说叫《红笑》。可见猛烈得很，读了这书，若不是一点不懂得，便包管头痛心跳起来，夜里做恶梦！

这一次欧洲战争，俄国顶有名的战争小说，或者可算 kuprin 的《圣母的花园》。

至于解决的方法，他们也不一致：Tolstoj 提倡无抵抗主义，实行当时口号"VNarod"（到民间去）这一句话，亲自种田斫木，做皮鞋去了。Garschin 想拔去"红花"（一切罪恶的象征）拔不掉，自己从楼上跳下来死了。Andrejev 随后做了一部小说《七个绞罪犯》，看了又是要出冷汗的书。kuprin 作了半部小说，名叫一个《坑》字，现在不晓得下卷出了没有，其中是讲娼妓生活的。这两个人的意见，大约都是抱定一个"人"字。彼此都是个"人"，此外分别，都是虚伪，如此便没有什么事不可解决。这是最乐观的思想。但是"人类互相理解"，怎样能够做到呢？答语大约也是说"VNarod"！他们两个人本来也是 Tolstoj 派的人！

日本从来也称好战的国。樱井忠温的《肉弹》，是世界闻名的一部赞美战争的小说。但我们想这也只是以前的暂时的现象，不能当作将来的永远的代表。我们看见日本思想言论界上人道主义的倾向,日渐加多,觉得是一件最可贺的事。虽然尚是极少的少数,还被那多数国家主义的人所妨碍,未能发展,但是将来大有希望。武者小路君是这派中的一个健者,《一个青年的梦》便是新日本的非战论的代表。

《一个青年的梦》,最初登在杂志《白桦》上,一九一七年时单行出版。是一部四幕的脚本。一个青年被一个不认识的人引了到各处去看,真心的觉到战争的恐怖和无意义,随后断结到"世人未达到人类的长成时,战争不能灭。照现今的国家行下去时,战争将更盛",只要"人人都是人类的相待,不是国家的相待",便可得永久的和平。但这事"非从民众觉醒不可"。第四幕中一段对话说得好:——青年"不使产生战争的东西有活力,国不亡了么?我所想的,是国也不亡,也没有战争"。

乞食者就是这点要紧。但如"国"这思想,还是同现在一样,那怕就为难罢!须得用民众的力量,将国的内容改过才好。世界的民众,变了一团,大家握手时,战争便自消灭。须使民众不要互相恐怖误解。不可不晓得大家重要的关系,平和过日,是大家都有幸福的事。又凡损人利己的人,无论是本国人,是外国人,都是平和的敌,非加制裁不可的。这些事,非真心的懂得不可。假如承认了现在的国家,却反对现在的战争,世上没有这样如意的事。

青年,我也觉得,但如今想更变各国的意旨,又觉得有点做不到。

乞食者,全在根,全在民众。人再进步一点,就好了。再一步!再两步!

要人民自求积极的平和,先得教他们痛切地感平和的必要。武者小路君的著此书,就是要他们感这必要,也就是自己感得痛切

读武者小路君所作《一个青年的梦》　　　　　　　　　　　　145

不过,不得不直叫出来。他人感着呢？不感着呢？也全是不得而知。不过希望他们能够感着罢了。自序中说："国同国的关系,要是照现在这样下去,实在可怕。世界的人想都觉得。单是觉得,也是无益。一点都没法,只是默然罢了。我也晓得说也没用。但若不说,又更觉歉然。我若不从艺术一方面说出来,我终免不得肚胀,我作这书,算是出出气。这戏演不演,不是第一个问题。我只想说出真实的话罢了。战争的恐怖,我也不去夸张它。我止努力写他全体。用人人所不能反对的方法,人人都能同感的方法,写出它的恐怖来。我也觉得自己的深度不足,力量不足,但是因为怕了这些事便不说,又做不到。我不愿如此胆怯,连自己能说真实话也不说。止就我力量所能及的做去,就满足了。

我自己不晓得这书价值如何。但他人的非难,我能回答他,或者听凭他,我想不久总会明白的。自己的精神,自己的真诚,从内里出来,决不是装上去的。所以我想,靠这个诚,或能在人心中,意外的寻得许多知己。

……

我不专做这样的著作,但也想一面渐渐的动手来做。对于人类运命的忧虑,这不是僭越的忧虑,是人人都应该忧虑的事。我望从这忧虑,生出新世界的秩序来。忽略这忧虑,或者反要生出可怕的结果。我望平和的合理的又自然的,生出这新秩序。血腥的事,能避去时,最好是避去。这并不尽因我胆小的缘故,实因我愿做平和的人民。

但我觉得现在社会的事情,不像在正路上走,能得平和解决的样子。所以我比别人加倍的害怕。

明知"说也没用",然而不能不说,因为还有对于人类这"爱"存在。我看了《一个青年的梦》，想起《吾曹不出如苍生何》的文，不觉也引起那"僭越的忧虑"。虽然还怀疑这问题，太大太早，然而觉得这样下去，总不是事。所以写这几句，希望青年能够对于这问题，稍稍注意，就满足了。

(第四卷第五号，一九一八年五月十五日)

论文学改革的进行程序

盛兆熊　胡　适

适之先生：

今天得着先生的信，说不尽我心中的快乐。

先生所提倡的白话文字，我是很赞成的。但是我的生性，有了半些儿见解就要想"见诸于行事"。者番对于白话文字，也怀着这个意思。以为此种文字，经着先生和独秀、玄同、半农许多先生竭力提倡，国中稍有世界观念的人大约有一大半赞成了。那么，如今就要想实行改革的法子了。

讲起改革的程序，自然要从小学校里做起。要想从小学校做起，不可不先明白小学校里的现状。小学校里的现状，究竟是什么样呢？我前番曾经与友人谈及"现今小学校重视文学、看轻科学"的弊病。他回信来说："小学校里说不到科学，更说不到文学。现今各校所取的教材，是很合儿童心理的。"我听了他的话，有些不合意，所以再写给一信，告诉他现今小学校里的现状。信中的话，大约说：

足下言：小学校教育，说不到科学。今所授者，生活上之常识耳，升学之预备耳。斯言是也。夫既已认为生活上之常识，则认真切实以授之者理也。既已认为升学之预备,则择优选精立其上进之基础者亦理也。然而试一察乎今之实际则何如? 教者之所教,儿童之所学,除国文、算术以外,举皆不足以动其心(指高小言)。更精密考查之,则算术尚在轻视之列,其所晓晓焉经日喋喋于儿童之前者,仅一国文耳。而儿童之所敝精劳神、竭力以赴之者,亦一国文耳。足下疑我言乎? 则请就现今主持小学教育者而询之,其答辞之不若此者,什二三耳。夫以人生常识上进基础之学科,而其现象若斯,足下对之,其感想若何?

足下言:小学教育,说不到文学。今所授者,一皆以应用文为主。斯言是也。文学两字,是否成立,我学浅,不敢以语此(他信中说文学是术,不能与科学对举)。今所欲询者,如《史记·渑池之会》《汉书·昆阳之战》、柳宗元之《黔之驴》《永氏鼠》、苏东坡之《留侯论》《贾谊论》、尤侗之《乞者说》、刘基之《卖柑者言》等篇,果属于应用文乎? 抑属于文学乎? 如以为属于应用文也,则我无间然。如以为非也,则今之小学取此以为教材者,十有七八也。

足下又言:以现今小学校之国文成绩而言,何足以当文学两字? 斯言诚不虚,然我尝调查现今小学校之作文题矣,《华盛顿论》《王安石论》《爱菊说》《郭子仪单骑赴会论》《岳武穆奉诏班师论》以迨各种策论,及古奥之说明文等,竟数见不鲜。夫论儿童之成绩,固不足以当文学两字,论此种文题,亦足以当应用文乎? 又观教者之所订正者,则"今日朝晨"必改为"今晨","我能明白他的道理了",必改作"我知之矣"。夫文字者,言语思想之代表也。儿童既已据其思想,而以明白显畅之文字表之,又何必节之、约之求合诸古以为贵耶? 是故足下所言者,就理论上以推测之也。我之所举,就事实上以立论也。理论固足贵,奈事实上不如是乎? 总之,现今我国之小学教育，表面上虽云普及、实用，其内容仍不免带些科举时代意味，虽非养成一般咕哗咿唔之士，实不能立其科学知识之基础，以提倡有裨实用之学，此我所敢断言者。而推究其源，则皆由吾国文字艰深，及教师好古之病，以育成之也。

以上所说的话，没有一句不是真的。不要说别个，就是我自己所教的，也是如此。那么，照着方才所说的"既知即行"这句话，岂不是"自相矛盾"么？却又不然。高等小学的毕业生，虽有一半要去谋生了，但是其他一半，是要升入中学的。现今中学里的国文先生，大半是那前清的老秀才、老翰林，吃过"十年窗下"的苦味。所以一言一动，多含着八九分酸气。就因为他自己日日浸在酸气里，所以他要求的，自然是要有酸气的学生，这也是"同声相应、同类相求"的老例。他所求的既然是要有酸气的，而我所造成的却是没有酸气的，那就不能合他的意思了，那就不能蒙他的赏识了。如此，岂不是我误了一般"殷殷向学"的学子么？

照这样说法，白话文字实行的障碍，就要算中等学校么？这又不然。中学学校的学生，有一半要升入中等学校以上的学校，中等以上的学校，他的"入学试验"也是和中等学校的"入学试验"相同。那么，要想升学就要准备着酸气，要准备酸气不得不于招收学生时预先设法了。这也是一定的法则，所谓"斧头敲凿子，凿子敲木头"，无可设法的。

照此看来，论那改革的起点，在理论上，自然是要从小学里做起。但是从实际上着想，又要从国中最高级的学校里开始改革。先生以为这个话说得对么？

我国最高级的学校，就要算先生所担任讲授的北京大学了。

所以我的意见，以为改革的起点，当在大学。大学里招考的时候，倘然说一律要做白话文字（或者先从理工两科改起，文科暂缓），那么，中等学校里自然要注重白话文字了。小学校里又因为中等学校有革新的动机，也就可以放胆进行了。那岂不是如"顺风行舟"，很便利的法子么？

有人说："从小学校里先改革，也可以行的。若说有中等学校来阻梗，便可采用那'全国一致'的举动，使那中等学校里招考的时候，除了会做白话文字的人外，没有一个会发酸了。到那时，中等学校里的校长教员，也就无法可想了。"这种说话，粗看着似乎很有理，但是我们从实际上着想，全国小学校能结合成功这种团体么？现今小学校里的教员校长，虽然有许多是新学界人物，但是前清的老八股先生也不少。就拿新人物而论，因为他从前所受教育，是受老秀才、老翰林陶冶成功的。对于旧文字，根深蒂固，牢不可拔，所以他的思想，也是和老八股先生一个样儿。现在要同那种先生去办改革文字这件事，那可办得到么？所以我说，要想实行新文字，必定要从大学做起。

但是我想要从大学做起，也是很难。因为大学里的先生，他所下的酸工夫，更加比中学校的先生高几倍，若是同他讲讲"韩柳欧苏"，是很高兴的。若是要同他讲改革文字，那就未免要挨他一番辱骂了（中略）。从此看来，这件事体要实行起来，岂不是也有许多阻力么？

先生对于实行改革的方法，曾经研究过么？对于我所说的话，也赞成么？请先生同独秀、玄同、半农诸位先生讨论讨论，并且告诉我一个研究结果。

《新青年》杂志中的论文，我以为以后当注重在研究实行改革的法子一方面,庶几能合着众人的心思,去研究这一件大事。

近日校中放春假,所以有许多闲时来同先生作长谈。以后若上了课,那就不大便利了。但是我预计,每一个月中间,必定有一回报告的。

先生前在《新青年》中所发表的《札记》及《归国杂感》这一类文字,最能感动他人。我想先生住在美国很长久,所见所闻,必定不止这一些,何不多发表些呢?

盛兆熊上　四月四日

爱初先生:来信论文学改革实行的程序,极中肯要。先生以为实行的次序应该从最高级的学校里开始改革。实际上看来,这话虽然有理,却也有许多困难。第一,我们现在没有那么大的权力可以把大学入学的国文试验都定为白话。第二,就是我们有这种权力,依我个人想来,也不该用这种专制的手段来实行文学改良。第三,学生学了国文,并不是单为预备大学的入学试验的。他的国文,须用来写家信、上条陈、看报、做报馆里的"征文",……等等。他出学校之后,若去谋事,无论入那一途,都用不着白话。现今大总统和国务总理的通电都是用骈体文做成的;就是豆腐店里写一封拜年信,也必须用"桃符献瑞,梅萼呈祥,遥知福履绥和,定卜筹祺迪吉"……等等刻板文字。我们若教学生"一律做白话文字",他们毕业之后,不但不配当"府院"的秘书,还不配当豆腐店的掌柜呢!

所以我的私意,改革大学这件事,不是立刻就可做到的,也决不是几个人用强硬手段所能规定的。我的意思,以为进行的次序,在于极力提倡白话文学。要先造成一些有价值的国语文学,养成一种信仰新文学的国民心理,然后可望改革的普及(请参看第四卷第四号我的《建设的文学革命论》)。

若必须从学校教育一方面着想,似乎还该从低级学校做起。进行的方法,在于一律用国语编纂中小学校的教科书。现在所谓"国文"定为"古文",须在高等小学第三年以上始开始教授。"古文"的位置与"第一种外国语"同等。教授"古文",也用国语讲解;一切"模范文"及"典文"的教授法,全用国语编纂。

编纂国语教科书,并不是把现有的教科书翻成国语就可完事的。第一件要事,在于选用教科的材料。现有的材料,如先生信中所举的《留侯论》《贾谊论》《昆阳之战》……之类,是决不可用的。我的意思,以为小学教材,应该多取小说中的材料。读一千篇古文,不如看一部《三国演义》,这是我们自己身受的经验。只可惜现在好小说太少了,不够教材的选择。可见我上文所说先提倡白话文学,究竟是根本的进行方法。没有新文学,连教科书都不容易编纂!

现在新文学既不曾发达,国语教科书又不曾成立,救急的方法只有鼓励中小学校的学生看小说。小说之中,白话的固好,文言的也可勉强充数,总比读《古文辞类纂》更有功效了。

七年四月十日　胡　适

(第四卷第五号,一九一八年五月十五日)

新文学及中国旧戏

张厚载　胡　适　钱玄同　刘半农　陈独秀

记者足下：仆自读《新青年》后，思想上获益甚多。陈胡钱刘诸先生之文学改良说，翻陈出新，尤有研究之趣味。仆以为文学之有变迁，乃因人类社会而转移，决无社会生活变迁，而文学能墨守迹象，亘古不变者。故三代之文，变而为周秦两汉之文，再变而为六朝之文，乃至于唐宋元明之文。虽古代文学家好摹仿古文，不肯自辟蹊径，然一时代之文与它一时代之文，其变迁之痕迹，究竟非常显著。故文学之变迁，乃自然的现象，即无文学家倡言改革，而文学之自身，终觉不能免多少之改革。但倡言改革，乃应时代思潮之要求，而益以促进其变化而已。梁任公之《时务新报》《民丛报》，在前清时代八股思想未除净尽之日，乃能以新名词新文体（在当时固为最新之文体）为士流所叹赏，其所著述皆能风靡一时，则文学改良为社会固有之思想，为进化自然之现象，可以想见。故黄远生亦谓"文学之必须改革，乃时代思想当然之倾向"（见所著《想影录》）。且文学改良之后，文学上有三大利益。（一）绝无窒碍思想之弊。旧文学之所以当然淘汰，即因其窒碍思想。如八股为旧文学中最劣等之文学，明太祖创设此种文学，即所以使人民绝对无思想之自由也。新文学第一利益，即使吾人思想活泼，不致为特种情形所障碍，而常有自由进取之精神。（二）使文学有明确之意思，真正之观念。旧文学之弊，在笼统含糊。黄远生且以"笼统为国人之公毒，不仅文字一事"。（见《东方杂志》远生所著《国人之公毒》一篇）新文学则绝无此种弊病，一字有一字之意思，一句有一句之意思，一篇有一篇之意思，一节有一节之意思，文字浅显，而意思明确。多作此种文字，可使吾人头脑清楚，知识明白。（三）为文言一致之好机会。新文学干净明白，使人易于了解，且杂以普通习用之名词，尤为雅俗所共晓。如"结果""改良""脑筋简单""神经过敏"，以至"当然""必要""事实""理想"等语，一般社会，几成为一种漂亮之俗语，尽人皆能言之，而文学上用此等语调，亦仍不失为雅洁，此岂非文言一致之动机乎？有此三事，故仆对于改良文字，极表赞成。至于改良上具体的办法，如胡钱诸先生所举，仆最表同情者，为"不用典"一事，因此事最足以窒碍思想也。袁随园亦谓"用典如陈设古玩，各有攸宜。然明窗净几，亦有以绝无一物为佳者，孔子所谓'绘事后素'也。"又谓"唐人诗不用生典，叙风景不过'夕阳芳草'，用字面不过'月露风云'，一经调度，便日月轩新。犹之易牙治味，不过鸡猪鱼肉；华佗用药，不过青粘漆叶。其胜人处，不求之海外异国也"云云。则不用典故，一意白描，洵文学上之最美者也。此外若趋重白话一节，仆亦赞成。惟以《水浒》《西厢》等书为极有价值的文学，与金圣叹批评"才子书"同一见解，而金圣叹之批评，乃未尝一为胡钱诸先生所援引，岂尚怕与人苟同耶？仆以为圣叹之批评，亦甚有价值，以其思想，即文学改良的思想也。先生等既倡言改良，而吐弃其人，不屑一称道其与先生等同一之论调，此仆所不解也。仆尤有怀疑者一事，即最近贵志所登之诗是也。贵志第四卷第二号登沈尹默先生《宰羊》一诗，纯粹白话，固可一洗旧诗之陋习，而免窒碍性灵之虞。但此诗从形式上观之，竟完全似从西诗翻译而成，至其精神，果能及西诗否，尚属疑问。中国旧诗虽有窒碍性灵之处，然亦可以自由变化于一定范围之中，何必定欲作此西洋式的诗，始得为进化耶？西人翻译中国诗，自应作长短句，以取其便于达意。中国译外国人诗，能译成中国诗，体固是最妙。惟其难恰好译成中国诗，体故始照其原文字句，译成西洋式的长短句。《宰羊》一诗及其他《人力车夫》《鸽子》《老鸦》《车毯》等作，并非译自西诗，又何必为此西诗之体裁耶？《旅欧杂志》载汪精卫先生译 Fables de Florian 一诗，作五言诗体，韵调格律，亦甚自然。彼译西诗，且用中国固有之诗体。先生等作中国诗，乃弃中国固有之诗体，而一味效法西洋式的诗，是否矫枉过正之讥，仆于此事，实在怀疑之至。（《清华月刊》载《忏情丛》谈，对于先生等之文学改良谈攻击甚力，于白话诗尤甚）仆之意思，以为文学改良，乃自然的进化。但一切诗文，总须自由进化于一定范围之内。胡先生之《尝试集》，仆终觉其轻于尝试，以此种尝试（沈先生之《宰羊》诗等，皆统论在内），究竟能得一般社会之信仰否，以现在情形论，实觉可疑。盖凡一事物之改革，必以渐，不以骤。改革过于偏激，反失社会之信仰，所谓"欲速则不达"，亦即此意。改良文学，是何等事，决无一走即到之理。先生等皆为大学教师，实行改良文学之素志，仆佩服已非一日。但仆怀疑之点，亦不能不为胡沈诸先生一吐，故取致书于贵记者之前，恳割贵志之余白，以容纳仆之意见，并极盼赐以明了之教训，则仆思想上之获益，当必有更进者。

张厚载白

又：戏剧为高等文学，钱胡刘三先生所论极是。胡适之先生更将有《戏剧改良私议》之作，刘半农先生亦谓当另撰关于改良戏剧之专论，仆皆渴望其发表，以一读为快。但胡适之先生《历史的文学观念论》中，谓"昆曲卒至废绝，而今之俗剧乃起而代之"。俗剧下自注云，"吾徽之徽调，与今日京调高腔皆是也。"此则有一误点。盖"高腔"即所谓"弋阳腔"，其在北京舞台上之运命，与"昆曲"相等。至现在则"昆曲"且渐兴，而"高腔"将一蹶不复起，从未闻有"高腔"起而代"昆曲"之事。又论中所主张废唱而归于说白，乃绝对的不可能。此言亦甚长，非通讯栏所能罄。刘半农先生谓"一人独唱，二人对唱，二人对打，多人乱打，中国文戏武戏之编制，不外此十六字"云云。仆殊不敢赞同。只有一人独唱，二人对唱，则《二进宫》之三人对唱，非中国戏耶？至于多人乱打"乱"之一字，尤不敢附和。中国武戏之打把子，其套数至数十种之多，皆有一定的打法。优伶自幼入科，日日演习，始能精熟，上台演打，多人过合，尤有一定法则，决非乱来。但吾人在台下看上去，似乎乱打，其实彼等在台上，固从极整齐极规则的工夫中练出来也。又钱玄同先生谓"戏子打脸之离奇"，亦似未可一概而论。戏子之打脸，皆有一定之脸谱，"昆曲"中分别尤精，且隐寓褒贬之义，此事亦未可以"离奇"二字一笔抹杀之。总之中国戏曲，其劣点固甚多，然其本来面目，亦确自有其真精神。固欲改良，亦必以近事实而远理想为是。否则理论甚高，最高亦不过如柏茂图之"乌托邦"，完全不能成为事实耳。近有刘筱珊先生，颇知中国戏曲国有之优点，其思想亦新，戏剧改良之议，仆以为可与彼一斟酌之也。

张厚载又白

缪子君以评戏见称于时，为研究通俗文学之一人，其赞成本社改良文学之主张，固意中事。但来书所云，亦有为本社同人所不敢苟同者，今就我个人私见所及，略一论之。

来书云："中国旧诗虽有窒碍性灵之处，然亦可以自由变化于一定范围之中，何必定欲作此西洋式的诗，始得为进化耶？"又云："汪精卫先生译西诗且用中国固有之诗体。先生等作中国诗，乃弃中国固有之诗体，而一味效法西洋式的诗，是否矫枉过正，仆于此事实在怀疑之至。"今试问何者为西洋式之诗？来书谓沈刘两君及我之《宰羊》《人力车夫》《鸽子》《老鸦》《车毯》等作皆为"西洋式的长短句"。岂长短句即为"西洋式"耶？实则西洋诗固亦有长短句，然终以句法有一定长短者为多。亦有格律极严者。然则长短句不必即为西洋式也。中国旧诗中长短句多矣。《三百篇》中，往往有之。乐府中尤多此体。《孤儿行》《蜀道难》皆人所共晓。至于词，旧皆名"长短句"。词中除《生查子》《玉楼春》等调之外，皆长短句也。长短句乃诗中最近语言自然之体，无论中西皆有之。作长短句未必即为"西洋式的诗"也。平心论之，沈君之《人力车夫》最近《孤儿行》，我之《鸽子》最近词。此外则皆创体也。沈君生平未读西洋诗，吾稍读西洋诗而自信无摹仿西洋诗体之处。来书所云，非确论也。

以上所说，但辩明吾辈未尝采用西洋诗体，并非谓采用西诗体之为不是也。吾意以为如西洋诗体、文体果有采用之价值，正宜尽量采用。采用而得当，即成中国体。然此另是一问题，兹不具论。

来书两言诗文须"自由变化于一定范围之中"。试问自由变化于一定范围之"外"，又有何不可？又何尝不是自然的进化耶？来书首段言中国文学变迁，自三代之文以至于梁任公之"新文体"，此岂皆"一定范围之中"之变化耶？吾辈正以为文学之为物，但有"自由变化"而无"一定范围",故倡为文学改革之论,正欲打破此"一定范围"耳。

来书谓吾之《尝试集》为"轻于尝试",此误会吾尝试之旨也,《尝试集》之作,但欲实地试验白话是否可以作诗,及白话入诗有如何效果。此外别无它种奢望。试之而验,不妨多作。试之而不验,吾亦将自戒不复作。吾意甚望国中文学家都来尝试尝试,庶几可见白话韵文是否有成立之价值。今尝试之期仅及年余,尝试之人仅有二三,吾辈方以"轻于尝试"自豪,而笑旁观者之不敢"轻于一试"耳!

来书末段论戏剧,与吾所主张,多不相合,非一跋所能尽答,将另作专篇论之。惟吾《历史的文学观念论》中所谓"高腔"并非指"弋阳腔",乃四川之"高腔"。四川之"高腔"与"徽调""京调"同为"俗剧",以其较"昆腔""弋阳腔"皆更为通俗也。

胡适　七年三月二十七日

我所谓"离奇"者即指此"一定之脸谱"而言。脸而有谱,且又一定,实在觉得离奇得很。若云"隐寓褒贬",则尤为可笑。朱熹做《纲目学》,孔老爹的笔削《春秋》,已为通人所讥讪。旧戏索性把这种"《阳秋》"笔法"画到脸上来了,这真和张家猪肆记卍形于猪鬣,李家马坊烙圆印于马蹄一样的办法。哈哈!此即所谓中国旧戏之"真精神"乎?

金圣叹用迂谬的思想去批《水浒》,用肉麻的思想去批《西厢》,满纸"胡说八道",我看了实在替他难过。玄同虽不学,然在本志上发表之文章,似乎尚不至与金氏取"同一之论调"。

钱玄同　一九一八年四月一日

"二人对唱"一句话，仅指多数通行脚本之大体言之，若要严格批驳，恐怕京戏中不特有《二进宫》之三人对唱，必还有许多是四人对唱，五人对唱……以至于多人合唱的。且"唱"字亦用得不妥：一戏子登场，例须念引子报名，岂可算得唱。淫戏中的小旦小生，做了许多手势，只用胡琴衬托，并不开口，岂可算得唱。《下河南》中，许多丑角打混，岂可算得唱……诸如此类，举不胜举。是足下所驳倒者，只一二字，鄙人自为批驳，竟可将全句打消。然我辈读书作文，对于所用字义，固然有许多是一定不可移易，却也有许多应当放松了活看的。这句话，并不是鄙人自为文饰，汪容甫的《说三九》，早就辩论得很明白了。至于"多人乱打"，鄙人亦未尝不知其"有一定的打法"，然以个人经验言之，平时进了戏场，每见一大伙穿脏衣服的，盘着辫子的，打花脸的，裸上体的跳虫们，挤在台上打个不止，衬着极喧闹的锣鼓，总觉眼花缭乱，头昏欲晕。虽然各人的见地不同，我看了以为讨厌，决不能武断一切，以为凡看戏者均以此项打工为讨厌。然戏剧为美术之一，苟诉诸美术之原理而不背（是说他能不背动人美感，足下谓"吾人台下看去，似乎乱打"，似即不能动人美感之一证），即无"一定的打法"，亦决不能谓之"乱"，否则即使"极规则极整齐"，似亦终不能谓之不"乱"也。

刘半农　一九一八年四月十三日

穆子君鉴：尊论中国剧，根本谬点，乃在纯然囿于方隅，未能旷观域外也。剧之为物，所以见重于欧洲者，以其为文学美术科学之结晶耳。吾国之剧，在文学上美术上科学上果有丝毫价值邪？尊谓刘筱珊先生颇知中国剧曲固有之优点，愚诚不识其优点何在也。

欲以"隐寓褒贬"当之邪？夫褒贬作用，新史家尚鄙弃之，更何论于文学美术。且旧剧如《珍珠衫》《战宛城》《杀子报》《战蒲关》《九更天》等，其助长淫杀心理于稠人广众之中，诚世界所独有，文明国人观之，不知作何感想。至于"打脸""打把子"二法，尤为完全暴露我国人野蛮暴戾之真相，而与美感的技术立于绝对相反之地位。若谓其打有定法，脸有脸谱，而重视之邪？则作八股文之路闰生等，写馆阁字之黄自元等，又何尝无细密之定法，"从极整齐极规则的工夫中练出来"，然其果有文学上美术上之价值乎？演剧与歌曲，本是二事，适之先生所主张之"废唱而归于说白"及足下所谓"绝对的不可能"，皆愿闻其详。

独　秀

（第四卷第六号，一九一八年六月十五日）

新文学问题之讨论

朱经农　胡　适　任鸿隽　钱玄同

适之足下：

　　《新青年》第四卷第四号已收到。《建设的文学革命论》所主张甚是，比之从前的"八不主义"及文规四条，更周密、更完备了。周作人君所译之《皇帝之公园》弟极喜欢。何不寄一本到清宫里给满洲皇族读读？《老洛伯》诗平平而已。译诗本不容易。弟既不能自译，就不敢妄评他人译作，内容姑置不论罢。报中通信一门所论，大半是"中国今后之文字问题"。弟非文学专家，又于白话文章缺少实验，本不应插口乱说。只因这块"文字革命"的招牌底下，所卖的货色种类不一，所以我们作"顾客"的也当选择选择那样是可用的，那样是不可用的。今请分述于下。

　　现在讲文字革命的大约可分四种。第一种："改良文言"，并不"废止文言"；第二种："废止文言"，而"改良白话"；第三种："保存白话"，而以罗马文拼音代汉字；第四种：把"文言""白话"一概废了，采用罗马文字作为国语（这是钟文鳌先生的主张）。

　　这第四种弟是极端反对，因为罗马文字并不比汉文简易，并不比汉文好。凡罗马文字达得出的意思，汉文都达得出来。"舍己之田以耘人之田"，似可不必。拉丁文是"死文字"，不用说了。请看法文一个"有"字,便有六十种变化(比孙行者七十二变少不了多少),"命令格"等等尚不在内。同一形容词,有的放在名词前面,有的又在后面,忽阴忽阳,一弄就错。一枝铅笔为什么要属阳类?一枝水笔为什么要属阴类?全无道理可说。西班牙文之繁复艰难,亦复类此。弟试了一试,真是"望洋兴叹"。上学期考试一过,就把法文教科书高高的放在书架顶上,不敢再问,连 Ph. D. 的梦想也随之消灭。意大利文我没有见过,不敢乱说,只是同为拉丁文支派,想必也差不多的。就是英文,我也算读了好几年,动起笔来仍是不大自然。并不是我一人如此。虽说各人天分有高低,恐怕真真写得好的也不甚多。试问今日若是把汉文废了;要通国的人民都把娘肚子里带来的声调腔口全然抛却,去学那 ABCD,可以做得到吗?即就欧洲而论,英、法、德、意、西、葡、丹、荷各有方言,各有文字,彼此不能强同,至今无法统一。德国人尚不能采用法文,英国人尚不能采用俄语,何以中国人却要废了汉文,去学罗马文字呢?此外可讨论的地方尚多,想兄等皆极明白,不用我费话。且把这第四种放开一边,再来说第三种。

废去汉字,采用罗马替法,一切白话皆以罗马字书之也是做不到的。请教"诗""丝""思""私""司""师"这几个字,用罗马字写起来有何分别?如果另造新名代替同音之字,其弊亦与第四种主张相等。因为不自然,不易记,并且同音之字太多,造新名亦不容易。据我的意思,还是学日本人的办法,把拼音写在字傍边,以作读音标准,似乎容易些。

至于第一、第二两种,应当相提并论。不讲文字革命则已,若讲文字革命,必于二者择一。二者不同之点,就是文言存废问题。有人说,文言是千百年前古人所作,而今已成为"死文字";白话是现在活人用品，所以写出活泼泼的生气满纸。文言既系"死"的，就应当废。弟以为文字的死活，不是如此分法。古人所作的文言，也有"长生不死"的；而"用白话做的书，未必皆有价值有生命"。足下已经说过，不用我重加引申了。平心而论，曹雪芹的《红楼梦》、施耐庵的《水浒》固是"活文学"；左丘明的《春秋传》、司马迁的《史记》未必就"死"了。我读《项羽本纪》中的樊哙何尝不与《水浒》中的武松、鲁智深、李逵一样有精神呢（其余写汉高祖、写荆轲、豫让、聂政等，亦皆活灵现）？就是足下所译的《老洛伯》诗"羊儿在栏，牛儿在家，静悄悄的黑夜"，比起《诗经》里的"鸡栖于埘，日之夕矣，羊牛下来"等，其趣味也差不多。所以我说文言有死有活，不宜全行抹杀。我的意思，并不是反对以白话作文，不过"文学的国语"，对于"文言""白话"，应该并采兼收而不偏废。其重要之点，即"文学的国语"并非"白话"，亦非"文言"。须吸收文言之精华，弃却白话的糟粕，另成一种"雅俗共赏"的"活文学"。第一是要把作者的意思完完全全的描写出来；第二要使读文字的人能把作者的意思容容易易、透透彻彻的领会过去；第三是把当时的情景，或正确的理由，活灵活现、实实在在的放在读者的面前（这三层或者有些重复，信笔写去，不及修饰，望会其意，而弃其文）。有些地方用文言便当，就用文言；有些地方用白话痛快，就用白话。我见《新青年》所载陈独秀、钱玄同诸君的大作，也是半文半俗，"文言""白话"夹杂并用。而足下所引《木兰辞》《兵车行》、陶渊明的诗、李后主的词，也是如此，并非完全白话。我所以大胆说一句："主张专用文言而排斥白话，或主张专用白话而弃绝文言，都是一偏之见。"我知道——足下听了狠不高兴，但是我心里如此想，嘴里就不能不如此说。我不会说假话，以取悦于老哥，尚望原谅原谅。

我现在有的地方非常顽固。看见有几位先生要把法文或其他罗马文字代汉文，心里万分难过，故又在——足下面前多嘴。我知——足下必说："你自己法文不好，就反对法文，和那些不懂汉文的人要废汉文一样荒谬。"这句话是不合名学的。古人说："君子不以人废言。"又说："智者千虑，必有一失。"若说"钱玄同的主张必然不错"，就犯了 Ar Zumentum ad Hominem 的语病；若说"老朱的话一定不对"，就犯了 Ignoratio Elenchi 的语病了。我正在这里反对用外国语代汉文，自己忽然写了两个外国字进去——足下必然笑我。须知"废止汉文"，与"引用外国术语"是两件事体。英文里面可引用日本语"Kimono"（着物），因为"着物"非英美所固有；汉文里头也未尝不可引用一二"名学术语"，因为"国语"尚未完全造成，译语尚无一定标准，恐所译不达原意，故存其真耳。

　　今天我没有功夫多写信了。还有一句简单的话，就是"白话诗"应该立几条规则。我们学过 Rhetovie，都知道"诗"与"文"之别，用不着我详加说明。总之，足下的"白话诗"是狠好的，念起来有音，有韵，也有神味，也有新意思，我决不敢妄加反对。不过《新青年》中所登他人的"白话诗"，就有些看不下去了。须知——足下未发明"白话诗"以前，曾学杜诗，后来又得力于苏东坡、陆放翁诸人的诗集，并且宋词、元曲融会贯通，又读了许多西人的诗歌，现在自成一派；好像小叫天唱戏，随意变更旧调，总是不脱板眼的。别人学他，每每弄得不堪入耳。所以我说，要想"白话诗"发达，规律是不可不有的。此不特汉文为然，西文何尝不是一样。如果诗无规律，不如把诗废了，专做"白话文"的为是。

　　要说的话狠多，将来再谈罢。

朱经农　六月五日寄于美京

经农足下：

在美国的朋友久不和我打笔墨官司了。我疑心你们以为适之已得了不可救药的证候，尽可不用枉费医药了。不料今天居然接到你这封信，不但讨论的是"文学革命"，并且用的是白话文体。我的亲爱的经农，你真是"不我遐弃"的了！来信反对第四种文字革命（把文言、白话都废了，采用罗马字母的文字作为国语）的话，极有道理，我没有什么驳回的话。且让我的朋友钱玄同先生来回答罢。

第三种文字革命（保存白话，用拼音代汉字），是将来总该办到的，此时决不能做到。但此种主张，根本上尽可成立（赵元任君曾在前年《留美学生月报》上详细讨论，为近人说此事最精密的讨论）。即如来信所说诗、丝、思、司、私、师等字，在白话里，都不成问题。为什么呢？因为白话里这些字差不多全成了复音字，如"蚕丝""思想""思量""司理""职司""自私""私下里""私通""师傅""老师"，翻成拼音字有何妨碍？又如"诗"字，虽是单音字，却因上下文的陪衬，也不致误听。例如说："你近来做诗吗？""我写一首诗给你看。"这几句话里的"做诗""一首诗"，都不致听错的。平常人往往把语言中的字看作一个一个独立的东西，其实这是大错的。言语全是上下文的（Contextual），即如英文的 Rite、Right、Write 三个同音字，从来不曾听错，也只是因为这个原故。

来书论第一、二种文字革命（改良文言与改用白话）的话，你以为我"听了狠不高兴"，其实我并没有不高兴的理由。你这篇议论，宗旨已和我根本相同，但略有几个误解的论点，不能不辩个明白：

第一、来书说："古人所作的文言，也有长生不死的。"你所说的

"死",和我所说的"死",不是一件事。我也承认《左传》《史记》在文学史上,有"长生不死"的位置。但这种文学是少数懂得文言的人的私有物,对于一般通俗社会,便同"死"的一样。我说《左传》《史记》是"死"的,与人说希腊文、拉丁文是"死"的是同一个意思。你说《左传》《史记》是"长生不死"的,与希腊学者和拉丁学者说 Euripides 和 Virgil 的文学是"长生不死"的是同一个意思。《左传》《史记》在"文言的文学"里,是活的,在"国语的文学"里,便是死的了。这个分别,你说对不对?

第二、来书所主张的"文学的国语","并非白话,亦非文言,须吸收文言之精华,弃却白话的糟粕,另成一种雅俗共赏的活文学。"这是狠含糊的话。什么叫做"文言之精华?"什么叫做"白话的糟粕?"这两个名词含混得狠,恐怕老兄自己也难下一个确当的界说。我自己的主张,可用简单的话说明如下:

我所主张的"文学的国语",即是中国今日比较的最普通的白话。这种国语的语法、文法,全用白话的语法、文法。但随时随地不妨采用文言里两音以上的字。

这种规定——白话的文法,白话的文字,加入文言中可变为白话的文字——可不比"精华""糟粕"等等字样明白得多了吗?至于来书说的"雅俗共赏"四个字,也是含糊的字。什么叫做"雅"?什么叫做"俗"?《水浒》说:"你这与奴才做奴才的奴才!"请问这是雅是俗?《列子》说:"设令发于余窍,子亦将承之。"这一句字字高古,请问是雅是俗?若把雅俗两字作人类的阶级解,说"我们"是雅,"他们"小百姓是俗;那么说来,只有白话的文学是"雅俗共赏"的,文言的文学只可供"雅人"的赏玩,决不配给"他们"领会的。

来书末段论白话诗,未免有点偏见。老兄初次读我的《两个黄蝴蝶》的时候，也说"有些看不下去"。如今看惯了，故觉得我的白话诗"是狠好的"。老兄若多读别人的白话诗，自然也会看出他们的好处。就如《新青年》四卷一号所登沈尹默先生的《霜风呼呼的吹着》一首，几百年来那有这种好诗！老兄一笔抹煞，未免太不公了。

来书又说"白话诗应该立几条规则"。这是我们极不赞成的。即以中国文言诗而论，除了"近体"诗之外，何尝有什么规则？即以"近体"诗而论，王维、孟浩然、李白、杜甫的律诗又何尝处处依着规则去做？我们做白话诗的大宗旨，在于提倡"诗体的释放"，有什么材料做什么诗，有什么话，说什么话，把从前一切束缚诗神的自由的枷锁镣铐拢统推翻。这便是"诗体的释放"。因为如此，故我们极不赞成诗的规则。还有一层，凡文的规则和诗的规则，都是那些做《古文笔法》《文章轨范》《诗学入门》《学诗初步》的人所定的。从没有一个文学家自己定下做诗做文的规则。我们做的白话诗，现在不过在尝试的时代，我们自己也还不知什么叫做白话诗的规则。且让后来做《白话诗入门》《白话诗规范》的人去规定白话诗的规则罢！

民国七年七月十四日　胡　适

适之足下：

读《新青年》第四号中足下之《建设的文学革命论》大为赞成，记得去年曾向足下说过，改良文学非空言可以收效，必须有几种文学上的产品，与世人看看。果然有了真正价值，怕他们不望风景从么？但是创造的文学，一时做不来，自然以翻译西方文学上的产品为第一步。此层屡向此邦学文学诸人提及。无奈他们皆忙自己的功课,不肯去做。足下现在既发大愿,要就几年之内,译几百部文学书,那就越发好了。

读《新青年》中广告,知《易卜生号》专载 A Doll's House 一剧。此剧就意思言,固足以代表易卜生的"个人主义",与针砭西方社会的恶习。就构造言,尚嫌其太紧凑了一点。足下若曾看过此剧,便知其各节紧连而下,把个主人翁 Nora 忙得要死,观者也屏气不息。

昨日经农把致足下的书与我看了再行发出。我看了过后,觉得也有几句话要向足下说说。足下说:"白话可做活文字,也可做死文字;文话只能做死文字,不能做活文字。"此层,经农已举左丘明的《春秋传》、太史公的《史记》来辨难了。我想,要替文话觅辩护人,可借重的,尚不止左史两位。即以诗论,足下说:"《木兰行》《孔雀东南飞》、杜工部的《兵车行》《石壕吏》以及陶渊明、白居易的诗是好诗,因为他们是用白话做的,或近于白话的。"今姑勿论上举各篇各作者不必尽是白话。就有唐一代而言,足下要承认白香山是诗人,大约也不能不承认杜工部是诗人。要承认杜工部的《兵车行》《石壕吏》是好诗,大约也不能不承认《诸将怀古》《闻官军收河南河北》……等是好诗。但此等诗不但是文语,而且是律体。可见用白话可做好诗,文话又何尝不可做好诗呢?不过要看其人生来有几分"诗心"没有罢了。再讲韩昌黎的《南山诗》,足下说他是死文字。比起《木兰行》《石壕吏》等来,《南山诗》自然是死的。但是我想南山这个题,原在形容景物,与他种述事言情的诗不同。《南山诗》共用五十二个"或若",把南山的形状刻画尽致,在文学上自算一种能品。要用白话去做,未见做得出。岂可因其不是白话,反轻看他呢?以上各种说法,并非与白话作仇敌,也非与文话作忠臣,不过据我一个人的鄙见,以为现在讲改良文学:第一,当在实质

新文学问题之讨论

上用工夫；第二，只要有完全驱使文字的能力，能用工具而不为工具所用，就好了。白话不白话，倒是不关紧要的。

经农又说：《新青年》上的白话诗，除了足下做的，是"有声、有韵、有情"（记不清楚了，想是如此说的），他不敢妄加反对外，其余的便有些念不下去了。我想这个又是诗体问题。久已要向足下讲讲，现在趁此机会，略说几句，一并请足下指教。今人倡新体的，动以"自然"二字为护身符，殊不知"自然"也要有点研究。不然，我以为自然的，人家不以为自然，又将奈何？足下记得尊友威廉女士的新画 Two Rhythms，足下看了，也是"莫名其妙"。再差一点，对于此种新美术，素乏信仰的，就少不得要皱眉了。但是画画的人，岂不以其画为自然得狠吗？所以我说"自然"二字也要加以研究，才有一个公共的理解。大凡有生之物，凡百活动。不能一往不返，必有一个循环张弛的作用。譬如人体血液之循环，呼吸之往复，动作寝息之相间，皆是这一个公理的现象。文中之有诗，诗中之有声有韵，音乐中之有调和（harmony），也不过是此现象的结果罢了。因为吾人生理上既具有此种天性，一与相违，便觉得不自在。近来心理学家用机器试验古人的好诗好文，其字音的长短轻重，皆有一定的次序与限度。我想此种研究，于诗的 Meter（平仄？），句法的构造都有关系。吾国诗体由《三百篇》的四言（James Lezze 说中国有二言诗，固附会得可笑。三言诗，《汉郊》《礼歌》等有之，但不足为重）变成汉魏的五言，又由汉魏的五言，变成唐人的七言。大约系因古人言语短简急促，后人言语纡徐迟缓的原故（文体的变迁亦然）。但是诗到了七言，就句法构造上言，便有不能再长之势。再长，就非断不可了。且七言诗句，大概前四字可作一顿，后三字又自成一段。韩昌黎有时费全身的气力，于七言中别开生面，但只可于长诗中偶杂一二句。若句句是"点窜《尧典舜典》字,涂改《清庙生民》诗"的句法（因韩诗已不记得,故引李诗为例）,也就不能读了。七言既成了诗句的最长极限,所以宋元的词曲起而代之。长短句搀杂互用,倒可免通体长句,或通体短句的不便处。但是他们的音调平仄,也越发讲究。我以为此种律例,现在看来,自然是可厌。但是创造新体的人,却不能不讲究。就是以后做诗的人,也不可不遵循一点。实在讲起来,古人留下来的诗体,竟可说是"自然"的代表。什么缘故？因为古人作诗的时候,也是想发挥其"自然"的动念,断没有先作一个形式来缚束自己的。现在存留下的,更是经了几千百年无数人的试验,以为可用。所以我要说,现在各种诗体,说他们不完备、不新鲜则可；说他们不自然,却未必然。我再要说,若是现在讲改良文学的人,专以创造几种新体为无上的天职,我把此种人比各科学上的一种人专以发明新器具、新方法为事,也只得恭敬他,再没多话说。若是要创造文学的产品,我倒有一句话奉劝：公等做新体诗,一面要诗意好,一面还要诗调好,一人的精神分作两用,恐怕有顾此失彼之虑。若用旧体旧调,便可把全副精神用在诗意一方面,岂不于创造一方面更有希望呢？这个主张,足下以为何如？

　　瞎三不着四的议论,发了一阵,纸已写的不少了。还有钱玄同先生的废灭汉文大问题不曾讲到。若是用文话,断不会有如许啰嗦。这也是白话的一种坏处。

　　经农对于废灭汉文的问题,已经说"心中万分难受"了。我想钱先生要废汉文的意思,不是仅为汉文不好,是因汉文所载的东西不好,所以要把他拉杂摧烧了,廓而清之。我想这却不是根本的办法。吾国的历史、文字、思想,无论如何昏乱,总是这一种不长进的民族造成功了留下来的。此种昏乱种子,不但存在文字历史上,且存在现在及将来子孙的心脑中。所以我敢大胆宣言,若要中国好,除非使中国人种先行灭绝!可惜王、张废汉文汉语的,虽然走于极端,尚是未达一间呢!

此层且按下不讲。尚有一个实际问题:《新青年》一面讲改良文学,一面讲废灭汉文,是否自相矛盾?既要废灭不用,又用力去改良不用的物件。我们四川有句俗话说:"你要没有事做,不如洗煤炭去罢。"

钱先生的废灭汉文一篇大文,原来有点 Sentimental。我讲到此处,也有点 Sentimental 起来。恕罪恕罪。

任鸿隽白　六月八日

叔永足下:

经农的白话信来,使我大欢喜。今又得老兄的白话信,并且还对于我的文学革命论"大为赞成",我真喜欢的了不得。来书有许多话,我已在答经农的信里回答过了(见本期),我现在且把那信里不曾说过的话,提出来回答如下:

(一)来书说:"用白话可做好诗,文话又何尝不可做好诗呢?"又举杜甫的《诸将怀古》《闻官军收河南河北》……等诗为证。《闻官军收河南河北》一首的确是好诗。这诗所以好,因为他能用白话写出当时高兴得狠、左顾右盼、颠头播脑、自言自语的神气。第三、四、七、八句虽用对仗,都恰合语言的自然。五、六两句"白首放歌须纵酒,青春作伴好还乡",便有点做作,不自然了。这可见律诗总不是好诗体,做不出完全好诗。《诸将》五首,在律诗中可算得是革命的诗体。因为这几首极老实本色,又能发挥一些议论,故与别的律诗不同。但律诗究竟不配发议论，故老杜这五首诗可算得完全失败。如"胡卤千秋尚入关"，成何说话？"见愁汗马西戎逼，曾闪朱旗北斗殷"，实在不通。"拟绝天骄拔汉旌"，也不通。这都是七言所说不完的话，偏要把他挤成七个字，还要顾平仄对仗，故都成了不能达意又不合文法的坏句。《咏怀古迹》五首，也算不得好诗。"三峡楼台淹日月，五溪衣服共云山"，实在不成话。"一去紫台连朔漠，独留青冢向黄昏"，是律诗中极坏的句子。上句无意思，下句是凑的。"青冢向黄昏"，难道不向白日吗？一笑。他如"羯胡事主终无赖"，"志决身歼军务劳"，都不是七个字说得出的话，勉强并成七言，故文法上便不通了。——这都可证文言不易达意，律诗更做不出好诗。《儒林外史》上评"桃花何苦红如此？杨柳忽然青可怜"，说上句加上一个"问"字，便是一句好词，如今强对上一句，便无味了。这话评诗律真不错。即如杜诗"江天漠漠鸟双去"，本是绝好写景诗，可惜他硬造一句"风雨时时龙一吟"作对，便讨厌了。——至于韩愈的《南山诗》，何尝是写景？不过是押韵罢了。老兄和我都不曾到过南山又何从知道他"把南山的形状刻画尽致"呢？

（二）来书说："现在讲改良文学，第一当在实质上用工夫；第二要有完全驱使文字的能力，能用工具而不为工具所用就好了。白话不白话，倒是不关紧要的。"这话的第一层极是，不用辩了。第二层"能用工具而不为工具所用"，固是不错。但是我们极力主张用白话作诗，也有几层道理。第一，我们深信文言不是适用的工具。（说详《建设的文学革命论》）；第二，我们深信白话是狠合用的工具；第三，我们因为要"用工具而不为工具所用"，故敢决然弃去那不适用的文话工具，专用那合用的白话工具。正如古人用刀刻竹作字，后来有了纸笔，便不用刀笔、竹简了。若必斤斤争文言之不当废，那又是"为工具所用"，作了工具的奴隶了。老兄以为何如？

（三）来书说："自然也要有点研究。"这话极是。但这个大前提却不能发生下文的断语。下文说："古人留下来的诗体，竟可说是自然的代表。什么缘故？因为古人作诗的时候，也是想发挥其自然的动念，断没有先作一个形式来束缚自己的。"这种逻辑，有如下例："古人留下来的缠足风俗，竟可说是自然的代表。为什么呢？因为古人缠足的时候，也是想发挥他的自然的美感，决没有先作一种小脚形式来束缚自然的！"再引老兄的话："现在存留下的，更是经了几千百年无数人的试验，以为可用。"这话可说诗体，也可说缠足，也可说八股，也可说君主专制政体！可不是吗？——原书前文所说："近来心理学家用机器试验古人的好诗好文，其字音的长短轻重，皆有一定的次序与限度。"老兄的意思，以为这就可以作自然的证据吗？老兄何不请那些心理学家用机器试验几篇仁在堂的八股文章？我可保那几篇"字学的长短轻重，也皆有一定的次序与限度"。如若不然，我请你看三天好戏，你敢赌这东道吗？——北京最常见的喜事门对，是"诗歌杜甫其三句，风咏周南第一章"。这两句若拿去卜那心理学的机器，也是"有一定的次序与限度的"。——总而言之，四言诗（《三百篇》实多长短句，不全是四言）变为五言，又变为七言，三变为长短句的词，四变为长短句加衬字的曲，都是由前一代的自然变为后一代的自然。我们现在作不限词牌、不限套数的长短句，也是承这自然的趋势。至于说我们的"自然"是没有研究的自然，那是蔽于成见，不细心体会的话。我的朋友沈尹默先生做一首《三弦》诗，做了两个月才得做成，我们岂可说他没有研究？不过他不曾请北京大学心理学教授陈百年先生用机器试验罢了！

（四）老兄劝我们道："公等做新体诗,一面要诗意好,一面还要诗调好。一人的精神分作两用,恐怕有顾此失彼之虑。若用旧体旧调,便可把全副精神用在诗意一方面,岂不于创造一方面更有希望呢？"这个主张,有一个根本的误会。因为我们现在有什么诗料,用什么诗体；有什么话,说什么话：并不一面顾诗意,一面顾诗调。那些用旧调旧诗体的,人有了料,须要截长补短,削成五言,或凑成七言；有了一句,须对上一句；有了腹联,须凑上颈联；有了上阕,须凑成下阕；有了这韵,须凑成那韵,……那才是顾此失彼呢。——岂但顾此失彼,竟是"削足适履"了！

还有论废灭汉文一段,我且让老兄和钱玄同先生去打 Sentimental 官司罢。好在老兄不久就要回国,我们再谈罢。

七年七月廿六日　适

朱、任两先生鉴：

日前由适之先生交来两先生的信,中间对于玄同主张废灭汉文的议论,很为反对。玄同对于这个问题,虽经说道："不论赞成反对,皆所欢迎。"今得两先生赐教,固极欣喜。惜乎两先生未曾将汉字之优点,及中国古书不可不读之理由说出,只说了几句感情的话。玄同不免失望。今虽欲与两先生详细讨论这个问题,竟至无从说起,只好简单奉答几句：

答朱先生　法文虽然不能尽善,究竟是有字母、有规则的文字。无论如何难法,总比汉文要容易得多。况且现代新学上的"术语",非中国所固有。英国没有 Kimono,就该用日本原字,则中国没有新学"术语",也就该用欧洲原字。Kimono 之类不过偶然用到,而新学"术语",则讲到学问,便满纸皆是。一篇文章里,除了几个普通名词、动词、形容词和语词以外,十之六七都是欧洲字。是汉文在今后世界,无独立及永久存在的价值,自不消说。

答任先生　我爱我支那人的热度,自谓较今之所谓爱国诸公,尚略过之。惟其爱他,所以要替他想法,要铲除这种"昏乱"的"历史、文字、思想",不使复存于"将来子孙的心脑中"。要"不长进的民族"变成了长进的民族,在二十世纪的时代,算得一个文明人。要是现在自己不去想法铲除旧文字,则这种"不长进"的"中国人种",循进化公例,必有一天要给人家"灭绝"。

还有一层:同人做《新青年》的文章,不过是各本其良心见解,说几句革新铲旧的话;但是各人的大目的虽然相同,而各人所想的手段方法,当然不能一致。所以彼此议论,时有异同,绝不足奇,并无所设"自相矛盾"。至于玄同虽主张废灭汉文,然汉文一日未废灭,即一日不可不改良,譬如一所很老很破的屋子,既不可久住,自须另造新屋;新屋未曾造成以前,居此旧屋之自不得不将旧屋东补西修以蔽风雨。但决不能因为旧屋既经修补,便说新屋不该另造也。

钱玄同 5, August, 1918.

(第五卷第二号,一九一八年八月十五日)

文学进化观念与戏剧改良

胡　适

　　去年我曾说过要做一篇《戏剧改良私议》，不料这一年匆匆过了，我这篇文章还不曾出世。于今《新青年》在这一期正式提出这个戏剧改良的问题，我以为我这一次恐怕赖不过去了。幸而有傅斯年君做了一篇一万多字的《戏剧改良各面观》，把我想要说的话都说了，而且说得非常明白痛快。于是我这篇《戏剧改良私议》竟可以公然不做了。本期里还有两篇附录：一是欧阳予倩君的《予之戏剧改良观》，一是张豂子君的《我的中国旧戏观》，此外还有傅君随后做的《再论戏剧改良》，评论张君替旧戏辩护的文章。后面又有宋春舫先生的《近世名戏百种目》，选出一百种西洋名戏，预备我们译作中国新戏的模范本。这一期有了这许多关于戏剧的文章，真成了一本"戏剧改良号"了！我看了这许多文章。颇有一点心痒手痒，也想加入这种有趣味的讨论，所以我划出戏剧改良问题的一部分作我的题目，就叫做《文学进化观念与戏剧改良》。

　　我去年初回国时看见一部张之纯的《中国文学史》，内中有一段说道：

　　　　是故昆曲之盛衰，实兴亡之所系。道咸以降，此调渐微。中兴之颂未终,海内之人心已去。识者以秦声之极盛,为妖孽之先征。其言虽激,未始无因。欲睹升平,当复昆曲。《乐记》一言,自胜于政书万卷也。(下卷一一八页)

这种议论,居然出现于"文学史"里面,居然作师范学校"新教科书"用,我那时初从外国回来,见了这种现状,真是莫名其妙。这种议论的病根全在没有历史观念,故把一代的兴亡与昆曲的盛衰看作有因果的关系,故说"欲睹升平,当复昆曲"。若是复昆曲遂可以致升平,只消一道总统命令,几处警察厅的威力,就可使国中戏园家家唱昆曲,——难道中国立刻便"升平"了吗?我举这一个例来表示现在谈文学的人大多没有历史进化的观念。因为没有历史进化的观念,故虽是"今人",却要做"古人"的死文字;虽是二十世纪的人,偏要说秦、汉、唐、宋的话。即以戏剧一个问题而论,那班崇拜现行的西皮二黄戏,认为"中国文学美术的结晶"的人,固是不值一驳;就有些人明知现有的皮黄戏实在不好,终不肯主张根本改革,偏要主张恢复昆曲。现在北京一班不识字的昆曲大家天天鹦鹉也似的唱昆腔戏,一班无聊的名士帮着吹打,以为这就是改良戏剧了。这些人都只是不明文学废兴的道理,不知道昆曲的衰亡自有衰亡的原因,不知道昆曲不能自保于道咸之时,决不能中兴于既亡之后。所以我说,现在主张恢复昆曲的人与崇拜皮黄的人,同是缺乏文学进化的观念。

如今且说文学进化观念的意义。这个观念有四层意义,每一层含有一个重要的教训。第一层总论文学的进化:文学乃是人类生活状态的一种记载,人类生活随时代变迁,故文学也随时代变迁,故一代有一代的文学。周秦有周秦的文学,汉魏有汉魏的文学,唐有唐的文学,宋有宋的文学,元有元的文学。《三百篇》的诗人做不出《元曲选》,《元曲选》的杂剧家也做不出《三百篇》。左丘明做不出《水浒传》,施耐庵也做不出《春秋左传》。这是文学进化观念的第一层教训,最容易明白,故不用详细引证了。(古人如袁枚、焦循,多有能懂得此理的)

　　文学进化观念的第二层意义是:每一类文学不是三年两载就可以发达完备的,须是从极低微的起源,慢慢的,渐渐的,进化到完全发达的地位。有时候,这种进化刚到半路上,遇着阻力,就停住不进步了;有时候,因为这一类文学受种种束缚,不能自由发展,故这一类文学的进化史,全是摆脱这种束缚力争自由的历史;有时候,这种文学上的羁绊居然完全毁除,于是这一类文学便可以自由发达;有时候,这种文学革命只能有局部的成功,不能完全扫除一切枷锁镣铐,后来习惯成了自然,便如缠足的女子,不但不想反抗,竟以为非如此不美了!这是说各类文学进化变迁的大势。西洋的戏剧便是自由发展的进化,中国的戏剧便是只有局部自由的结果。列位试读王国维先生的《宋元戏曲史》,试看中国戏剧从古代的"歌舞"(歌舞是一事。犹言歌的舞也)。(Ballet Dance)一变而为戏优;后来加入种种把戏,再变而为演故事兼滑稽的杂戏(王氏以唐宋辽金之滑稽戏为一种独立之戏剧,与歌舞戏为二事。鄙意此似有误。王氏引各书所记诙谐各则,未必独立于歌舞戏之外。但因打诨之中时有谲谏之旨,故各书特别记此诙谐之一部分而略其不足记之他部分耳。元杂剧中亦多打诨语。今之京调戏亦可随时插入讥刺时政之打诨。若有人笔记之,后世读之者亦但见林步青、夏月珊之打诨而不见其他部分、或亦有疑为单独之滑稽戏者矣)。后来由"叙事"体变成"代言"体,由遍数变为折数,由格律极严的大曲变为可以增减字句变换宫调的元曲，于是中国戏剧三变而为结构大致完成的元杂剧。但元杂剧不过是大体完具，其实还有许多缺点：（一）每本戏限于四折。（二）每折限于一宫调。（三）每折限一人唱。后来南戏把这些限制全都毁除，使一剧的长短无定，一折的宫调无定，唱者不限于一人。杂剧的限制太严，故除一二大家之外，多只能铺叙事实，不能有曲折详细的写生工夫；所写人物，往往毫无生气；所写生活与人情，往往缺乏细腻体会的工夫。后来的传奇，因为体裁更自由了，故于写生、写物、言情各方面都大有进步。试举例为证。李渔的《蜃中楼》乃是合并《元曲选》里的《柳毅传书》同《张生煮海》两本戏做成的，但《蜃中楼》不但情节更有趣味，并且把戏中人物一一都写得有点生气，个个都有点个性的区别。如元剧中的钱塘君虽与布局有关，但没有着意描写；李渔于《蜃中楼》的《献寿》一折中，写钱塘君何等痛快，何等有意味！这便是一进步。又如元剧《渔樵记》写朱买臣事，为后来南戏《烂柯山》所本，但《烂柯山》中写人情世故，远胜《渔樵记》，试读《痴梦》一折，便知两本的分别。又如昆曲《长生殿》与元曲《梧桐雨》同记一事，但两本相比，《梧桐雨》叙事虽简洁，写情实远不如《长生殿》。以戏剧的体例看来，杂剧的文字经济实为后来所不及；但以文学上表情写生的工夫看来，杂剧实不及昆曲。如《长生殿》中《弹词》一折，虽脱胎于元人的《货郎担》，但一经运用不同，便写出无限兴亡盛衰的感慨，成为一段很动人的文章。以上所举的三条例——《蜃中楼》《烂柯山》《长生殿》——都可表示"杂剧"之变为南戏传奇，在体裁一方面虽然不如元代的谨严，但因为体裁更自由，故于写生表情一方面实在大有进步，可以算得是戏剧史的一种进化。即以传奇变为京调一事而论，据我个人看来，也可算得是一种进步。

传奇的大病在于太偏重乐曲一方面，在当日极盛时代固未尝不可供私家歌童乐部的演唱，但这种戏只可供上流人士赏玩，不能成通俗的文学。况且剧本折数无限，大多数都是太长了，不能全演，故不能不割出每本戏中最精彩的几折，如《西厢记》的《拷红》，如《长生殿》的《闻铃》《惊变》等，其余的几折，往往无人过问了。割裂之后，文人学士虽可赏玩，但普通一般社会更觉得无头无尾，不能懂得。传奇雅剧既不能通行，于是各地的"土戏"纷纷兴起：徽有徽调，汉有汉调，粤有粤戏，蜀有高腔，京有京调，秦有秦腔。统观各地俗剧，约有五种公共的趋向：(一)材料虽有取材于元明以来的"雅剧"，亦有新编者而一律改为浅近的文字；(二)音乐更简单了，从前各种复杂的曲调渐渐被淘汰完了，只剩得几种简单的调子；(三)因上两层的关系，曲中字句比较的容易懂得多了；(四)每本戏的长短，比"雅剧"更无限制，更自由了；(五)其中虽多连台的长戏，但短戏的趋向极强，故其中往往有很有剪裁的短戏，如《三娘教子》《四进士》之类。依此五种性质看来，我们很可以说，从昆曲变为近百年的"俗戏"，可算得中国戏剧史上一大革命。大概百年来政治上的大乱、生计上的变化、私家乐部的消灭，也都与这种"俗剧"的兴起大有密切关系。后来"俗剧"中的京调受了几个有势力的人，如前清慈禧后等的提倡，于是成为中国戏界最通行的戏剧。但此种俗剧的运动，起源全在中下级社会，与文人学士无关，故戏中字句往往十分鄙陋，梆子腔中更多极不通的文字。俗剧的内容，因为他是中下级社会的流行品，故含有此种社会的种种恶劣性，很少如《四进士》一类有意义的戏。况且编戏做戏的人大都是没有学识的人，故俗剧中所保存的戏台恶习惯最多。这都是现行俗戏的大缺点。但这种俗戏在中国戏剧史上，实在有一种革新的趋向，有一种过渡的地位，这是不可埋没的。研究文学历史的人，须认清这种改革的趋向，更须认明这种趋向在现行的俗剧中不但并不曾完全达到目的，反被种种旧戏的恶习惯所束缚，到如今弄成一种既不通俗又无意义的恶劣戏剧。——以上所说中国戏剧进化小史的教训是：中国戏剧一千年来力求脱离乐曲一方面的种种束缚，但因守旧性太大，未能完全达到自由与自然的地位。中国戏剧的将来，全靠有人能知道文学进化的趋势，能用人力鼓吹，帮助中国戏剧早日脱离一切阻碍进化的恶习惯，使他渐渐自然，渐渐达到完全发达的地位。

文学进化的第三层意义是：一种文学的进化，每经过一个时代，往往带着前一个时代留下的许多无用的纪念品；这种纪念品在早先的幼稚时代本来是很有用的，后来渐渐地可以用不着他们了，但是因为人类守旧的惰性，故仍旧保存这些过去时代的纪念品。在社会学上，这种纪念品叫做"遗形物"（Survivals of Rudiments）。如男子的乳房，形式虽存，作用已失；本可废去，总没废去；故叫做"遗形物"。即以戏剧而论，古代戏剧的中坚部分全是乐歌，打诨科白不过是一小部分；后来元人杂剧中，科白竟占极重要的部分，如《老生儿》《陈州粜米》《杀狗劝夫》等杂剧竟有长至几千字的说白，这些戏本可以废去曲词全用科白了，但曲词终不曾废去。元明之际，已有"终曲无一曲"的杂折，如屠长卿的《昙花梦》（说见臧晋叔《元曲选》序），可见此时可以完全废曲用白了；但后来不但不如此，并且白越减少，曲词越增多，明朝以后，除了李渔之外，竟连会做好白的人都没有了。所以在中国戏剧进化史上，乐曲一部分本可以渐渐废去，但他依旧存留，遂成一种"遗形物"。此外如脸谱、嗓子、台步、武把子等等，都是这一类的"遗形物"，早就可以不用了，但相沿下来至今不改。西洋的戏剧在古代也曾经过许多幼稚的阶级，如"和歌"（Chorus）面具、"过门""背躬"（aside）、武场等等。但这种"遗形物"，在西洋久已成了历史上的古迹，渐渐地都淘汰完了。这些东西淘汰干净，方才有纯粹戏剧出世。中国人的守旧性最大，保存"遗形物"最多。皇帝虽没有了，总统出来时依旧地上铺着黄土，年年依旧祀天祭孔，这都是"遗形物"。再回到本题，现今新式舞台上有了布景，本可以免去种种开门、关门、跨门槛的做作了，但这些做作依旧存在，甚至于在一个布置完好的祖先堂里"上马加鞭"！又如武把子一项，本是古代角抵等戏的遗风，在完全成立的戏剧里本没有立足之地。一部《元曲选》里，一百本戏之中只有三四本用得着武场；而这三四本武场戏之中有《单鞭夺槊》和《气英布》两本都用一个观战的人口述战场上的情形，不用在戏台上打仗而战争的情状都能完全写出。这种虚写法便是编戏的一大进步。不料中国戏剧家发明这种虚写法之后六七百年，戏台上依旧是打斤斗、爬杠子、舞刀耍枪地卖弄武把子，这都是"遗形物"的怪现状。这种"遗形物"不扫除干净，中国戏剧永远没有完全革新的希望。不料现在的剧评家不懂得文学进化的道理，不知道这种过时的"遗形物"很可阻碍戏剧的进化，又不知道这些东西于戏剧的本身全不相关，不过是历史经过的一种遗迹，居然竟有人把这些"遗形物"——脸谱、嗓子、台步、武把子、唱功、锣鼓、马鞭子、跑龙套等等——当作中国戏剧的精华！这真是缺乏文学进化观念的大害了。

文学进化观念的第四层意义是：一种文学有时进化到一个地位，便停住不进步了；直到他与别种文学相接触，有了比较，无形之中受了影响，或是有意地吸收人的长处，方才继续有进步。此种例在世界文学史上，真是举不胜举。如英国戏剧在伊丽莎白女王的时代本极发达，有蒋生(Ben Jonson)、莎士比亚等的名著；后来英国人崇拜莎士比亚太甚了，被他笼罩一切，故十九世纪的英国诗与小说虽有进步，于戏剧一方面实在没有出色的著作；直到最近三十年中，受了欧洲大陆上新剧的影响，方才有萧伯纳(Bernard Shaw)、高尔华胥(John Galsworthy)等人的名著。这便是一例。中国文学向来不曾与外国高级文学相接触，所接触的都没有什么文学的势力；然而我们细看中国文学所受外国的影响，也就不少了。六朝至唐的三四百年中间，西域(中亚细亚)各国的音乐、歌舞、戏剧，输入中国的极多：如龟兹乐，如"拨头"戏(《旧唐书·乐音志》云"拨头者，出西域胡人")，却是极明显的例(看《宋元戏曲史》第九页)。再看唐宋以来的曲调，如《伊州》《凉州》《熙州》《甘州》《氐州》各种曲，名目显然，可证其为西域输入的曲调。此外中国词曲中还不知道有多少外国分子呢！现在戏台上用的乐器，十分之六七是外国的乐器，最重要的是"胡琴"，更不用说了。所以我们可以说，中国戏剧的变迁，实在带着无数外国文学美术的势力。只可惜这千余年来和中国戏剧接触的文字美术都是一些很幼稚的文学美术，故中国戏剧所受外来的好处虽然一定不少，但所受的恶劣影响也一定很多。现在中国戏剧有西洋的戏剧可作直接比较参考的材料，若能有人虚心研究，取人之长，补我之短；扫除旧日的种种"遗形物"，采用西洋最近百年来继续发达的新观念、新方法、新形式，如此方才可使中国戏剧有改良进步的希望。我现在且不说这种"比较的文学研究"可以得到的种种高深的方法与观念，我且单举两种极浅近的益处——

（一）悲剧的观念——中国文学最缺乏的是悲剧的观念。无论是小说，是戏剧，总是一个美满的团圆。现今戏园里唱完戏时总有一男一女出来一拜，叫做"团圆"，这便是中国人的"团圆迷信"的绝妙代表。有一两个例外的文学家，要想打破这种团圆的迷信，如《石头记》的林黛玉不与贾宝玉团圆，如《桃花扇》的侯朝宗不与李香君团圆；但是这种结束法是中国文人所不许的，于是有《后石头记》《红楼圆梦》等书，把林黛玉从棺材里掘起来好同贾宝玉团圆；于是有顾天石的《南桃花扇》使侯公子与李香君当场团圆！又如朱买臣弃妇，本是一桩"覆水难收"的公案。元人作《渔樵记》，后人作《烂柯山》，偏要设法使朱买臣夫妇团圆。又如白居易的《琵琶行》写的本是"同是天涯沦落人，相逢何必曾相识"两句，元人作《青衫泪》偏要叫那琵琶娼妇跳过船，跟白司马同去团圆！又如岳飞被秦桧害死一件事，乃是千古的大悲剧，后人做《说岳传》偏要说岳雷挂帅打平金兀术，封王团圆！这种"团圆的迷信"乃是中国人思想薄弱的铁证。做书的人明知世上的真事都是不如意的居大部分，他明知世上的事不是颠倒是非，便是生离死别，他却偏要使"天下有情人都成了眷属"，偏要说善恶分明，报应昭彰。他闭着眼睛不肯看天下的悲剧惨剧，不肯老老实实写天工的颠倒惨酷，他只图说一个纸上的大快人心。这便是说谎的文学。更进一层说：团圆快乐的文字，读完了，至多不过能使人觉得一种满意的观念，决不能叫人有深沉的感动，决不能引人到彻底的觉悟，决不能使人起根本上的思量反省。例如《石头记》写林黛玉与贾宝玉一个死了，一个出家做和尚去了，这种不满意的结果方才可以使人伤心感叹，使人觉悟家庭专制的罪恶，使人对于人生问题和家族社会问题发生一种反省。若是这一对有情男女竟能成就"木石姻缘"，团圆完聚，事事如意，那么曹雪芹又何必作这一部大书呢？这一部书还有什么"余味"可说呢？故这种"团圆"的小说戏剧，根本说来，只是脑筋单简，思力薄弱的文学，不耐人寻思，不能引人反省。西洋的文学自从希腊的 Aeschylus, Sophocles, Euripides 时代即有极深密的悲剧观念。悲剧的观念：第一，即是承认人类最浓挚最深沉的感情不在眉开眼笑之时，乃在悲哀不得意无可奈何的时节；第二，即是承认人类亲见别人遭遇悲惨可怜的境地时，都能发生一种至诚的同情，都能暂时把个人小我的悲欢哀乐一齐消纳在这种至诚高尚的同情之中；第三，即是承认世上的人事无时无地没有极悲极惨的伤心境地，不是天地不仁，"造化弄人"（此希腊悲剧中最普通的观念），便是社会不良使个人消磨志气，堕落人格，陷入罪恶不能自脱（此近世悲剧最普通的观念）。有这种悲剧的观念，故能产生各种思力深沉，意味深长，感人最烈，发人猛省的文学。这种观念乃是医治我们中国那种说谎作伪，思想浅薄的文学的绝妙圣药。这便是比较的文学研究的一种大益处。

（二）文学的经济方法——我在《论短篇小说》一篇里（《新青年》四卷五号），已说过"文学的经济"的道理了。本篇所说，专指戏剧文学立论。戏剧在文学各类之中，最不可不讲经济。为什么呢？因为：(1)演戏的时间有限；(2)做戏的人的精力与时间都有限；(3)看戏的人的时间有限；(4)看戏太长久了，使人生厌倦；(5)戏台上的设备，如布景之类，有种种困难，不但须要图省钱，还要图省事；(6)有许多事实情节是不能在戏台上一一演出来的，如千军万马的战争之类。有此种种原因，故编戏时须注意下列各项经济的方法：

(1)时间的经济。须要能于最简短的时间之内，把一篇事实完全演出。

（2）人力的经济。须要使做戏的人不致精疲力竭；须要使看戏的人不致头昏眼花。

（3）设备的经济。须要使戏中的陈设布景不致超出戏园中设备的能力。

（4）事实的经济。须要使戏中的事实样样都可在戏台上演出来；须要把一切演不出的情节一概用间接法或补叙法演出来。

我们中国的戏剧最不讲究这些经济方法。如《长生殿》全本至少须有四五十点钟方可演完，《桃花扇》全本须用七八十点钟方可演完。有人说，这种戏从来不唱全本的；我请问，既不唱全本，又何必编全本的戏呢？那种连台十本、二十本、三十本的"新戏"，更不用说了。这是时间的不经济。中国戏界最怕"重头戏"，往往有几个人递代扮演同一个角色，如《双金钱豹》，如《双四杰村》之类，这是人力的不经济。中国新开的戏园试办布景，一出《四进士》要布十个景，一出《落马湖》要布二十五个景！（这是严格的说法。但现在的戏园里武场一大段不布景。）这是设备的不经济。再看中国戏台上，跳过桌子便是跳墙；站在桌上便是登山；四个跑龙套便是一千人马；转两个弯便是行了几十里路；翻几个斤斗，做几件手势，便是一场大战。这种粗笨愚蠢，不真不实，自欺欺人的做作，看了真可使人作呕！既然戏台上不能演出这种事实，又何苦硬把这种情节放在戏里呢？西洋的戏剧最讲究经济的方法。即如本期张镠子君《我的中国旧戏观》中所说外国戏最讲究的"三种联合"，便是戏剧的经济方法。张君引这三种联合来比中国旧戏中身段，台步，种种规律，便大错了。三种联合原名 The Law of Three Unities，当译为"三一律"。三"一"即是：（1）一个地方，（2）一个时间，（3）一桩事实。我且举一出《三娘教子》作一个勉强借用的例。《三娘教子》这出戏自始至终，只在一个机房里面，只须布一幕的景，这便是"一个地方"；这出戏的时间只在放学回来的一段时间，这便是"一个时间"；这出戏的情节只限于机房教子一段事实，这便是"一桩事实"。这出戏只挑出这一小段时间，这一个小地方，演出这一小段故事；但是看戏的人因此便知道这一家的历史；便知道三娘是第三妾，她的丈夫从军不回，大娘二娘都再嫁了，只剩三娘守节抚孤，这儿子本不是三娘生的，……这些情节都在这小学生放学回来的一个极短时间内，从三娘薛宝口中，一一补叙出来，正不用从十几年前叙起；这便是戏剧的经济。但是《三娘教子》的情节很简单，故虽偶合"三一律"，还不算难。西洋的希腊戏剧遵守"三一律"最严；近世的"独幕剧"也严守这"三一律"。其余的"分幕剧"只遵守"一桩事实"的一条，于时间同地方两条便往往扩充范围，不能像希腊剧本那种严格的限制了（看《新青年》四卷六号以来的易卜生所作的《娜拉》与《国民之敌》两剧便知）。但西洋的新戏虽不能严格地遵守"三一律"，却极注意剧本的经济方法：无五折以上的戏，无五幕以上的布景，无不能在台上演出的情节。张豂子君说，"外国演陆军剧，必须另筑大戏馆。"这是极外行的话。西洋戏剧从没有什么"陆军剧"；古代虽偶有战斗的戏，也不过在戏台后面呐喊作战斗之声罢了；近代的戏剧连这种笨法都用不着，只隔开一幕，用几句补叙的话，便够了。《元曲选》中的《薛仁贵》一本，便是这种写法，比《单鞭夺槊》与《气英布》两本所用观战员详细报告的写法更经济了。元人的杂剧，限于四折，故不能不讲经济的方法，虽不能上比希腊的名剧，下比近世的新剧，也就可以比得上十六七世纪英国、法国戏剧的经济了（此单指体裁段落，并不包括戏中的思想与写生工夫）。南曲以后，编戏的人专注意词章音节一方面，把体裁的经济方法完全抛掉，遂有每本三四十出的笨戏，弄到后来，不能不割裂全本，变成无数没头没脑的小戏！现在大多数编戏的人，依旧是用"从头至尾"的笨法，不知什么叫做"剪裁"，不知什么叫做"戏剧的经济"。

　　补救这种笨伯的戏剧方法，别无他道，只有研究世界的戏剧文学，或者可以渐渐地养成一种文学经济的观念。这也是比较的文学研究的一种益处了。

　　以上所说两条——悲剧的观念，文学的经济——都不过是最浅近的例，用来证明研究西洋戏剧文学可以得到的益处。大凡一国的文化最忌的是"老性"；"老性"便是"暮气"。一犯了这种死症，几乎无药可医；百死之中，只有一条生路：赶快用打针法，打一些新鲜的"少年血性"进去，或者还可望却老还童的功效。现在的中国文学已到了暮气攻心、奄奄断气的时候！赶紧灌下西方的"少年血性汤"，还恐怕已经太迟了；不料这位病人家中的不肖子孙还要禁止医生，不许他下药，说道，"中国人何必吃外国药！"……哼！

（第五卷第四号，一九一八年十月十五日）

戏剧改良各面观

傅斯年

这篇《戏剧改良各面观》的意见，是我一年以来，时时向朋友谈到的，然而总没写成篇章。十日前，同学张豂子君和胡适之先生辩论废唱问题，我见了，就情不自禁了。但是我在开宗明义之前，有两件情形，要预先声明的：

第一，我对于社会上所谓旧戏、新戏，都是门外汉。

第二，我对于中国固有的音乐和歌曲，都是门外汉。

既然都是门外汉，如何还要开口呢？据我个人观察而论，中国人熟于戏剧音乐一道的，什么是思想牢固的了？不客气说来，就是陷溺深深的了，和这些"门内汉"讨论"改良""创造"，绝对不肯容纳的。我这门外汉，却是不曾陷溺的人。我这篇文章，就以耳目所及为材料，以直觉为判断，既不是"随其成心而师之"，也就不能说我不配开口。

我以为改良旧戏和创造新戏，是两个问题（理论详第四节）。应否改良创造的理论，和怎样改良创造的方法，又是两个问题。我们但凡把眼光放大些，可就觉得现在戏剧的情形，不容不改良，真正的新剧，不容不创造；现在止当讨论怎样改良创造的方法，应否改良创造的理论，不成问题了。——若是还把极可宝爱的时光，耗费在讨论这个上,就是中国人思想,处处落在人后的证据。然而就中国社会可怜的情形而论,却不能不供出思想处处落在人后的证据。我们若迳然讨论方法,便有大多数人根本反对道:"何必要改良?"无可如何,只好先把旧戏的情形,作一具体的评判。我还要自己承认,这个评判,是不得已而出的"费话"。

一　旧戏的研究

我们对于旧戏的形式和材料,不表同情,原不消说。然而仅仅漫骂,也不能折人之心。照我意思,先就戏剧进化的阶级为标准,看看现在戏界,进化到何等地步？更就中国戏剧和中国社会同用的关系,判断现在戏界的真正价值如何。易词说来,前者以戏剧历史为观察点,后者是个社会问题。二者并用,似乎可得个概括的论断。

现在中国各种戏剧,无论"昆曲""高腔""皮簧""梆子",总是"鳖血龟水,分不清白",在一条水平线上。不仅这样,这般高等戏,和那些下等的"碰碰戏""秧歌戏""高翘戏",也在一个水平线上。虽然词句雅俗、情节繁简、衣饰奢俭,有绝大的分别,若就他组成的分子而论,却是同在一个阶级,没高下之别的。真正的戏剧纯是人生动作和精神的表象(Represcntation of human action and Spirit),不是各种把戏的集合品。可怜中国戏剧界,自从宋朝到了现在,经七八百年的进化,还没有真正戏剧。还把那"百衲体"的把戏,当做戏剧正宗！中国戏剧,全以不近人情为贵,近于人情,反说无味。请问:戏剧本是指写人事的,何以专要不近人情？纯粹戏剧不能不近人情,百衲体的把戏,虽欲近人情而不能组成纯粹戏剧的分子,总不外动作和言语。动作是人生通常的动作,言语是人生通常的言语;百般把戏,无不含有竞技游戏的意味,竞技游戏的动作言语,却万万不能是人生通常的动作言语;——所以就不近人情,就不能近人情了。譬如打脸,是不近人情的。何以有打脸?同为有脚色,何以有脚色?因为是下等把戏的遗传。譬如"行头",总不是人穿的衣服。何以要穿不是人穿的衣服?因为竞技游戏,不能不穿离奇的衣服。譬如花脸,总做出人不能有的粗暴像。何以要做出人不能有的粗暴像?因为玩把戏不能不这样。譬如打把子、翻筋斗,更是岂有此理了,更可以见得是竞技的遗传了。平情而论,演事实和玩把戏,根本上不能融化:一个重摹仿,一个重自出;一个要像,一个无的可像;一个重情节,一个要花鞘,简直是完全矛盾。中国人却不以完全矛盾见怪,反以"兼容并包"为美。那些下等戏,像上文所举的"碰碰""秧歌""高翘"……之类,虽然没有这些上等戏兼容并包的大量,却同是不离乎把戏的精神。在西洋戏剧是人类精神的表现(Interpretation of human Spirit),在中国是非人类精神的表现(Interprctation of inhuman Spirit)。既然要和把戏合,就不能不和人生之真拆开。所以我以为,中国的上等戏、下等戏在一条水平线上,是就戏剧演讲的阶级诊断定了的,是就他们组成的原素分析比较过的。好比猴子,进化到毛人,就停住了,再也不能变人了;中国的戏,到了元朝,成了"杂剧""南戏"的体裁,就停住了,再也不能脱开把戏了。

唱工一层,旧戏的"护法使者",最要拿来自豪。唱工应废不应废,别是一个问题(解详第四节)。纵使唱工不废,"京调"中所唱的词句,也是绝对要不得。歌唱一种东西,虽不能全合语言的神味,然而总以不大离乎语言者近是。且是曲折多、变化多、词句参差、声调抑扬，才便于唱。若用木强的调调儿，总是不宜。"京调"不能救治的毛病，就在调头不好，——不是七字句，就是两三加一四的十字句。任凭他是绝妙的言语，一经填在这个死板里，当时麻木不仁，索然无味起来。这个点金成铁的缘故，全是因为调头不是，——不合言语的自然，所以活泼泼的妙文，登时变成死言语，不合歌曲的自然，所以必须添上许多"助声""转声"。我们说话，不是定要七字、十字，唱曲何必定要七字、十字？从四言、五言乐府，变成七言乐府，是文学的进化，因为七言较比五言近于语言了；从七言乐府变成词，是文学的进化，因为词更近于语言了；从稍嫌整齐的词，变成通体参差的曲，是文学的进化，因为曲尤近于语言了；可是整齐的"京调"代不整齐的"昆弋"而起，是戏曲的退化，因为去语言之真愈远了。现在把一部《乐府诗集》和一部《元曲选》比较一看，觉得《元曲选》里的词调好得多。使我们起这种感觉，固然不止一个原因。然而主要原因，总因为乐府整齐，所以笨拙；元曲参差，所以灵活。再把一部《元曲选》和十几本《戏考》比较一看，又要觉得生存的"京调"，尚且不如死了五百年的元曲，也是这个道理。所以我敢断言道："京调"根本要不得，那些"转声""助声"，正见其"黔驴技穷"，和八代乐府没奈何时，加上些"妃""豨"是一样的把戏。"京调"的来源，全是俗声：下等人的歌谣，原来整齐句多，长短句少，——这是因为没有运用长短句的本领，——"京调"所取裁，就是这下等人歌唱的款式。七字句本是中国不分上下今古最通行的，十字句是三字句、四字句集合而成，三字句、四字句更是下等歌谣的句调。总而言之，"京调"的调，是不成调，是退化调。就此点而论，"京调"的上等戏，又和那些下等戏在一条水平线上了。照这看来，中国现在的戏界，不特没有进化到纯粹的戏剧，并把真正歌曲的境界，也退化出去了。

我再把中国戏剧，和中国社会相用的关系说个大概。有人说道，中国戏剧，最是助长中国人淫杀的心理。仔细看来，有这样社会的心理，就有这样戏剧的思想；有这样戏剧的思想，更促成这样社会的心理。两事是交相为用，互成因果。西洋名剧，总要有精神上的寄托；中国戏曲，全不离物质上的情欲。同学汪缉斋对我说，中国社会的心理，是极端的"为我主义"；我要加上几个字道，是极端的"物质的为我主义"。这种主义的表现，最易从戏曲里观察出来。总而言之，中国戏剧里的观念，是和现代生活根本矛盾的。所以，受中国戏剧感化的中国社会，也是和现代生活根本矛盾的。

二 改革旧戏所以必要

照上文所说，中国戏剧，既然这样下等，应当改革的道理，可就不必多说了。但是，关于旧戏的技术、文学各方面，还有批评未到的地方，现在再论一番，作为改革旧戏所以不必要的根据。

就技术而论，中国旧戏，实在毫无美学的价值。举其最显著的缺点：第一，是违背美学上的均比律（law of proportion）。譬如一架黄包车，安上十多支电灯，最使人起一种不美不快的感觉。这是因为：十几支电灯的强度，和个区区的黄包车，不能均比。中国戏剧，却专以这种违背均比律的手段为高妙。《红鸾喜》上的金玉奴，也要满头珠翠，监狱里的囚犯，也要满身绸帛。不能彼此照顾，互相陪衬，处处给人个矛盾的、不能配合的现象，那能不起反感？第二，是刺激性过强。凡是声色一类，刺激甚易的，用来总要有节制。因为人类官能，容易疲乏，一经疲乏，便要渐渐麻木不仁，失了本来的功用了。更进一层：人类的情绪，不可促动太高。若是使人心境顿起变化，有不容呼吸的形势，就大大违背"美术调节心情"的宗旨。旧戏里头，声音是再要激烈没有的，衣饰是再要花鞘没有的。曲终歌罢，总少觉"余音绕梁"的余韵，只有了头昏眼花的痛苦。眼帘耳鼓，都刺激疲乏不堪了，请问算美不算美？至于刺激心境，尤其利害。总将生死关头，形容的刻不容发，让人悬心吊胆，好半天不舒服。这种做法，总和美学原理，根本不相容。第三，是形式太嫌固定。中国文学和中国美术，无不含有"形式主义"(formalism)，在于戏剧，尤其显著。据我们看来，"形式主义"是个坏根性，用到那里那里糟。因为无论什么事件，一经成了固定形式，便不自然了，便成了矫揉造作的了；何况戏剧一种东西，原写人生动作的自然，不是固定形式能够限制的。然而中国戏里，"板"有一定，"角色"有一定，动作言语有一定，"千部一腔，千篇一面"。不是拿角色来合人类的动作，是拿人类的动作来合角色。这不是演动作，只是演角色。犹之失勒博士(Dr. F. C. S. Schiller)批评"形式逻辑"道："'形式逻辑'不是论真伪，是论假定的真伪。"（此处似觉拟于不伦，然失勒之批评"形式逻辑"，乃直将一切"形式主义"之乖谬而论辩之，其意于此甚近，但文中不便详引耳。）西洋有一家学者道："齐一即是丑(Uniformity means ugliness)。"谈美学的，时常引用这句话。就这个论点衡量中国戏剧，没价值的地方，可就不难晓得了。第四，是意态动作的粗鄙。唱戏人的举动，固然聪明的人，也能处处用心。若就大多数而论，可就粗率非常，全不脱下等人的贱样，美术的技艺，是谈不到的。看他四周围的神气，尤其恶浊鄙陋，全无刻意求精、情态超逸的气概。这总是下等人心理的暴露，平素没有美术上训练的缘故。第五，是音乐轻躁。胡琴一种东西，在音乐上，竟毫无价值可言。"躁音浮响，乱人心脾"，全没庄严流润的态度。虽然转折狠多，很肖物音，然而太不蕴藉，也就不能动人美感了。旧戏的音乐，胡琴是头脑，然而胡琴竟是如此不堪。所以专就音乐一道评判旧戏，也是要改良的。——上来所说五样，原不能尽，但是总可据以断定：美术的戏剧，戏剧的美术，在中国现在尚且是没有产生。

再就文学而论，现在流行的旧戏，颇难当得起文学两字。我先论词句。凡做戏文，总要本色，说出来的话，不能变成了做戏人的话，也不能变成唱戏人的话，须要恰是戏中人的话，恰合他的身分心理，才能算好，才能称得起"当行"。所以戏文一道，是要客观，不是要主观；是要实写的，不是给文人卖弄笔墨的。"昆曲"的词句，尚且在文学范围之内。然而卖弄笔墨的地方，真太利害了，把元"杂剧"、明"南曲"自然的本色，全忘干净了，所以渐渐不受人欢迎了。"京调"却又太不卖弄笔墨了，翻开十几本《戏考》，竟没一句好文章，全是信口溜下去，绝不见刻意形容，选择词句的工夫。这是因声造文，不是因文造声，是强文就声，不是合声于文。一言以蔽之：京调的文章，只是浑沌，无论甚人，都是那样调头儿。若必须分析起来，也不讨一种角色，一种说话法。同在一个角色里头，却不因时因地，变化言辞。这样的"不知鸟之雌雄"，还有什么文学的技艺可说？我再论结构。中国文章不讲结构，原不止一端，不过戏文的结构，尤其不讲究。总是"其直如矢，其平如底"，全没有曲折含蓄的意味。无数戏剧，只像是一个模磕下来的，——有一个到处应用的公式。若是叙到心境的地方，绝不肯用寓情于事、推彼知此的方法，总以一唱完之大吉。这样办法，固然省事，然而兴味总要索然了。我再论体裁。旧戏的人物，不是失之太多，就要失之太少。

太多时七错八乱，头绪全分不清楚了；太少时一人独唱，更不能布置情节。文学的妙用，组织的工夫，全无用武之地了。譬如"昆曲"里的《思凡》文词意思，我都狠恭维他。但是这样不成戏剧的歌曲，只可归到广义的诗里算一类，没法用戏剧的法子去批评他。戏里这样一人独唱的，固是绝无仅有。然而举此倒彼，那些不讲究的体裁，正是多著呢。——照这看来，中国的戏剧文学，总算有点惭愧。

论到运用文笔的思想，更该长叹。中国的戏文，不仅到了现在，毫无价值，就当他的"奥古斯都期"，也没什么高尚的寄托。好文章是有的（如元［北曲］、明［南曲］之自然文笔），好意思是没有的。文章的外面是有的，文章里头的哲学是没有的，所以仅可当得玩弄之具，不配第一流文学。就以《桃花扇》而论，题目那么大，材料那么多，时势那么重要，大可以加入哲学的见解了。然而不过写了些芳草斜阳的情景，凄凉惨淡的感慨。就是史可法临死的时候，也没什么人生的觉悟。非特结构太松，思想里也正少高尚的观念。就是美术上、文学上做得到家，没有这个主旨，也算不得什么。大前年我读莎士比亚的 *Merchant of Venice*，觉得"To bat fish withal……"一段，说人生而平等，何等透彻。只是卢梭以前的《民约论》，在我们元曲选上，和现在的"昆弋""京调"里，总找不出。我狠盼望以后作新戏的人，在文学的技术而外，有个哲学的见解来做头脑。那种美术派（Aesthetical School）的极端主张，是不中用的。

再把改良戏剧，当作社会问题讨论一番。旧社会的穷凶极恶，更是无可讳言。旧戏是旧社会的照相，也不消说。当今之时，总要有创造新社会的戏剧，不当保持旧社会创造的戏剧。旧社会的状况，只是群众，不算社会，并且没有生活可言。这话说来狠长，不是这篇文章里，能够全说的。约举其词，中国社会的里面，只是散沙一盘,没有精密的组织,健全的活动力,差不多等于无机体。中国人却喜欢这样群众的生活,不喜欢社会的生活,——这不就简直可说是没有生活吗?就是勉强说他算有生活,也只好说是无意识的生活。你问他人生真义是怎样,他是不知道;你问他为什么我教做我,他是不知道;他是阮嗣宗所说大人先生胯裆里的虱子,自己莫名其妙的;他不懂得人怎样讲;他觉得戕贼人性以为仁义,犹之乎戕贼杞柳以为杯桊;他不觉得人情有个自然、有个自由的意志;他在樊笼里,却很能过活得,并且忘了是在樊笼里了。——这是中国人最可怜的情形。将来中国的运命,和中国人的幸福,全在乎推翻这个,另造个新的。使得中国人有贯彻的觉悟,总要借重戏剧的力量,所以旧戏不能不推翻,新戏不能不创造。换一句话说来,旧社会的教育机关不能不推翻,新社会的急先锋不能不创造。上来说的,都是新剧所以必要的根据。我还要声明一句,对于有知觉的人,这都算费话。

三 新剧能为现在的社会容受否?

戏剧应当改良的理论,纵然十分充足,若是社会全无容受的地步,也不过空论罢了。所以我们要考察现在社会的情形,能容新剧发生否?说到中国戏剧界,真令人悲观得很。一般"戏迷",正在那里讲究唱工、做工、胡琴的手段、打板的神通,新剧的精神,做梦还没梦到呢。记得一家报纸上说:"布景本不必要,你看老谭唱时,从没有布景,不过把一张桌子、几把椅子,搬来搬去,就显出地位不同来。西洋人唱做不到家,所以才要布景。"这种孩子话,竟能代表许多人。想在这样社会里造出新剧来,如何不难?但是细细考察起来，新剧的发生，尚不是完全无望。专就北京一部而论，——其实到处都是这样，——听戏的人，大部分为两种。第一种人是自以为狠得戏的三昧，——其实是中毒最深的，——听到旧戏要改良的话，便如同大逆不道一样。所以梅兰芳唱了几出新做的旧式戏，还有人不以为然，说："固有的戏尽够唱的，要来另作。一定是旧的唱不好了，才来遮丑。"你想，和这种人还有什么理论？——然而娴熟旧戏的人，差不多总是这样思想。第二种人在戏剧一道，原不曾讲究，不过为声色的冲动力所驱使，跑到戏园里，"顾而乐之"。这种人在戏界里虽没势力，在社会上却占大多数，普通听戏的人，差不多总是这样。现在北京有一种"过渡戏"出现，却是为这一般人而作。所谓"过渡戏"者，北京通称新戏，但是虽然和旧戏不同，到底不能算到了新戏的地步。那些摆场做法，从旧的很多，唱还没有去了。有一个作戏评的人，造了这个名词，我且从他。社会上欢迎这种戏的程度，竟比旧戏深得多。奎德社里一般没价值的人，却仗这个来赚钱。我有一天在三庆园听梅兰芳的《一缕麻》，几乎挤坏了。出来见大栅栏一带，人山人海，交通断绝了，便高兴的了不得。觉得社会上欢迎"过渡戏"，确是戏剧改良的动机。在现在新戏没有发展的时候，这样"过渡戏"，也算慰情聊胜无了。既然社会上欢迎"过渡戏"比旧戏更很，就可凭这一线生机，去改良戏剧了。

说到新思想一层，社会上也不是全不能容受。我在旧戏里想找出个和新思想即合的来，竟找不出；只有"昆曲"里的《思凡》还算好的。看起来竟是一篇宗教革命的文章，把尼姑无意识的生活，尽量形容出来。这篇《思凡》本是《孽海记》的一出。就《孽海记》全体而论，也没甚道理可说。我这番见解，总算断章取义罢了。一个女孩儿，因为父母信佛，便送到庵里去。自己于佛书并未学过，佛家的宗旨,既然不知道,出家的道理,更是不消说,却囚在那里,如同入了隧宫一般,念那些全不懂得半梵半汉的佛经。什么思凡不思凡,犹可置而不论。只这无意识的生活,是最不能容忍的,跑下山去,也不过别寻一个有意识的生活罢了("只因俺父好念经"一段,下至"怎知俺感叹多",把这个意思形容尽致)。所以就这篇曲子的思想而论,总算极激烈的。但是一人独唱,全没情节,听戏的人不能懂得这个意思,却无从照着社会上欢迎这篇戏的程度,来判断新思想的容受。我后来又找出"过渡戏"《一缕麻》是有道理的,这篇戏竟有"问题戏"的意味。细分起来,有几层意思可说。

(一)婚姻不由自主,而由父母主之,其是非怎样?

(二)父母主婚姻,不为儿女打算,却为自己打算,其是非怎样?

(三)订婚以后,只因为体面习惯的关系,无论如何情形,不能解约。明知火坑,终要投入,其是非怎样?

(四)忽而有名无实的丈夫,因极离奇的情节死掉了,他的妻以后的生活,应当怎样自处?在现在社会习惯之内,处处觉得压迫的力量,总要弄到死而后已。

(五)父、母、庶母、女儿间的关系,中表兄妹的关系,——就是中国人家庭的状况,——何以借此表见?

总而言之,这戏的主旨,是对于现在的婚姻制度,极抱不平了。在作原文的包天笑,未必同我这见解一样;在演成戏剧的人和唱这戏的人,未必有极透彻的觉悟,然而就凭这不甚精透的组织,竟然狠动人感情了。我第一次同同学去看,我的同学,当然受很大的刺激。后来又和亲戚家几位老太太去看,回来我问他们道:"觉得怎样?"他们说:"这样订婚,真是没道理。"咳!这没道理一句话,我想听的人心里,总有这样觉悟。这点觉悟,就是社会上能容纳新思想的铁证。虽然中国人的思想，多半是麻木性的，——不肯轻意因为没道理，——就来打破这没道理。若使有人把这没道理说的透彻了，用法子刺激利害了，也就不由的要打破这没道理了。凭这一点不曾枯亡尽的"夜气"，"扩而充之"，不怕不能容受新思想。所以说到改良戏剧的骨子，还不算是绝望。

至于做法、场面一律改革，尤当受人欢迎。因为旧法子处处板滞，处处没趣。在不常听戏的人看来，竟不能分青红皂白；一经改了新式，便能活泼的紧。现在人唱戏，有时把旧戏里一枝一节，改变法子，成个新样，听戏的人，总觉分外受用。若是完全改了，死的变成活的了，如何不尤其讨人好？譬如梅兰芳唱《狮吼记》，原是古装，怕婆子一场，忽然变成时装了。这样办法，真是矛盾，然而形容怕婆子，总不是古装能做出来的，用时装反觉得格外亲切。衣服尚且如此，何况做法、排场呢？

至于音乐歌唱一层，就原理而论，戏剧里有歌唱，仍是歌曲的遗传，仍不脱"百衲"的本质，和专效动作的真戏剧根本矛盾。就一般妇孺以及不常听戏的男子而论，歌唱原无所用。然而在街巷里，总听见人顺嘴胡唱，在朋友处，常听见他唱几嗓子。这是为何呢？据我看来，喜欢音乐歌唱，是人性的自然。所不幸者，（一）中国可唱的没通俗诗词曲子；（二）歌谣太少了；（三）学校家庭，又全不管音乐；（四）再加上乐器缺乏。有这许多原因，几乎使得中国人和乐曲断绝关系。却又为本能所迫，情不自禁，可就侵犯别处，大嚼戏里的唱了。我以为将来新剧废唱，是绝对的可能，——因为戏里原不能要唱。看戏的人，原不注意在唱，现在所以注重在唱，是一时变态，是别种情形压迫的。——但是这四层缺陷，总是要尽力弥补。若不弥补，虽然可能，不过是少量的可能，不能风行一世。不能把大多数的戏，都变成废唱，不能使得人人知道。演剧和唱曲，是不能融合的两件事。

照上文所说，废唱已经比较别种情形为难办。再加上剧本的缺乏，剧才的缺乏，剧场的缺乏，改革戏剧一种事业也是不易做的。虽然不易做，却又是不能不做的急务。好在改革的动机，和社会的容受情形，很有可以乐观的地方，只好请有心人勉为其难了。——就乐观的地方看来是那样，就困难的地方看来是这样，所以我以为新剧发生，绝对可能。但总要少需时日，早则三年，迟则五岁。现在是在胚胎期，应当做预备的事业。

四　旧戏改良

未来的新剧，唱工废了，做法一概变了，完全是模仿人生真动作，没有玩把戏的意味了，——拿来和旧戏比较，简直是两件事。所以说旧戏改良，变成新剧，是句不通的话，我们只能说创造新剧。但是在这新剧未登舞台以前，——在这预备时代，——难道就容那些不堪的旧戏，仍旧引诱社会吗？照我意思，这预备时代的事业，应当分两途做去：为将来新剧打算，是要编制剧本，培植剧才，供给社会剧学的常识；为现在戏界打算，还要改演"过渡戏"，才可以导引现在的社会，从极端的旧戏观念到纯粹的新戏观念上头去。这有三种理由：

（一）现在唱戏的人，十之九不是新剧才，教他做纯粹新戏，绝对的不可能。若是另由别人演做新戏，一时又办不到。在这过渡时代的办法，不妨降格迁就，请这些人多唱"过渡戏"。"过渡戏"虽然不好，总比旧戏高了，总可作将来新戏的引子。

（二）音乐歌曲，放在戏剧里，固是不通，但是当现在他种音乐极不发达的时代，若把戏里歌乐除去了，一般人对于戏剧，便顿然冷淡了许多。若暂且不废歌乐，正可借这歌乐的力量，引导一般人，到新戏观念和新思想上来。——歌乐和情节，是旧戏的两种原素。旧戏对于情节一层，却极不修饰。"过渡戏"若果注意这件，改造好了，听戏人心里，就要从注重歌乐一方面，转到专重情节、忘却歌乐一方面。这是用音乐的效用，导引他来听"过渡戏"。一转之间，又用"过渡戏"的情节，导引他来容受废唱的纯粹新戏。这样做法，看起来似乎曲折，事实上必能很见功效。

（三）创造新戏，比创造新体文学，难好几倍。都因为后者可以孤行己意，不必管社会容受的情形，前者却不能对于社会宣告独立。登台说法，总要有人来听，如果没人理，一番事业，无从措手了。为这缘故，有不能不体察社会情形的形势。我们并不是服从社会，是用迁就社会的手段，来征服社会。

我这主张，不过因为过渡时代，不能不有过渡的办法。等到新剧预备圆满了，我便要主张废除"过渡戏"，犹之乎现在主张废除旧剧了。——这"过渡戏"的功用，不过像个过得的桥罢了。我还要劝告演唱"过渡戏"的人，对于思想上、情节上，多多留神，破除旧套，这样才能显出"过渡戏"的过渡效用呢。

到了新剧发生、"过渡戏"消灭的时候，中国式的戏曲，就从此告终吗？我想旧戏到了这时代，总要改变体式，另成一宗；就是从戏剧的位置，退到歌曲的地步。易词说来，从音乐、歌唱、情节三种混合品，离开情节退到纯粹的音乐度曲。这个极小的范围，是旧戏退一步保守得住的。何以见得？

（一）新戏里绝对不容唱的存留，容或有人觉得枯寂。有这样歌曲，可以在演剧之先，或者演剧之后，点缀一下，以为余兴。西洋舞台上，每当戏剧开幕以前，或两幕之间，总有音乐，正是这个意思。

（二）歌曲也是优美的文学，存留著他，可借这体裁，造出许多好文章。

（三）戏剧、歌曲进化的阶级，大略四层：（1）各样把戏和歌曲独立并存；（2）歌曲里容的把戏的材料，再略带上些演故事；（3）成了戏曲的体裁，故事重了，歌曲反轻了；（4）纯粹戏剧成立，歌曲又退出来，去独立了。这个情形，西洋如此，日本如此，中国已到了第三级，想来第四级也必如此。

但是我要保存的独立歌曲一小部，也不是不待改良的。改良之点有两件：

（一）造曲　中国乐歌里，实在曲牌太少，还有许多不适用的。总要不为古人所限，自造若干，才能便于使用。歌唱一道，本极复杂，照著数学上 Combinabin 和 Permutation 的道理，再造百倍二百倍多的曲调，也不穷尽。

（二）改乐　胡琴是件最坏的东西，梆子锣鼓，更不必说。若求美学的价值，不能不去。笛子却好，月琴也可将就。古乐里的琵琶，不妨再用。若果能采取西洋乐器，像短笛、钢琴、"外鄂林"之类，尤其好了。

五　新剧创造

我在上文说过，今年今日，尚不是新剧发生时候，现在还在预备期中。将来发生时一切设施，有许多不便揣拟的，姑且存而不论。我暂把预备时代的预备事业，举出几条，奉请有心此道的人做起来。

第一是编剧问题。我起初想来，中国现在尚没独立的新文学发生，编制剧本，恐怕办不好。爽性把西洋剧本翻译出来，用到剧台上，文笔思想，都极妥当，岂不省事。后来转念道，西洋剧本是用西洋社会做材料，中国社会，却和西洋社会隔膜的紧。在中国剧台上排演直译的西洋戏剧，看的人不知所云，岂不糟了？这样说来，还要自己编制。但是不妨用西洋剧本做材料，采取他的精神，弄来和中国人情合拍了，就可应用了。换一句话说来，直译的剧本，不能适用，变化形式，存留精神的改造本，却是大好。至于做独立的编制，更要在选择材料上，格外谨慎。旧戏最没道理的地方，就是专拿那些极不堪的小说作来源。新戏要有新精神，所以这一点万不可再蹈覆辙。材料总要在当今社会里取出，更要对于现在社会，有了内心的观察，透彻的见地，才可以运用材料，不至于变成"无意识"。我希望将来的戏剧，是批评社会的戏剧，不是专形容社会的戏剧；是主观为意思、客观为文笔的戏剧，不是纯粹客观的戏剧。

将来新剧本，尤要力避文笔粗率。这个毛病，是中国文人的通病，我恐怕将来的新剧作家，免不了这样。剧中人的心情，总不可爽爽快快，自己道出来。在旧戏里一唱了之，真弄得索然兴尽。新戏虽没有唱，却可以造出一个对面人来说白一番；这样固然省事，价值可算没一点了。拿小说作比喻，《水浒》里的宋江，《红楼梦》里的刘姥姥，骨子里何等诈变，外面却专避诈变，却又使得读书的人处处觉出诈变，这种笔法，精细极了。曹雪芹常常替贾宝玉、林黛玉说出心里的层次。有人说道："这两人的心理太曲折，不能'曲喻'。"我说："若是曹雪芹文笔更好一层，可就能'曲喻'了。"我希望将来新剧本,全用"曲喻",不用"直陈"。就引动观者兴趣而论,就文学的价值而论,是不得不然的。

第二是新剧主义的鼓吹。现在一般的人,对于新剧的观念,全不曾有,忽然新剧发生,容受上总要困难的。所以应当有个鼓吹新剧主义的机关,把旧戏所以不能存在的道理,尽量传布。一面作概括的讨论,通论旧戏的情形,一面作分别的批评,就每出戏批评去,再把新剧的组织、新剧的思想、新剧的精神,张旗摇鼓的道来,使得社会知道新剧是个什么东西,可就便于发展了。等到将来新剧发生,这种机关也是要的,因为新剧组织总要精密,寓意总要深切;在薄于思想力的中国人看起来,恐怕有许多误会,——就是不懂,——非来"面命""提耳"不可。我觉得中国人看西洋的问题戏,不但不能用批评的眼光来解答这问题,并且不知道戏里有什么问题,——这都因为脑筋浑沌。所以在新剧没发生时,这个机关是"宣教师""急先锋",在发生以后,是"良师、诤友"。

六　评戏问题

戏评对于戏界影响的大,原不消说。但是看到现在北京的戏评界,——中国的戏评界,——真教人无限感叹。姑且举几件最不满意的情形:第一,是不批评,这是中国人的通病,只会恭维人、骂人,却不会批评人。说他好,就满纸堆砌上许多好字眼;说他不好,就满纸堆砌上许多坏字眼;只有形容,——不称实的形容,——没有批评。批评原不是容易做的,总要有精密的思想力才可。否则空空洞洞,浮浮泛泛,焉得不说些支吾铺张话,——支吾,铺张,就是不批评。第二是不在大处批评。每天报上登的戏评,不是说"某某身段好",就是说"某某做工好",再不就是说"某句反二簧唱得好","某句西皮唱得好",从来少见过论到戏里情节通不通、思想是不是、言语合不合的。这样专在小地方做工夫,忘了根本,如何能使得戏剧进化？第三是评伶和评妓一样。以前的人,都以为优娼一类（文人也夹在里头）,就新人生观念说来,娼妓是没有人格的,优伶却是一种正当职业。不特是正当职业,并且做好了是美术、文学的化神,培植社会的导师。所以古代的莎士比亚、近代的易卜生,都曾经现身说法。更有许多女伶,被人崇拜为艺术大家。然而,中国人依然用亵视人格的办法,去评戏子,恭维旦角,竟和恭维婊子一样。请问是恭维他还是骂他？——凡亵视别人的人格,就是亵视自己的人格；待别人当婊子,就是先以婊子自待。然则婊子评戏,还有甚话可说。第四是党见。党见闹深了,是非全不论了,评戏变成捧角了。这样情形,或者因为个人嗜好乖谬,或者因为怀抱结交之心,或者竟为金钱所使,——总而言之,是不堪问的。北京的剧评家,差不多总要时时刻刻犯这些毛病。我只见有署名春柳旧主者,还偶然评到戏的情节上去,并把现在所谓新戏,叫做"过渡戏",这也算是难得了。缪子君也常有很聪明的说话。

痛快说来,要想改良戏剧,不先改良剧评,才是缪子君说的"空口说白话"呢。所以我希望缪子君和他同好的人,将来的事业,正是多着呢！

七年九月五—六日

（第五卷第四号,一九一八年十月十五日）

附录一：予之戏剧改良观

欧阳予倩

井手先生询余以对于今日中国剧界之意见。予歌场汨没，于今数年，随俗浮沉，无所表示，不敢有所谓意见。然就思念所及，得一二，为大略陈之。

试问今日中国之戏剧，在世界艺术界，当占何等位置乎？吾敢言中国无戏剧，故不得其位置也。何以言之？旧戏者，一种之技艺。昆戏者，曲也。新戏萌芽初茁，即遭蹂躏，目下已如腐草败叶，不堪过问。舍是更何戏剧之可言？戏剧者，必综文学、美术、音乐及人身之语言动作组织而成。有其所本焉，剧本是也。剧本文学既为中国从来所未有，则戏剧自无从依附而生。元明以来之剧、曲、传奇等，颇有可采，然决不足以代表剧本文学。其他如皮簧唱本，更无足道。盖戏剧者，社会之雏形、而思想之影像也。剧本者，即此雏形之模型，而此影像之玻璃版也。剧本有其作法，有其统系。一剧本之作用，必能代表一种社会，或发挥一种理想，以解决人生之难问题，转移误谬之思潮。演剧者，根据剧本配饰以相当之美术品（如布景、衣装等），疏荡以适宜之音乐，务使剧本与演者之精神一致表现于舞台之上，乃可利用于今日鱼龙曼衍之舞台也。

然则吾人之主张当如何？予以为：（一）须组织关于戏剧之文

字;(二)须养成演剧之人才。

文字约分三种:

一、剧本。

剧本文学为中国从来所无,故须为根本的创设。其事宜多翻译外国剧本以为模范,然后试行仿制。不必故为艰深,贵能以浅显之文字,发挥优美之理想。无论其为歌曲、为科白,均以用白话,省去骈俪之句为宜。盖求人之易于领解,为效速也。惟格式作法,必须认定。暇当专论之。中国旧剧,非不可存,惟恶习惯太多,非汰洗净尽不可。然世方重视其恶习惯,为之奈何!

二、剧评。

今日之所谓剧评者,大抵于技术之谈多不完全。其对于伶人,非以好恶为毁誉,则视交情为转移;剧本一层,在所不问;而人情事理,亦置诸脑后。自某某诸名士作诗歌以妮近花旦后,海上多效尤之作;文人恶习殊不足道,亦评剧界之蟊贼也。吾所谓正当之剧评者,必根据剧本,根据人情事理以立论。剧评家必有社会心理学、论理学、美学、剧本学之智识。剧评有监督剧场及俳优,启人猛省,促进改良之责,决不容率尔操觚,卤莽从事也。惟今日之中国既无戏剧,则剧评亦当然不能成立。吾所望于今日之评剧家者,在诱导演剧者断弃其顽梗之主张,而趋重于事理人情而已。如俳优能勉守人情事理之范围,庶几真戏剧有养成之希望焉。

三、剧论。

戏论之范围甚广,凡关于戏剧之理论皆属焉。最要者,在名剧本之分析,及舞台上之研究。中国之戏剧,一种之"杂戏"而已,不能绳之以理。必有精确之剧论,能获信于社会,则不近人情,与无价值之戏,当然渐就澌灭,同时真戏剧亦因之而生。故不欲改良戏剧则已,欲改良戏剧,非亟倡正确之剧论不可。如云"某处宜下锣",或"某处不似老谭所唱",所论非戏剧,不能羼入剧论也。

今日之剧界,腐败极矣。俳优之脑筋,过于简单,方且"抱残守缺""夜郎自大",以为一技之长,可以应世变、传子孙,吃著不尽,故闻新论,莫不骇笑。久居暗室者,视日必暗;今之俳优,处暗过久,几失其明;如缠足者,其骨已断,无由再伸。故为目下计,为将来计,一面借文字以救其弊,一面须组织一"俳优养成所";以四五年卒业,以养成新人材。办法略述如左:——

(一)募集十三四龄之童子三五十人,于其中选拔优良,授以极新之艺术,劣者随时斥退之。

(二)不收学费。

(三)修业二三年后,随时可使试演于舞台,以资练习,并补助校费。

(四)课程于戏剧及技艺之外,宜注重常识,及世界之变迁。

(五)卒业后,须服务若干年。

如此四五年办去,必见好成绩,而于营业上,亦可决操胜算:盖四五年后之剧场,决非腐败之俳优,所得而左右也。

以上所谈,尚多未尽,容缓缓细及之。

(第五卷第四号,一九一八年十月十五日)

附录二：我的中国旧戏观

张厚载

上回我因为《新青年》杂志胡适之、刘半农、钱玄同诸位先生，多有对于中国旧戏的简单批评，我就写了一封信去略说些我个人的意思。因为两方面意思不同，所以我也不便多说。前天胡适之先生写信来要我写一篇文字，把中国旧戏的好处，跟废唱用白不可能的理由，详细再说一说。我因此就先在《晨钟》报上略略说些，跟胡先生颇有一番辨论。现在胡先生仍旧要我做一篇文字，来辨护旧戏，预备大家讨论讨论。我也很赞成这件事，就把我对于中国旧戏的意思，挑几样重要的，稍为说说。至于说的对不对，还希望诸位要切实指点才是。

一　中国旧戏是假像的

中国旧戏第一样的好处，就是把一切事情和物件都用抽像的方法表现出来。抽像是对于具体而言。中国旧戏，向来是抽像的，不是具体的。六书有会意的一种，会意是"指而可识"的。中国旧戏描写一切事情和物件，也就是用"指而可识"的方法。譬如一拿马鞭子，一跨腿，就是上马。这种地方人都说是中国旧戏的坏处，其实这也是中国旧戏的好处。用这种假像会意的方法,非常便利。有人讲笑话,说天下的东西,只有戏台最大。什么缘故呢?因为曹操带领八十三万人马,在戏台上走来走去,狠觉宽绰。这就可见中国旧戏用假像会意的方法,是最经济的方法。我曾经看见某小说杂志上,照美国最大戏馆的像,下面小注说,这种戏馆演唱陆军剧狠合式。我想中国戏台上可以容八十三万人马,外国演陆军剧却必须另筑大戏馆。这就可以恍然明白唱戏这件事,是宜于抽像,而万万不能具体的了。要是具体的演起来,戏台上那能容八十三万人马呢?至于拿张蓝布当城墙,两面黄旗当车子,更无一非假像会意的办法。戏台上有多大地方,要把世界上一切事情和物件,都要具体的演起来,那是绝对的不可能。既然不能样样具体,倒不如索性样样抽像,叫人家"指而可识"。那么无论如何大的质量、如何多的数量,多可以在戏台上演出来了。这岂不是中国旧戏的根本好处吗?

而且戏剧本来是起源于摹仿(亚里士多德就这么说),中国古时优孟摹仿孙叔敖便是一个证据。摹仿是假的摹仿真的,因为他是假的摹仿真的,这才有游戏的趣味,才有美术的价值。上回曾看见钱稻孙先生在北京大学画法研究会讲演的纪录,说:"羑之目的不在生,故与游戏近似,鲜令斯宾塞所以唱为游戏说也。"又说:"哈德门之假像说曰,画中风景,胜于实在,以其假像,而非实也。"可见游戏的兴味,和美术的价值,全在一个假字。要是真的,那就毫无趣味,毫无价值。中国旧戏形容一切事情和物件,多用假像来摹仿,所以狠有游戏的兴味,和美术的价值。这也是中国旧戏一件好处。现在上海戏馆里往往用真刀真枪、真车真马、真山真水。要晓得真的东西,世界上多着呢。那里能都搬到戏台上去,而且也何必要搬到戏台上去呢？一搬到戏台上，反而索然没味了。

二 有一定的规律

中国旧戏，无论文戏武戏，都有一定的规律。昆腔的"格律谨严"，是人人都晓得的。就是皮簧戏，一切过场穿插，亦多是一定不变的。文戏里头的"台步""身段"，武戏里头的"拉起霸""打把子"，没有一件不是打"规矩准绳"里面出来的。唱工的板眼，说白的语调，也是如此。甚而至于"跑龙套"的，总是一对一对的出来。而且总是一面站两个人或四个人，一切"报名""念引"也差不多出出戏都是一样。这种多可以说是中国旧戏的习惯法。无论如何变化，这种法律，是牢不可破的。要是破坏了这种法律，那中国旧戏也就根本不能存在了。又像王梦生《梨园佳话》所说"痛必倒仰，怒必吹须，富必撑胸，穷必散发"，这都是中国旧戏做作上的规律，也可以算是一种做作上的艺术（Art of acting）。

中国旧戏的种种规律，看来仿佛拘束的力量太大。其实"习惯成自然"，这种拘束力，在唱戏的早已成了一种自然力。而且有许多的规律，是自然而然的。譬如龙套一定要四个，两边各站两个，这是自然的。你如今偏要三个，一边站一个，一边站两个，那就不自然了。就是"痛必倒仰，怒必吹须"，也何尝不是自然的做作。所以自由在一定范围之内，才是真能自由。要是自由在范围之外，那倒反而不能自由。政治上、社会上的事情，都是如此。艺术上、戏剧上的事情也是如此。

中国旧戏一切唱工做派多，有一定的规律，这也可算是中国旧戏的一件好处。有人说中国旧戏的规律太严，说中国旧戏不好。

这是理想家极端的论调。外国戏悲剧有悲剧的演法,喜剧有喜剧的演法,也决不是"漫无纪律"的。我看见《百科全书》的戏剧部,说外国戏最讲究三种的联合(Three Unities),就是做作的联合,地方的联合,时间的联合(Unity of action, Unity of flae, Unity of time)。(中国跟印度的戏剧,都没有这种规律。地方跟时间的联合,更是向来没有。)还有身手上的动作,可以表示意思的(譬如 Gesture),也有种种的法律来整理伶人身体面貌上的做法。这岂不是跟中国旧戏上的"身段""台步"都有一定规律,是一样的道理吗?

有人说中国旧戏的规律,完全是一种笼统主义。但是笼统主义是说没有明了的界画。譬如约一个时候,中国人多说一两点钟、七八点钟,倒底几点钟,不能明了,几点几刻几分的观念,更是没有的。这就是笼统主义,这就是黄远生所说的"国人之公毒"。这么一说,旧戏的"龙套",一定要两个人以上,代表多数,不能随便上来两三个人,就算数。仔细看来,这种一定的规律,倒很有明了的界画。可见得也并不是完全的一种笼统主义。

三 音乐上的感触和唱工上的感情

中国旧戏向来是跟音乐有连带密切的关系,无论昆曲、高腔、皮簧、梆子,全不能没有乐器的组织。因此唱工也是中国旧戏里头最重要的一部份。中国戏剧的发源,是在歌跟舞(Dance and Song)。中国的戏,在古时本也有不歌而但舞的。然而歌的一部份渐渐发展,成了戏剧上的元素。所以现今一般人,多把"歌"跟"戏"两种观念联络起来。俗语"唱戏"两个字,就是"歌""戏"两种观念,联络的表示。中国旧戏拿音乐和唱工来感触人,是有两个好处。(A)有音乐的感触。(B)有感情的表示。

　　音乐这一件事情,于通俗教育最有关系。中国古时本有《乐经》,而且六艺之中,也有"乐"这件事。外国学校注重音乐,更不必说。现在中国的音乐既不发达,但是昆曲的笛子、二簧的胡琴以及锣鼓等等,吹打起来,究竟还有许多音乐的意味。二簧场面上(场面,就是戏台上音乐组织的一部分)的吹打,差不多全是昆腔的曲牌,是狠有音乐上的价值的。何一雁先生《求幸福斋》随笔里面,说过有一善吹唢呐的中国人跟某人到西洋去,在船上吹唢呐,西洋人多大加叹赏。有一个德国人就拜他为师,学会了之后,就以善吹军笛出名,而且把中国《风入松》《破阵乐》等曲牌,翻到德国军乐谱里头去。就这一节,已可见中国旧戏上音乐的价值了。而且古语说"移风易俗,莫善于乐",可见音乐上的感触,是狠有"移风易俗"的力量。王梦生《梨园佳话》说:"戏之佳处,全在声音悦人。患寂者,弦管以哗之;患郁者,金鼓以震之;抱不平者,妙歌缓节以柔下之;悲作客者,闲情艳唱以慰劳之。"就是这个道理,总之,音乐于人类性情,最有关系。所以于社会风俗,也最有关系。中国旧戏有音乐上的感触,这也是中国旧戏的好处。

　　中国旧戏是以音乐为主脑,所以他的感动的力量,也常常靠着音乐表示种种的感情。譬如《四郎探母》的杨延辉在番邦思念他的母亲,要不用唱工而但用白话来表示他思母的苦情,那杨延辉自己说了一番想念的话,便就毫无情致。如今用唱工来表示他思念的苦情,"引子""诗""白"都念完,到末了一句"思想起来,好不伤感人也",下接西皮慢板,唱"杨延辉坐宫院自思自叹"一大段,这么样唱来就可以把想念母亲的感情,用最可以感动的方法表示出来。这岂不是唱工最可以表示感情的一端吗?所以拿唱工来表示感

附录二:我的中国旧戏观

情,比拿说白来表示,是分外的有精神,分外的有意思。这也是中国旧戏的一件好处。

那么废唱用白,到底可能不可能呢？我以为拿现在戏界的情形看来,是绝对不可能。将来如何,要看诸位提倡的力量如何,那是不能预言的。这些话已在《晨钟报》上声明,也可不必再说。我的意思,以为戏的情节好,伶人的做作好,那么唱工是不狠要紧。譬如《四进士》这一类戏不要唱工,也似乎未尝不可。又如上海汪优游一般人的新戏,做作狠好,他们的新戏常有完全不用唱工的,也狠能叫人欢迎,我也狠爱看。但是情节和做作,多不好,那唱工就断乎不可废的。譬如《二进宫》这出戏,除了唱工外,情节做作,多不好看。你要是把他改了白话戏,三个人在台上,他说一句,你说一句,那就更没有丝毫的趣味。所以废唱用白一句话,也应当分别看来,不能有绝对的主张。不过唱工有表示感情的力量,所以可以永久存在,不能废掉。要废掉唱工,那就是把中国旧戏根本的破坏。将来进化的社会,是不是一定要把中国旧戏根本破坏,而且能不能把他根本破坏,那是极难解决的问题了。

中国旧戏,还有许多最能表示意思和感情的地方。譬如作一个"背躬",就可以把一个人肚子里思忖的事情,表示出来。《武家坡》里的薛平贵和王宝川两个人,对面说话的时候,两个人心里的话,都用袖子一挡,转过身来,说了出来,这就是"背躬"的作法。这种作法,是表示一个人心里的意思。最便利的方法,《虹霓关》里头的丫环,看见东方夫人不肯杀王伯党之后,唱"见此情不由人心中暗想"的一段二六,就把丫环心里的意思,用最动人的方法,表现出来。这也是唱工最能表示意思的一个证据。还有一种最能表示感情的,就是起"叫头"。母女、父子、夫妻分别的时候用"叫头"是最能表示感情的。还有哭的时候,用"哭头",也是狠有精神的地方。现在一般的新戏,差不多都添了锣鼓,也用旧戏里头的"背躬""叫头"的作法。这就可见旧戏的锣鼓唱工,是最有表示意思和感情的力量了。

　　以上所说,都是中国旧戏的好处。有人说中国旧戏因为有这许多的情形所以不好。那是我实在不敢附和。我以为要说中国旧戏的不好,只能说他这几种用的太过分,不能说他有这几种,就说不好。所以我们只能说中国旧戏用假像的地方太多,却不能说用假像就是不好。只能说他用规律的地方太多,不能说用规律就是不好,只能说他用音乐的地方太多,不能说用音乐唱工,就是不好。"因噎废食",那是极端的主张,不是公平的论调。

　　我做这一篇文字,不过随便写出来几样中国旧戏的好处。其实此外的好处还有,一时也说不了许多。就先提出三样稍为重要的来,跟大家斟酌斟酌。我的结论,以为中国旧戏,是中国历史社会的产物,也是中国文学、美术的结晶。可以完全保存。社会急进派必定要如何如何的改良,多是不可能,除非竭力提倡纯粹新戏,和旧戏来抵抗。但是纯粹的新戏,如今狠不发达。拿现在的社会情形看来,恐怕旧戏的精神,终究是不能破坏或消灭的了。

(第五卷第四号,一九一八年十月十五日)

再论戏剧改良

傅斯年

（一）答张豂子论旧戏；（二）编剧问题。

上月我做了一篇《戏剧改良各面观》交给胡适之先生。过了几天，胡先生说，同学张豂子君也做了一篇文章，替旧戏辩护。我急速取来一看。同时我在《晨钟》报上，看见豂子君的《戏园的改良谈》；又有位朋友，把《讼报》上登载的欧阳予倩君所作《予之改良戏剧观》剪寄给我。我对于这几篇文章，颇有所感触，不能自己于言，所以再做这一篇。

欧阳君的文，我看了一遍，不由得狂喜。戏评里有这样文章，戏剧家有这样思想，我起初再也料不到。我的《戏剧改良各面观》和欧阳君说的，竟有许多印合的地方，所以我对于欧阳君的文章，也就不再加以评论。我是剧界的"旁观人""门外汉"，我的议论，自然难以得人信服；欧阳君是戏界中人，欧阳君的说话，是从亲身体练得来。反对戏剧改良的人，可不能再说改良戏剧仅仅是理想之谈了。——改良戏剧的呼声，从剧界发出，这番改良的事业，前途更有希望。

豂子君要改良戏园，虽然不关戏剧问题，在现在也算当务之急，也是戏剧改良预备时代应当做的事业，——因为新戏不能入旧剧场。——就请镠子君和有志此道的人，劝那些戏园东家和掌班的做去。这原是一件功德事。

镠子君辩护旧戏的文章，处处和我心里刺谬，窃取"不敢苟同"之义，每条加以讨论。

镠子君把"抽像""假像"，混做一谈，其实这两名词，绝不是一件东西。"抽像"对于"具体"而言。"假像"对于"实像"而言。"假像"对于"实像"，是代表的作用（Reprcsentation）；"抽像"和"具体"，一个是"总"（Universalis），一个是"单"（Particula）。镠子君当做一件事，看的人就不能明白了。况且"抽像"必须离开"具体"，"体"（Concrete）不曾脱去，如何说得上"抽"（abstraction）？一拿马鞭子，一跨腿，仍然是"具体"，不是"抽像"：曹操带领几个将官，几个小卒，走来走去，仍然是"具体"，不是"抽像"；拿张蓝布当城墙，两面黄旗当车子，更无一不是"具体"，更无一算做"抽像"；上马是一种具体的像，一拿马鞭子，一跨腿，又是一种具体的像；……两件事更没有"总""单"的作用。若说这样做法，含有Symbolic的意味，所以可贵（张镠子君说的"假像"，据我揣度，或者指Symbolism？我想不出中文对当名词，暂用原文）。其实Symbolism的用处，全在"视而可识，察而见意"：中国戏的简便做法，竟弄得"视而不可识，察而不见意"。这不过是历史的遗留，不进化的做法，只好称他粗疏，不能算做假像。

镠子君引用钱稻孙先生的话，觉得太不切题。当时钱君讲演，我原在坐。他的意思是说：绘画对于实物，含有剪裁、增补、变化的作用，所以较比真的，更为精粹。画中风景，胜于实在。正因为稍带主观，把实物不美、不调和的地方去掉，然后显得超于实物以上。

这本是极浅近的道理。我们若是把这道理移在戏剧上，就是说：戏剧摹仿人生，要有意匠的经营，倘使每事摹仿起来，不加简截，不见构造，就不能够见出美来。我们引用别人的话，总要对于引用的话，有几分把握。若果本来的意思，并不见得明了，引用了来，总觉不妥。鲜令的学说，见于他的 *Philosophieder Kunst*；鲜勒的学说，见于他给 gothe 的 *Briefe uber die asthetische Erzilhung d. Meuschheit*；斯宾塞的学说，见于他的 *Principles of Psycholozy*；哈德门（Hartmann）的学说，见于他的 *asthetik*。Bosanquet 的《美学史》上，都有记载和批评。若把这原书翻开一看，便晓得和镠子君的"戏剧假像论"全不相干。我们做一篇文字，里头的名词，总要始终一个意思。如果前终不一贯，不但不能自定其说，就是辨驳的人也无从着笔了。张君文的第一节，拿"假像"一词当骨子，然而起头"假像"和"抽像"混了宗，后来张君心里的"假像"和哈氏评画的"假像"同了流，这样还有什么可说？

据我意思，中国旧戏所以专用视而不可识的"代替法"，也有两个缘故：第一，中国戏本是"百衲体"，所以不要像的；第二，中国剧台极不发达，任凭露天地上、高堂大厅，都可当做剧台（印度也是如此），所以才用"代替法"来迁就。与其说这样办法含有奥妙作用，不如说这办法是迫于不得已。凡事都有个进化，进化的原则，是由简成繁，由粗成细。上海唱戏的人，虽然没价值，上海唱的新戏，虽然不配叫新戏，然而弄些"真刀真枪，真车真马，真山真水（假山假水）"，对于旧来的浑沌做法，总是比较的进化。一般人看起来，就高兴得多。北京唱戏的人，有时把旧戏的"代替法"改成"摹仿体"，看戏的人，觉得分外有趣。又如《天河配》一出戏，总算没意识到极点了，但是第一台唱他，加上些布景，换上些"摹仿体"，叫坐的力量很大。从这里可以看出旧戏的浑沌式，不讨人好；做法越能亲切毕肖，看的人越喜欢。既然缪子君说的"假像"，引人不快之感，如何还能说得上"美"呢？

有人说道："如果处处要刻意摹仿，有些不能摹仿的事体，究竟怎样处置？"其实这也并不难办。天地间事，尽有不能供给戏的材料的，只好阙如。犹之乎画图不能包括动象，不能四面全露。譬如武戏，简直是根本不能存在，更何必虑到戏台上不能现打仗的原形。西洋戏剧到了现在，两军交战的动作淘汰净了。凡关于战争的事，不过用军卒报告司令官带出来，或者做出一小部分军队，摆布行走，或者做出一队炮兵，驱炮上阵地去。这种办法，推此知彼，举一反三，既不至于遗漏，并且显得精确。比起中国戏来，乱打一阵，全不成摹仿，都变了竞技，真不可以道里计了。总而言之，布景的工夫，中国戏里没有，所以因陋就简，想出这些不伦不类的做法。又因为中国戏不讲体裁，不管什么时候地位，都要弄到戏台上去，所以意想天开，造了些不近人情的手势动作。若果把这些无聊的举动当做宝贝，反来保存下去，岂不是是非倒置？

缪子君文第二节说：中国戏的好处，因为有一定的规律。扬雄说："断木为棊，挽革为鞠，亦皆有法焉。"又说："围棊击剑，反目眩形，亦皆自然也；由其大者作正道，由其小者作奸道。"我们只能问规律是不是、好不好？不能因为一有规律，就说是好。天地间事，不论大小，那里有全没规律的？若果不管规律是不是，径然把规律固定，作为中国戏的长处，真觉得说不下去。难道西洋戏就不讲规律？我们主张的新戏，就全没规律不成？况且规律成了死板，处处觉得不自然。不论什么戏，都是一样做法，不算"笼统"算什么？缪子君说："习惯成自然。"真是一语破的。凡是习惯成的自然，何曾有真自然。中国戏的规律，仅仅是习惯罢了；既然认为习惯，也就不足宝贵了。

缪子君文第三节，极力称道中国戏里音乐唱工的效用。分析起来，有三种意思：

第一，音乐自身的效用狠大。"新戏废唱论"，并不是墨子的"非乐论"。音乐自身的价值，原不消说；就是说得天花乱坠，又和戏曲不能和音乐分离有什么相干？戏剧是一件事，音乐又是一件事，戏剧和音乐，原不是相依为命的。中国现在的情形，戏剧、音乐，都不发达。正因为中国戏里重音乐，所以中国戏被了音乐的累，再不能到个新境界。又因为中国音乐夹在戏剧里头，独立的地方狠少，所以中国音乐被了戏剧的累，再不能有变迁、演进的情势。这真是陆机说的："离之则两美，合之则两伤。"戏剧让音乐拘束的极不自由，音乐让戏剧拘束的极不自由。若果中国有 Mozart 一流大人物，正要改乐造曲，使中国音乐的美术地位，更进几层，使中国现在的雏形歌曲（指"京调"）和腐败歌曲（指"昆曲"），变成"近世歌拍拉"式（Modern opera）。然而想要这样办，非先把戏剧、音乐拆开不可。不然，便互相牵制，不能自由发展了。缪子君说，音乐根本是要紧的，我极端极端的赞成。但是因为他要紧，就取消了他的独立，和效动作的戏剧永不分开，实在觉得没甚根据。

第二，歌唱可以补助情节的不工。缪子君说："戏的情节好，伶人的做作好，那么唱工是狠不要紧，……但是，情节和做作多不好，那唱工就断乎不可废的。"这话说得最痛快，最通达。我仍用这个意思，换句话说道："现在旧戏里情节做作都不好，所以才借重于唱。等到新戏把情节做作研究好了，唱工尽可不要。"这正是缪子君的话，不过上半句、下半句互换地位罢了。可见缪子君这段文章，非特没有证明歌唱不可废，反来替主张新剧废唱的帮了忙。旧戏所以必须改造的缘故，不止一条，不讲情节，不工做作，却是件最重要的。新戏专要弥补这个缺陷，歌唱还有什么用处？《二进宫》一种戏，因为没有主义，没有情节，根本要不得。并不是一旦废唱，改为说白就要得了。汪优游一般人的新戏，除了唱工，添上情节，做作上更加了意，就能使得镠子君说："狠好，……我也狠爱看。"可见戏剧感动人，并不靠着歌唱。现在戏剧里用歌唱引人，本因为情节不讲究，发生的一时变态。更进一层说，汪优游一流人的新戏，也没甚道理。西洋近代戏剧，是哲学、文学、美术的"集粹"。若果能够参酌仿制，介绍到中国戏台上，我想镠子君的爱看，正不止像现在说的。

　　第三，歌唱可以补说白的不足。这仍然因为中国戏里不讲情节和做作，所以任凭什么事，都用歌唱、说白了结他。——这正是中国戏的粗疏处，不自然处。凡各种心景，各种感情，全拿歌唱形容出来，"简便"固然"简便"，其奈不"精细"何？镠子君只见得这样做法，包容一切，又"概括"又"简妙"，却不觉得不合人情，不分皂白。西洋名剧，关于表示感情的地方，总要惨淡经营，曲喻旁达；像旧戏这样"一笔了之"的办法，依然是因陋就简罢了（这道理我在前篇说了许多，现在不再多说，请读者参看）。

　　镠子君总括三大节，加以论断道："要说中国旧戏不好，只能说他这几种用得太过分；……所以我们只能说中国旧戏用假像的地方太多，……只能说他用规律的地方太多，……只能说他用音乐的地方太多。"可见旧戏处处用"代替法"，处处用固定的规律，处处用音乐，镠子君也狠觉得不然。——然则给旧戏作辩护士，真不是容易事。——镠子君这番意思，虽然和我们的"新剧创造论"不同（我们的改造主张在质,张君的主张改造在量),却也觉得旧戏要改良。就请谬子君设法"去泰去甚",就旧戏,说旧戏,未尝没有小补。

谬子君又说:"中国旧戏是中国历史社会的产物,也是中国文学、美术的结晶。"这上半句全没疑义,但是我还要问到谬子君:中国社会是什么社会,中国历史是什么历史?如果是极光荣的历史,极良善社会,他的产物当然也是光荣、良善的了,可以"完全保存"了。如果不然,只因为是历史社会的产物,不管历史社会是怎样的,硬来保存下去,似乎欠妥当些。中国政治,自从秦政到了现在,直可缩短成一天看:人物是独夫、宦官、宫妾、权臣、奸雄、谋士、佞幸;事迹是篡位、争国、割据、吞并、阴谋、宴乐、流离。这就是中国的历史。豪贵鱼肉乡里,盗贼骚扰民间;崇拜的是金钱、势力、官爵,信仰的是妖精、道士、灾祥;这就是中国的社会。这两件不堪的东西写照,就是中国的戏剧。至于说旧剧是中国文学、美术的结晶,真正冤死中国文学、美术了。中国文学,比起西洋近代的,自然有些惭愧,然而何至于下了旧戏的"汤锅"。旧戏的文章,像最通行的京调脚本,何尝有文字的组织和意味,何尝比得上中国的诗歌、小说?中国美术里雕刻、陶器、绘画之类,在世界美术史上,原有颇高的位置。拿因陋就简的"剧工",和全不修饰的戏台,同这些美术品参照,恐怕不能开个比例率。

综合谬子君全篇的意思,仿佛说道:"凡是从古遗传下来的,都是好的。"我们固不能说,凡是遗传的,都要不得;但是与其说历史的产品,所以可贵,毋宁说历史的产品,所以要改造。进化的作用,全靠著新陈代谢:旧的不去,新的不来;历史的遗传不去,创造的意匠不来。一时代有一时代的出产品,前一时代的出产品,必然和后一时代不能合拍。中国旧戏,只有一种"杂戏体",就是我在前篇说的"百衲体"。这是宋元时代的出产品。如果要适用于二十世纪，总当把这体裁拆散了，——纯正的"德拉玛"，纯正的"吹拉拍"，纯正的把戏。三件事物，各自独立。况且中国旧戏所以有现在的奇形怪状，都因为是"巫""傩""傀儡""钵头""竞技"，……的遗传（见王国维《宋元戏曲史》）。如果不把这些遗传扫净，更没法子进步一层。西洋戏剧进化的阶级，可以参证。在英国伊立沙白时代，"杂戏体"本狠流行，只为得有莎士比亚一流人，才把"杂戏"变成"真剧"。例如 Macbeth 开场，一个伤兵上来报告军情。现在的"莎士比亚学者"，用各种方法，证明这几幕不是莎士比亚作的。因为伤兵报告军情，是件不通的事，又给台下人一种反感，最和莎氏平日美术的技术不合。现在的 Macbeth 剧本，所以有这样情形，都由于被当时唱这戏的人，求合当时剧界的习惯，把纯正的新体，加上些杂戏的做法。照这看来，西洋戏剧的进化，全在推陈出新了。又如西洋二十年前，戏剧的做法，仍然有许多不自然的地方。自从易卜生的 A Doll's House 进攻欧洲"剧术"大起革命，说白的自然，时间、地位的齐一（Unities of time and place），结场圆满的废除，"自语"（Soliloquy）的不见，都是新加的原质。西洋人日日改造，中国人年年保存，中西人度量相差，何以这样远呢？

我来做文回答镠子，并不是专和旧人过不去。镠子给旧戏作辩护士，我却是主张新剧的。旧戏的信仰不打破，新戏没法发生，所以作这不惮烦的事。还要请镠子体谅一切。

我把镠子君文，用心看了几遍，又作了这篇回答的说话，心里起了几种感想，姑且连带说下来。第一，我觉得中国人只懂得"好""最好"，不懂得"更好"。总是拿着"好"当成"最好"，却不知道天地间其实并没"最好"的，也不知道现在的"好"以外，还有未来的

"更好"。就戏剧论，中国人觉着旧戏"好"，就以为是"最好"，再不想"更好"的了。第二，中国人对于现状，太为满足。这正是因为不知道"更好"，所以对于目前情形，总是"安之若素"。纵然一件事改革的动机极熟了，旧状再不能容忍了，也甘心敷衍下去。西洋所以有现在的文化，全靠着人人方寸之间，时时刻刻，有个不满现状的感觉；中国所以有现在的糟糕，也全由于人人方寸之间，时时刻刻，有容受下去的心理。第三，中国人不懂得"理想论"（Idealism）和"理想家"（Idealist）的真义。说到"理想"，便含着些轻薄的意味，觉得"理想"即是"妄想"，（fancy）"理想家"即是"妄人"（Crank）。其实世界的进步，全是几多个"理想家"造就成的。"理想家"有超过现世的见解，力行主义的勇气，带着世界上人，兼程并进。中国最没有的是理想家。然而一般的人，每逢有人稍发新鲜议论，便批评道，"理想的狠"。所以这样烦恶理想的缘故，一则由于觉得天地间未曾发生的事，什九是不可能，——恰是拿破仑一世所说的反面，——二则由于上文说的现状满足。这两种情形，就是弱国国民的铁证。第四，中国人把国别看得太清楚了。就戏剧而论，我们说："美善的戏剧，应当怎样？"一般的人说："中国戏是中国的，必要这样；要是那样，就不是中国的了。"我请问中国戏剧的发生，难道不是摹仿西域、北胡吗？（《旧唐书·音乐志》载"拨头戏"，《元史·马可保罗游记》多载中国戏仿自外国之证据）像现在舞台上的"琐呐""胡琴"，是中国自造的吗？第五，自从西洋学说进口，中国游谈家多了个护身符，发起议论来，总加上些西洋的学者名、学术名，却不问相干不相干。这仍然是策论家吓人的惯技，不是用来推论证明。若果有西洋人恭惟中国事情，那更高兴的了不得。卫西琴一流人，真是善会人意的乖觉儿。——这五种看起来好像不切本题，但是我觉得中国人常常如此（我并不敢说镠子君是如此），还请看的人仔细理会一番。

　　辩论旧戏的当废和新剧的必要，我在前月做前篇文章时，已经说过，都是费话。现在更觉得多费唇舌，真正无聊。旧戏本没一驳的价值；新剧主义，原是"天经地义"，根本上决不待别人匡正的。从此以后，破坏的议论，可以不发了。我将来若果继续讨论戏剧，总要在建设方面下笔。我想编制剧本是预备时代最要办的，不妨提出这个问题，大家讨论讨论，——讨论剧本的体裁，讨论剧本的主义。关于这个问题，我也有几层意思，把他写在下面。

　　（一）剧本的材料，应当在现在社会里取出，断断不可再做历史剧。

　　（二）中国剧最通行的款式，是结尾出来个大团圆。这是顶讨厌的事。戏剧做得精致，可以在看的人心里，留下个深切不能忘的感想。可是结尾出了个大团圆，就把这些感想和情绪一笔勾销。最好的戏剧，是没结果，其次是不快的结果。这样不特动人感想，还可以引人批评的兴味。拿小说作榜样，中国最好的小说，是《水浒》《红楼梦》，一个没结果，一个结果极不快，所以这两部书才有价值。剧本的《西厢记》本是没结果的，后来妄人硬把他添起足来，并且说"愿天下有情人，都成眷属"。若果天下有情人都成眷属，天下便没有文章了。我狠希望未来的剧本，不要再犯这个通病。

　　（三）剧本里的事迹，总要是我们每日的生活。纵不是每日的生活，也要是每年的生活，这样才可以亲切。若果不然，便要生几种流弊：第一引人想入非非，破坏人精密的思想想像力；第二，文学的细致手段，无从运用；第三，可以引起下流人的兴味，不能适合有思想人的心理。

（四）剧本里的人物，总要平常。旧戏里最少的是平常人，好便好的出奇，坏便坏的出奇。——简直是不能有的人。退一步说，也是不常有的人。弄这样人物上台，完全无意义。小孩子喜欢这个，成年人却未必喜欢这个。若说拿这些奇怪人物作教训，作鉴戒，殊不知世上不常有的事，那里能含着教训鉴戒的效用。平常人的行事，好的却真可作教训，坏的却真可做鉴戒。固为平常，所以可以时时刻刻，作个榜样。况且人物奇异，文学的运用，必然粗疏。人物愈平常，文章愈不平庸哩！

（五）中国人恭维戏剧，总是说，善恶分明。其实善恶分明，是最没趣味的事。善恶分明了，不容看戏的人加以批评判断了。新剧的制作，总要引起看的人批评判断的兴味，也可以少许救治中国人无所用心的毛病。

（六）旧戏的做法，只可就戏论戏，戏外的意义，一概没有的。就是勉强说有，也都浅陋得狠。编制新剧本，应当在这里注意，务必使得看的人觉得戏里的动作言语以外，有一番真切道理做个主宰。

以上六条，都是极浅的说话，并不是不能行的说话。还有我在前篇说过的，不再说了。

十年以前，已经有新剧的萌芽。到了现在被人摧残，没法振作，最大的原因，正为着没有剧本文学，作个先导。所以编制剧本，是现在刻不容缓的事业。但是若果编制不好，或者文学的价值虽有，却不能适用在舞台上，可又要被人摧残了。再经一度摧残，新剧的发达，更没望了。我极盼望有心改良戏剧的人，在编剧方法上,格外注意!

民国七年十月二日

(第五卷第四号,一九一八年十月十五日)

人的文学

周作人

我们现在应该提倡的新文学，简单的说一句，是"人的文学"。应该排斥的，便是反对的非人的文学。

新旧这名称，本来很不妥当。其实"太阳底下，何尝有新的东西？"思想道理，只有是非，并无新旧。要说是新，也单是新发现的新，不是新发明的新。新大陆是在十五世纪中，被哥伦布发现，但这地面是古来早已存在。电是在十八世纪中，被弗阑克林发现，但这物事也是古来早已存在。无非以前的人，不能知道，遇见哥伦布与弗阑克林才把他看出罢了。真理的发现，也是如此。真理永远存在，并无时间的限制，只因我们自己愚昧，闻道太迟，离发现的时候尚近，所以称它新。其实他原是极古的东西，正如新大陆同电一般，早在这宇宙之内，倘若将他当作新鲜果子、时式衣裳一样看待，那便大错了。譬如现在说"人的文学"，这一句话，岂不也像时髦。却不知世上生了人，便同时生了人道。无奈世人无知，偏不肯体人类的意志。走这正路，却迷入兽道、鬼道里去，彷徨了多年，才得出来。正如人在白昼时候，闭着眼乱闯，末后睁开眼睛，才晓得世上有这样好阳光，其实太阳照临，早已如此，已有了无量数年了。

欧洲关于这"人"的真理的发现，第一次是在十五世纪，于是出了宗教改革与文艺复兴两个结果。第二次成了法国大革命，第三次大约便是欧战以后、将来的未知事件了。女人与小儿的发现，却迟至十九世纪，才有萌芽。古来女人的位置，不过是男子的器具与奴隶。中古时代，教会里还曾讨论女子有无灵魂，算不算得一个人呢。小儿也只是父母的所有品，又不认他是一个未长成的人，却当他作具体而微的成人，因此又不知演了多少家庭的与教育的悲剧。自从 Froebel 与 Godwin 夫人以后，才有光明出现。到了现在，造成儿童与女子问题这两个大研究，可望长出极好的结果来。中国讲到这类问题，却须从头做起，人的问题，从来未经解决，女人、小儿更不必说了。如今第一步先从人说起，生了四千余年，现在却还讲人的意义，从新要发现"人"，去"辟人荒"，也是可笑的事。但老了再学，总比不学该胜一筹罢。我们希望从文学上起首，提倡一点人道主义思想，便是这个意思。

我们要说人的文学，须得先将这个人字，略加说明。我们所说的人，不是世间所谓"天地之性最贵"或"圆颅方趾"的人，乃是说，"从动物进化的人类"。其中有两个要点，（一）"从动物"进化的，（二）从动物"进化"的。

我们承认人是一种生物，他的生活现象，与别的动物并无不同。所以我们相信人的一切生活本能，都是美的善的，应得完全满足。凡有违反人性，不自然的习惯制度，都应排斥改正。

但我们又承认人是一种从动物进化的生物，他的内面生活，比他动物更有复杂高深，而且逐渐向上，有能改造生活的力量。所以我们相信人类以动物的生活为生存的基础，而其内面生活，却渐与动物相远，终能达到高尚和平的境地。凡兽性的余留，与古代礼法可以阻碍人性向上的发展者,也都应排斥改正。

　　这两个要点,换一句话说,便是人的灵肉二重的生活。古人的思想,以为人性有灵肉二元,同时并存,永相冲突。肉的一面,是兽性遗传。灵的一面,是神性的发端。人生的目的,便偏重在发展这神性。其手段,便在灭了体质以救灵魂。所以古来宗教,大都厉行禁欲主义,有种种苦行,抵制人类的本能。一方面却别有不顾灵魂的快乐派,只愿"死便埋我"。其实两者都是趋于极端,不能说是人的正当生活。到了近世,才有人看出这灵肉本是一物的两面,并非对抗的二元。兽性与神性,合起来便只是人性。英国十八世纪诗人 Blake 在《天国与地狱的结婚》一篇中,说得最好。

　　(一)人并无与灵魂分离的身体。因这所谓身体者,原只是五官所能见的一部分的灵魂。

　　(二)力是唯一的生命,是从身体发生的。理就是力的外面的界。

　　(三)力是永久的悦乐。

　　他这话虽略含神秘的气味,但很能说出灵肉一致的要义。我们所信的人类正当生活,便是这灵肉一致的生活。所谓从动物进化的人,也便是指这灵肉一致的人,无非用别一说法罢了。

　　这样"人"的理想生活,应该怎样呢？首先便是改良人类的关系。彼此都是人类,却又各是人类的一个,所以须营一种利己而又利他,利他即是利己的生活。第一,关于物质的生活,应该各尽人力所及,取人事所需。换一句话,便是各人以心力的劳作,换得适当的衣食住与医药,能保持健康的生存。第二,关于道德的生活,应该以爱智信勇四事为基本道德,革除一切人道以下或人力以上的因袭的礼法,使人人能享自由真实的幸福生活。这种"人的"理想生活，实行起来，实于世上的人，无一不利。富贵的人虽然觉得不免失了他的所谓尊严，但他们因此得从非人的生活里救出，成为完全的人，岂不是绝大的幸福么？这真可说是二十世纪的新福音了。只可惜知道的人还少，不能立地实行。所以我们要在文学上略略提倡，也稍尽我们爱人类的意思。

　　但现在还须说明，我所说的人道主义，并非世间所谓"悲天悯人"或"博施济众"的慈善主义，乃是一种个人主义的人间本位主义。这理由是，第一，人在人类中，正如森林中的一株树木。森林盛了，各树也都茂盛。但要森林盛，却仍非靠各树各自茂盛不可。第二，个人爱人类，就只为人类中有了我，与我相关的缘故。墨子说"兼爱"的理由，因为"己亦在人中"，便是最透彻的话。上文所谓利己而又利他，利他即是利己，正是这个意思。所以我说的人道主义，是从个人做起。要讲人道，爱人类，便须先使自己有人的资格，占得人的位置。耶稣说，"爱邻如己。"如不先知自爱，怎能"如己"地爱别人呢？至于无我的爱，纯粹的利他，我以为是不可能的。人为了所爱的人，或所信的主义，能够有献身的行为。若是割肉饲鹰，投身给饿虎吃，那是超人间的道德，不是人所能为的了。

　　用这人道主义为本，对于人生诸问题，加以记录研究的文字，便谓之人的文学。其中又可以分作两项：（一）是正面的。写这理想生活，或人间上达的可能性。（二）是侧面的。写人的平常生活，或非人的生活，都很可以供研究之用。这类著作，分量最多，也最重要。因为我们可以因此明白人生实在的情状，与理想生活比较出差异与改善的方法，这一类中写非人的生活的文学，世间每每误会，与非人的文学相混，其实却大有分别。譬如法国 Maupassant 的小说《人生》*Une Vie* 是写人间兽欲的人的文学，中国的《肉蒲团》却是非人的文学。俄国 Kuprin 的小说《坑》Jama 是写娼妓生活的人的文学，中国的《九尾龟》却是非人的文学。这区别就只在著作的态度不同。一个严肃，一个游戏。一个希望人的生活，所以对于非人的生活，怀着悲哀或愤怒。一个安于非人的生活，所以对于非人的生活，感着满足，又多带着玩弄与挑拨的形迹。简明说一句，人的文学与非人的文学的区别，便在著作的态度，是以人的生活为是呢？非人的生活为是呢？这一点上，材料方法，别无关系。即如提倡女人殉葬——即殉节——的文章，表面上岂不说是"维持风教"，但强迫人自杀，正是非人的道德，所以也是非人的文学。中国文学中，人的文学本来极少。从儒教、道教出来的文章，几乎都不合格。现在我们单从纯文学上举例如：

（一）色情狂的淫书类；

（二）迷信的鬼神书类（《封神传》《西游记》等）；

（三）神仙书类（《绿野仙踪》等）；

（四）妖怪书类（《聊斋志异》《子不语》等）；

（五）奴隶书类（甲种主题是皇帝状元宰相，乙种主题是神圣的父与夫）；

（六）强盗书类（《水浒》《七侠五义》《施公案》等）；

（七）才子佳人书类（《三笑姻缘》等）；

（八）下等谐谑书类（《笑林广记》等）；

（九）黑幕类；

（十）以上各种思想和合结晶的旧戏。

这几类全是妨碍人性的生长、破坏人类的平和的东西，统应该排斥。这宗著作，在民族心理研究上，原都极有价值。在文艺批评上，也有几种可以容许。但在主义上，一切都该排斥。倘若懂得道理,识力已定的人,自然不妨去看。如能研究批评,便于世间更为有益,我们也极欢迎。

　　人的文学,当以人的道德为本,这道德问题方面很广,一时不能细说。现在只就文学关系上,略举几项。譬如两性的爱,我们对于这事,有两个主张:(1)是男女两本位的平等。(2)是恋爱的结婚。世间著作,有发挥这意思的,便是绝好的人的文学。如挪威 Ibsen 的戏剧《娜拉》(*Et Dukkehjem*)、《海女》(*Fruen fra Havet*),俄国 Tolstoy 的小说 *Anna Karenina*、英国 Hardy 的小说 *Tess* 等就是。恋爱起源,据芬兰学者 Westermarck 说,由于"人的对于与我快乐者的爱好"。却又如奥国 Lucan 说,因多年心的进化,渐变了高上的感情。所以真实的爱与两性的生活,也须有灵、肉二重的一致。但因为现世社会境势所迫,以致偏于一面的,不免极多。这便须根据人道主义的思想,加以记录研究。却又不可将这样生活,当作幸福或神圣,赞美提倡。中国的色情狂的淫书,不必说了。旧基督教的禁欲主义的思想,我也不能承认他为是。又如俄国 Dostojevskij 是伟大的人道主义的作家。但他在一部小说中,说一男人爱一女子,后来女子爱了别人,他却竭力斡旋,使他们能够配合。Dostojevskij 自己,虽然言行竟是一致,但我们总不能承认这种种行为,是在人情以内、人力以内,所以不愿提倡。又如印度诗人 Tagore 做的小说,时时颂扬东方思想。有一篇记一寡妇的生活,描写她的"心的撒提"(Suttee,撒提是印度古语。指寡妇与他丈夫的尸体一同焚化的习俗。)又一篇说一男人弃了他的妻子,在英国别娶,他的妻子,还典卖了金珠宝玉,永远地接济他。一个人如有身心的自由,以自由别择,与人结了爱,遇着生死的别离,发生自己牺牲的行为,这原是可以称道的事。但须全然出于自由意志,与被专制的、因袭礼法逼成的动作，不能并为一谈。印度人身的撒提，世间都知道是一种非人道的习俗，近来已被英国禁止。至于人心的撒提，便只是一种变相。一是死刑，一是终身监禁。照中国说，一是殉节，一是守节。原来撒提这字，据说在梵文，便正是节妇的意思。印度女子被"撒提"了几千年，便养成了这一种畸形的贞顺之德。讲东方文化的，以为是国粹，其实只是不自然的制度习惯的恶果。譬如中国人磕头惯了，见了人便无端地要请安、拱手作揖，大有非跪不可之意。这能说是他的谦和美德么？我们见了这种畸形的所谓道德，正如见了塞在坛子里养大的，身子像萝卜形状的人，只感着恐怖、嫌恶、悲哀、愤怒种种感情，决不该将他提倡，拿他赏赞。

其次如亲子的爱。古人说，父母子女的爱情，是"本于天性"，这话说得最好。因他本来是天性的爱，所以用不着那些人为的束缚，妨害他的生长。假如有人说，父母生子，全由私欲，世间或要说他不道。今将他改作由于天性，便极适当。照生物现象看来，父母生子，正是自然的意志。有了性的生活，自然有生命的延续与哺乳的努力，这是动物无不如此。到了人类，对于恋爱的融合，自我的延长，更有意识，所以亲子的关系，尤为深厚。近时识者所说儿童的权利，与父母的义务，便即据这天然的道理推演而出，并非时新的东西。至于世间无知的父母，将子女当作所有品，牛马一般养育，以为养大以后，可以随便吃他骑他，那便是退化的谬误思想。英国教育家 Gorst 称他们为"猿类之不肖子"，正不为过。日本津田左右吉著《文学上国民思想的研究》卷一说："不以亲子的爱情为本的孝行观念，又与祖先为子孙而生存的生物学的普遍事实，人为将来而努力的人间社会的实际状态，俱相违反，却认作子孙为祖先而生存，如此道德中，显然含有不自然的分子。"祖先为子孙而生存，所以父母理应爱重子女，子女也就应该爱敬父母。这是自然的事实，也便是天性。文学上说这亲子的爱的，希腊 Homeros 史诗 *Ilias* 与 Euripides 悲剧 *Troiades* 中，说 Hektor 夫妇与儿子的死别两节，在古文学中，最为美妙。近来 Ibsen 的《群鬼》(*Gengangere*)、德国 Sudermann 的戏剧《故乡》(*Heimat*)、俄国 Turgenjev 的小说《父子》(*Ottsy idjeti*)等，都很可以供我们的研究。至于郭巨埋儿、丁兰刻木那一类残忍迷信的行为，当然不应再行赞扬提倡。割股一事，尚是魔术与食人风俗的遗留，自然算不得道德。不必再叫他混入文学里，更不消说了。

照上文所说，我们应该提倡与排斥的文学，大致可以明白了。但关于古今中外这一件事上，还须追加一句说明，才可免了误会。我们对于主义相反的文学，并非如胡致堂或乾隆做史论，单依自己的成见，将古今人物排头骂倒。我们立论，应抱定"时代"这一个观念，又将批评与主张，分作两事。批评古人的著作，便认定他们的时代，给他一个正直的评价，相应的位置。至于宣传我们的主张，也认定我们的时代，不能与相反的意见通融让步，唯有排斥的一条方法。譬如原始时代，本来只有原始思想，行魔术食人肉，原是分所当然。所以关于这宗风俗的歌谣故事，我们还要拿来研究，增点见识。但如近代社会中，竟还有想实行魔术食人的人，那便只得将他捉住，送进精神病院去了。其次，对于中外这个问题，我们也只须抱定时代这一个观念，不必再划出什么别的界限。地理上、历史上，原有种种不同，但世界交通便了，空气流通也快了，人类可望逐渐接近，同一时代的人，便可并相存在。单位是个我，总数是个人。不必自以为与众不同，道德第一，划出许多畛域。因为人总与人类相关，彼此一样，所以张三、李四受苦，与彼得、约翰受苦，要说与我无关,便一样无关。说与我相关,也一样相关。仔细说,便只为我与张三、李四或彼得、约翰虽姓名不同,籍贯不同,但同是人类之一,同具感觉性情。他以为苦的,在我也必以为苦。这苦会降在他身上,也未必不能降在我的身上。因为人类的运命是同一的,所以我要顾虑我的运命,便同时须顾虑人类共同的运命。所以我们只能说时代,不能分中外。我们偶有创作,自然偏于见闻较确的中国一方面,其余大多数都还须介绍、译述外国的著作,扩大读者的精神,眼里看见了世界的人类,养成人的道德,实现人的生活。

(第五卷第六号,一九一八年十二月十五日)

近代文学上戏剧之位置

(录《国民公报》)

知　非

要说明戏剧在近代文学上的位置，必定先要说明近代文学之性质，这决不是数语可以了的。记者现在有一极简便的方法，就将近代文学与从前的文学重要不同之处，举出数点来比较，那近代文学之特质，自然是容易明白的了。讲到近代文学与从前的文学不同之点，第一，从前的文学是乡土的文学，近代文学是世界的文学。本来人类思想的发展，有共通的径路，原不能为乡土所限定的。吾这个区别，似乎不能算一个严格的分界。但是从前的文学思想发展上，尽有共通的地方。至于他所取择的材料，表现的情感，全都是乡土的色彩，与它国国民的文学思想，交涉影响极少。若近代文学，则大不相同。其中乡土的色彩，果然也不见少。但他所含蓄的问题，所注重的材料，乃至描写的方法，都是有共通的性质。乃至作家的思想情感，也不是个人的孤独感想，是世界思潮所织成的。他所发表的作品，也能常常影响及于全世界的文学。然而他那共通的性质，是在什么地方呢？简单一句话，就是共通的一个人生问题。从前的文学，与人生问题虽不是没有交涉，但都是部分的、特种阶级的、表面的。近代文学所表现的人生问题，是普遍的、内面的。材料虽也取择于特种范围之内,至其中所含蓄的人生种种相,或是烦闷苦痛,或是欢喜希望,却不是某某国的特有事实,是世界人类所共同感受、切迫在目前的现实问题。所以近代文学是世界的文学,与从前的乡土文学是大不相同的。第二,从前的文学是特别阶级的文学,近代文学是国民的文学。讲起从前的文学,差不多就是上流社会智识阶级的专有品。他所取择的材料,无非是宫廷贵族之生活,文人学子之感想,英雄豪杰之勋业。与一般国民生活,全然没有交涉。就是他们的作品也只是供君主贵族的玩赏,绝非平民所要求的文学。至若近代文学,则大不然。所取择的材料,就只是国民的生活情感,贩夫走卒、贫民乞丐,都是他们作品中的重要主人翁。在现在的时代,要知道一国国民的生活思想,只须读他国内的文学作品,恍如身入其间大概是无差误的。第三,从前的文学是作家一人的空想文学,近代文学是社会生活的写实文学。这是文学上区别的最大要点。从前所有文学,无论什么宗派,所描写的人物事实,都是奇异万状,世上绝难遇着的。不是神怪荒诞,就是英雄美人、侠客义士。那种离合悲欢的事迹,虽能令人受极强的刺激,回想起来,绝非人类社会中所可有之事。那种刺激,也只和游戏一样,不能有什么很深的印象,留在人的脑中。譬如莎士比亚的戏剧,像哈姆雷特这种人这样的事迹,世上的人有遇着过的么?又如司谷脱之小说,其中所述的人物事迹,如何能教人信为真实呢?所以从前的文学,只以事件为重,所描写的果然惊奇卓绝。但与吾们的现实生活,竟是毫不相关。近代文学则绝然相反,其中人物事迹都是平淡无奇,日常所常见常闻的,描写得却是十分深刻细致。主观的个人情感,客观的社会影响,其中所有一切之因果关系、微妙动机,绝无遗留,使读者宛如身临其境,疑惑书中所写的就是他自己的事情。法国左拉说他的小说是一种实验科学。这虽是过分的话，可是写实派的文学，所用的材料，都是一一从实际观察得来。作者自己先处于旁观的地位，用冷静头脑，将社会生活的内容细细剖解，然后如实地描写出来，绝不愿杂入丝毫作者主观的好恶在内。就是近代文学中不属于写实派的，差不多也采用这种方法。但是近代文学的特质，不只是描写真实，就算完事，尚有最要紧的一件事，就是将社会生活的种种病理原因，以及其中所含蓄的重要问题，从文学中描写出来，促进社会的改革。这是近代文学神圣的地方，与从前仅供玩赏的文学，是大不相同的。第四，自从作家的态度上讲，从前的文学是一种无用的玩好品，近代的文学是一种神圣的事业。这不只是他人如是看法，就是作家自己也是这样的态度。从前的文士，大概不是君主贵族的清客，就是有文才的贵族。他们的作品，无非是献媚贡谀供他人的消遣解闷而已。最高尚的，也只是闲暇无事借来消自己的清兴；或是避绝世俗，以此自命其高。如欧美文学上的成语所谓住在象牙塔中的人罢了，断没有人把他作为一件正经事业的。至于近代的文士，却大大不然，绝无丝毫玩赏的意思在里头，纯粹把它当做一种救世济人的大事业。如俄国的文学，全国聪明才智之士，差不多都把文学当做改革社会、促进文化的教化机关。俄国近代种种的改革变化，简直都可以算是文学鼓吹的效果。态度既如是不同，所以从前的文学，只捡那惊奇好玩的材料，以图赏心悦目，从没有人敢正眼向着社会的黑暗方面，何况再把这些黑暗情形写出来，取他人的厌恶呢。近代的文学，是专从社会的内面着眼，老实不客气，把一切黑暗都彻底地显露出来，令人读了，并无丝毫快感，只留极深刻的印象在脑中。有些简直深刻得令读者几乎要生神经病。这是二者态度极不同的地方。第五,再从他们的形式来讲,从前的文学,是形式的死文学。近代文学是生命的活文学。从前是专在字句、声调、格律上做工夫。从形式上看,真是珠圆玉润、美丽可爱。论到内容,实在是异常贫弱,甚至不过堆砌字面,毫无意义,还不是一种死文学么?至若近代的文学,作家首先声明技巧拙劣,不在字面上做工夫的。(其实近代文学的技巧,远胜从前的文学。不过他们的真本领,不在这方面,所以自己说是技巧拙劣。)讲到内容,真是字字是血,句句是肉,是人生的反映,这真是有生命、有活力的文学,岂是那死文学所可比拟的么?以上吾所说的几点,虽是随便写的,凌乱无序,遗漏很多,但是近代文学的特质以及它的真精神,大概也算是说明白的了。

近代文学之特质,吾已举出几条。现在不能不把文学的种类以及它的变迁,略说几句,才所以论到戏剧在近代文学上之位置。讲到文学的分类,吾这篇本来不是文学论,原可以不必分得精细恰当。说个大概,是可分为:一,写情与纪事的韵文;二,写情与纪事的散文;三,小说;四,戏剧;五,评论;五种。这五种里头,一、二两项,含蓄种类很多。即如三、四两项,流派也都不小。这都归在本文范围之外,当俟他日改题另论的了。至于说到它的变迁,应当先论文学的起源。不过因为限于篇幅,也不能不暂行从略。简单一句话,记者是主张社会起源说的。因为起源于社会的原因,所以古代文学的材料,大致不外宗教与战争二类。神歌祷词以及纪功颂德的诗歌最多。并且那个时候,社会未曾发达,宗教与政治不分。政治又在少数君主贵族之手,常与其他的部落民族交战。所以那时候社会最大的事件以及文学上最好的材料,就是宗教和战争两项。写情记事的韵文,自从这上头发达来的,亦可说是古代的文学,是这种韵文的文学。何以文学先从韵文发达呢？有的说是当时记录的方法不发达,一切全凭口传,有韵的言语最便于记诵,所以韵文就先发达,这话也是理由中之一。可是古代许多宗教上的祝词,不过是表现一种宗教的感情,并没有含着记录传承的意义。就如《三百篇》中之颂,虽也杂有歌颂祖宗功德的意思,但是论它的本质,却只是祭时仪式上用的一篇宗教祝词,与便于记诵传承的理由,未必能相一致。况且记述战争很长的诗歌,像希腊古代荷马的纪事诗,要说韵文比了散文易记,也未见得。所以韵文先发达的缘故,必定另有个原因。依记者想,这是因为当时人类知识尚未发达,一切情绪感想,在意识上都是朦胧迷糊,仿佛心中有这样的感触,意识上却不十分明显,不但言语文字不完备,不能把它明显地表现出来,就是他意识中也是模模糊糊,不能把他捉摸住了,分析清楚,认识明了,所以表现出来的语言文字,都含着一种感情的调子,而又似可解不可解的,这是理智力不发达的原因,所以韵文发达在先。等到后来人类智力进步,散文就渐渐地发达,先用于记事的一方面,那历史的文学就异常进步。本来散文的发达与人类理智力的发展是并行的。散文的特质,是条理清楚,意义明显。非内部理智力发达,意识上的观念分析明了,是不会发达的。内部理智力发达到极处,是论理的思想。散文发达到极处,是现代科学的文学(这个名辞是借用写实派左拉等的主张,虽不能说是妥帖,却也无甚大碍)。这真是如车之两轮,相辅而进的。但是文学的本质,原本是发表情意的;中心还在情意,不在理智力。纯粹表现理智力的文字,是科学、哲学,不是文学。这个道理吾是承认的。不过情意要不得理智力的辅助,如何能正确、明显地表现呢？况知识的基础在感觉,要不是理智力发达,情意如何能分化发展呢？更进一步讲,所谓文化发达,就是意识的分化发展(意识是包含智情意而言)。情意是中心,知是轮廓。不是轮廓渐渐地放大,内容渐渐地丰富,意识如何能分化发展呢？所以文化更发达,那文学中理智力的作用,亦日益加重。这就是散文发达在后的原因。因为这个缘故,自中世到近世之初,散文虽是渐渐地发达,韵文的势力在文学上还是不小。不必说诗歌、戏曲是全属韵文,就是纯属散文的文学,也都带着韵文的调子,声调、字句、格律都很谨严。即如莎士比亚的戏剧,名为白话剧,其实也是类似韵文的一类文学。在这个时候,小说戏剧虽渐渐地发达,文学上占重要位置的,还只是写情记事的韵文散文,戏剧是在这种韵文散文之下的一种附属文学。(莎士比亚是当时最出类拔萃的,他的戏剧是最发达的文学。)到了近世之初,是人文史上大进步的一个时候。文学上由古典主义一变而为想象主义(Romantic)。(这译名似不甚妥,但记者想不出好译名,祈阅者指正。)不只文学的思想发达,就是它的形式,也异常进步。其中最发达的就是小说。因为小说最可以自由发挥作家的理想。这个时候,差不多在文学上,可名之为小说的时代。但是他们还没有受过科学的洗礼,文学上空想的分子很多,全凭着作家个人的想象,与社会生活、人生问题,相离甚远。故都捡那惊奇可喜的空想事迹来做材料,全篇的精华,都在那事迹构造得如何新奇,并且末尾还要一个大团圆。他们虽标榜着自由,破坏古典派的形式主义,自己却又套上了一个形式。这里头果然都不是像司谷脱一流的小说,描写社会生活的也很有。至于心理方面,他们也十分注重,但是总脱不出那时代的空气,重空想的事迹,轻现实的生活。如那虚造的人物和那大团圆的结局更是没有一个免得了这个大缺点的。要比较起来讲,休哥和狄更斯二人,自然是杰出之圣的了。

以上是说的近代以前文学的发展变迁。戏剧的位置，在文学上尚未见得重要。到了现代，万物更新，社会的组织，异常变动。那文学当着革新的气运，受了科学的洗礼，面目全然不同。首先树革新旗号的先锋队，是法国左拉一派的写实小说。接着北欧易卜生、司脱令盘等的戏剧。和意国、俄国的小说戏剧，蔚然并盛。就如英国的文学，向来是受大陆的影响很浅的，也挡不住这个潮流，有萧伯纳等的革新戏剧。他们的特质，吾上文已经说过，毋庸重述。吾现在是要声明几句。近代文学，不是写实一派。讲到最近的时代，写实派已在过去之列。有新想象派、心理派、象征派、神秘派、唯美派等种种的派别。就是易卜生的晚年作品，也已渐渐脱离写实的色彩。但是他们不是逆行复古，还是站在写实主义上向别种方向发展，不过是因为初期的写实派，是完全注重在客观的描写，把主观的人格活动闲却。故最新的文学，是趋重在主观方面，并不是把客观的描写都丢了。至于他们共通的特质，离不了吾上文所说的几层，是写实的、社会的、教化的、心理的、世界的生命文学。因为这个缘故，戏剧是占极重要的位置。何以故呢？文学中真能描写人生的主观、客观两方面，把住生命中的几微，将它表现出来，当然不是写情记事的韵文散文可以胜任的。就是小说，因为体裁太长，不能不把事件来做个贯穿的线索。而且过长了，总不能精神一贯到底。把人生的真相，用极鲜明的方法，显露在吾们的眼前，印极深刻的印象；那最方便的，就莫如戏剧与短篇小说。这两种中，短篇小说又莫如戏剧（下文再说）。所以近代的文学，可称之为戏剧中心的文学。讲到这里，吾不能不把近代的诗歌略说几句。近代文学中古代的韵文文学，虽渐渐地排除，却不是排除诗歌。是诗歌也经了革命，成了一种革新的诗歌。怎样的革新呢？吾这篇虽不是论诗歌，也可以简单说两句。总而言之，像从前那种专讲字句、声调、格律，形式虽美意义毫无的诗歌，是不为人所重视的了。近代的诗歌，与他种文学，是走一条路的。不是写人生的种种相，就是把捉生命中的几微，用象征、比喻的方法，把它表现出来。形式是不很注重的。象征派诗中，有名为自由诗（Vers libre），又名不定形的诗（Vers amorphes），就是破坏古来诗的体裁格律，自舒新机来表现他心中的情感的。但是他们虽是破坏诗的体裁格律，却不是全然化为散文。他们更注重音调，主张诗与音乐合一。不过他们的音调，是自然的音乐，不是那种形式的声调、格律；读起来感触心胸，与从前的诗歌真有天渊之别。近来《新青年》杂志中，提倡这种自由白话诗，真是中国诗歌的大革命。有一班与现代思潮隔绝的人，都说是乱诌，甚有指为美谈的，这都是不知近代文学的进化与诗歌的本质，才有这种少见多怪的嘲笑。至于《新青年》杂志的自由白话诗，是否成功、如何好坏，那是另一个题。在试验的时候，当然不能说是成功，其中有好有坏，与自由诗之本题，却是全不相干。如要评论这自由诗之能否成立，应当把现代文学中各国的自由诗，都拿来研究过，才够得上有批评之资格。吾这段话，虽似题外之文，因为要说明近代文学的特质，也是不可少的。

　　文学变迁的径路以及近代文学的特质，吾已略略说明的了。可是这变迁的径路，并不是不期然而然的，其间却有大大的原因伏在里面。吾再略举几点来讲。第一，从前人类智力不发达，对于自然界的现象，全在不可解之列，脑中都是神奇古怪的迷信。最高的学问，就是神学。神学中最高的，就是借那古代未经科学精练过的独断哲学说来附会。所以从前文士的智识见解，都束缚在那迷信及因袭传说的小圈圈里面。除了模仿师承以外，文学中差不多找不出丝毫独创的精神。(古代希腊的哲学思想,是极发达的,但是都属思辨上的论证。就是极有实验精神的阿里斯多德也是一种独断的精神。况且期限甚短,一到罗马的时代,自由研究的精神,几乎铲除尽净。后来又被基督教强安排在神学里面,竟成了中世黑暗时代一种独断的武器。在近世以前,简直可以说与一般思想上没有什么很好的影响。)及至后来科学上种种新发明、地理上种种新发现出现,人类智识的限界渐渐放大,始有自由研究的精神,文学上才有想象主义发生。古典派的势力,也就衰了。到了近世,科学大昌,一切自然界的现象,凡是从前所不可解的,如今都可以拿原理、原则,推寻它的因果关系,思想上就起了大革命。自由精神勃然大盛,对于一切事物,非自己得有实验的确证,是断不肯轻信的。这不只是唯物论的思想如是,即如绝对论、唯心论的思辨论证,也都是应用科学的方法来演绎的。近代文学受了这种科学的影响,把古代传承下来的一切思想形式,都根本打破,才有这新文学出现。第二,从前生活简单,一箪食、一瓢饮,乐在其中。在从前凡是有思想的人,都是以隐遁克欲的生活,为最高尚的理想。把人类的物质欲望及现世的日常生活,看做一切罪恶的根源,以为是极龌龊而且应当排除的事情。所以从前的文学,都是作家虚无缥缈的空想,与实际生活毫无关系。到了近代,自科学进步,物质文明大发达,生活的内容也异常变动,从前所视为极龌龊的物质生活,在近代却当做生存上所万不可缺乏的部分。那种隐遁克欲的古训,竟是成了不可实行的谬想。因此文学的思想,也随着大大的变化。所选择的材料,捕捉的问题,都是目前的现实生活。近代文学,所以说是现实生活的反映,就是这个原因。第三,从前社会组织简单,文士都在极小的圈圈里面生活,可以引起他们注意的,就只是君主贵族一班特别阶级的生活；可以博他们称颂赞美的，也只是英雄义士的特立独行、美人名士的离合悲欢；至于民众的生活，是在水平线以下，为他们所不能接触的。所以从前文学的材料，都是特别阶级和空想的分子。近代自法国大革命以后，民众的势力大盛，政治上、社会上都是民众占重要的位置。那文士的生活眼界也就不能不变化的了。所有的作品，不能不是民众所要求的文学；那材料自然是不能不取之于民众的生活了。第四，从前知识愚昧，对于自然的灾变，人力一无所施。政治的权力，是在一班特别阶级之手，生杀予夺，唯所欲为。所以人类一切祸福的原因，都归在那神道和特别阶级的意志。文学上的材料，也就不是神力命运的奇遇，即是忠义节烈的美谈的了。在近代受了科学的洗礼，对于人事，也用科学的方法来解释。并且因为民众的势力异常伟大，社会的组织异常复杂，个人只能在社会中生存。所有一切生活活动，无处能脱离社会的影响。社会学进化论的学说异常发达，所以学者解释人类祸福的原因，用科学方法来推究，自然趋重在社会的影响。近代文学的思想，因之也大生变化，注重在社会问题。写实派社会派的文学，在近代当然自要大盛的了。第五，是人类内部的意识进化；从前智识不发达，人类内部的意识异常混沌，受那因袭传说的支配，没有反省的力量。就有新理想，不是浮浅的空想，就是模模糊糊一种神秘的感触。近代因为科学进步，文化发达，人类意识的内容，天天的丰富复杂，反省的力量异常发展，人类内部意识的分析也渐渐进步，心理学就大发达了。学者论到人类的思想情感，就用科学的方法，依着心理的法则去解释它的因果关系，这就是近代心理派文学发达的原因。再从他方面讲，因为人类意识的内容发达，思想情感异常复杂，从前的文学形式不能表现它，就不能不有新文学发生的了。第六，上文吾已讲过，从前社会组织简单，有思想的人都拿隐遁克欲的生活为最高理想，现实生活是他们所厌恶不要问闻的；那时候现实与理想，就没有什么大冲突。到了近代一切现实的事物都认为真实的生活。（不只是唯物论的思想如是，就是理想论的黑格尔，也有现实都是合理的主张。）要拿理想去包容他调和他。但是现实与理想，根底上就有冲突的性质。况且近代生活复杂，那冲突的程度就更高。于是现实和理想，物质和精神，个人和社会，成了近代一个思想上解决的难题，有种种的流派。近代文学因为把现实认为真实，而文学的性质，又是属于精神的、理想的，因之感触这种冲突，就也非常之烈。因为感触极烈，那人生问题，以及生活矛盾问题，自然也是感触极深的了。这就是近代生命文学、病理文学发达的原因。以上吾虽是随便说的，就可知道近代文学发达的径路，并且也可说明戏剧所以在近代文学上占最重要位置的理由；何以故呢？因为表现近代人生的文学，都没有戏剧适当。那写情记事的韵文散文，不适当是不必说的了。长篇小说，是因体裁上的关系，吾上文已经说过。即如短篇小说，也因为全靠文字的记号来表现的那印象就不如戏剧现身说法的深切。况且文学和历史不同，因为不是记载事件的。和哲学科学不同，因为不是推求原理原则的。和伦理学美学不同，因为不是研究行为和趣味的规范的。文学的本领，是要把人生如实地表现出来。要如实地表现出来，自然要深刻细致，印象方能鲜明。戏剧当然是最适当的文学。（戏剧所表现的，虽是断片的，因为要深刻鲜明，就不能不断片。二者不能两全。）再进一层讲，近来艺术的趋势，已向于综合的一方面，就是音乐、美术、文学联合在一起的艺术，那戏剧更可以占最高的位置。（所谓联合在一起，并不是一定指歌剧而言。

上文论诗歌的时候,已经讲过。)所以近代文学中最重要的文学是戏剧。世界最有名的文学家是戏剧家。就是不专做戏剧文学的人,他一生的作品中,必然也有极著名的戏剧。吾们更可推想戏剧在近代文学的位置了。

  照这样讲起来,拿近代戏剧的性质来批评中国的旧剧,自然是毫无价值可言的了。本篇因为限于篇幅,不能详说,当改题另论。(上文所举的文学分类,尚有评论一项,未曾说明。这是在近代文学中才算是一种重要的文学,也因限于篇幅,只好改题另说的了。)

(第六卷第一号,一九一九年一月十五日)

我为什么要做白话诗？

(《尝试集》自序)

胡　适

我这三年以来做的白话诗若干首，分做两集，总名为《尝试集》。民国六年九月我到北京以前的诗为第一集，以后的诗为第二集。民国五年七月以前，我在美国做的文言诗词删剩若干首，合为《去国集》，印在后面作一个附录。

我的朋友钱玄同曾替《尝试集》做了一篇长序，把应该用白话做文章的道理说得很痛快透彻(见《新青年》四卷第二号)。我现在自己作序，只说我为什么要用白话来做诗。这一段故事，可以算是《尝试集》产生的历史，可以算是我个人主张文学革命的小史。

我做白话文字，起于民国纪元前六年(丙午)，那时我替上海《竞业旬报》做了半部章回小说和一些论文，都是用白话做的。到了第二年(丁未)，我因脚气病，出学堂养病。病中无事，我天天读古诗；从苏武、李陵直到元好问，单读古体诗，不读律诗。那一年我也做了几篇诗，内中有一篇五百六十字的《游万国赛珍会》和一篇近三百字的《弃父行》。以后我常常做诗，到我往美国时，已做了两百多首诗了。我先前不做律诗，因为我少时不曾学对对子，心里总觉得律诗难做。后来偶然做了一些律诗，觉得律诗原来是最容易做的玩意儿；用来做应酬朋友的诗，再方便也没有了。我初做诗，人都说我像白居易一派。后来我因为要学时髦，也做一番研究杜甫的工夫。但是我读杜诗，只读《石壕吏》《自京赴奉先咏怀》一类的诗。律诗中五律我极爱读，七律中最讨厌《秋兴》一类的诗；常说这些诗文法不通，只有一点空架子。

自民国前六七年到民国前二年（庚戌），可算是一个时代。这个时代已有不满意于当时旧文学的趋向了。我近来在一本旧笔记里（名《自胜生随笔》，是丁未年记的）翻出这几条论诗的话：

作诗必使老妪听解，固不可。然必使士大夫读而不能解亦何故耶？（录《麓堂诗话》）

东坡云："诗须有为而作"。元遗山云："纵横正有凌云笔，俯仰随人亦可怜。"（录《南濠诗话》）

这两条上都有密圈，也可见我十六岁时论诗的旨趣了。

民国前二年，我往美国留学。初去的两年，作诗不过两三首。民国成立后，任叔永（鸿隽），杨杏佛（铨）同来绮色佳（Ithca），有了做诗的伴当了。集中《文学》篇所说：

明年任与杨，远道来就我。山城风雪夜，枯坐殊未可。
烹茶更赋诗，有倡还须和。诗炉久灰冷，从此生新火。

都是实在情形。在绮色佳五年我虽不专治文学，但也颇读了一些西方文学书籍，无形之中，总受了不少的影响。所以我那几年的诗，胆子已大得多。《去国集》里的《耶稣诞节歌》和《久雪后大风作歌》都带有试验意味。后来做《自杀篇》，完全用分段作法，试验的态度更显明了。《藏晖室札记》第三册有跋《自杀篇》一段，说：

……吾国作诗每不重言外之意，故说理之作极少。
求一朴蒲（Pope）已不可多得，何况华茨活（Wordsworth），贵推（Goethe）与白朗吟（Browning）矣。此篇以吾所持乐观主义入诗。全篇为说理之作，虽不能佳，然途径俱在。他日多作之，或有进境耳。（民国三年七月七日）

又跋云：

吾近来作诗，颇能不依人蹊径，亦不专学一家。命意固无从摹仿，即字句形式亦不为古人成法所拘，盖颇能独立矣。（七月八日）

民国四年八月，我作一文论"如何可使吾国文言易于教授"。文中列举方法几条，还不曾主张用白话代文言。但那时我已明言"文言是半死之文字，不当以教活文字之法教之"。又说："活文字者，日用语言之文字，如英法文是也，如吾国之白话是也。死文字者，如希腊、拉丁，非日用之语言，已陈死矣。半死文字者，以其中尚有日用之分子在也。如犬字是已死之字，狗字是活字；乘马是死语，骑马是活语；故曰半死文字也。"（《札记》第九册）

四年九月十七日夜，我因为自己要到纽约进哥仑比亚大学，梅觐庄（光迪）要到康桥进哈佛大学，故作一首长诗送觐庄。诗中有一段说：

梅君梅君毋自鄙！神州文学久枯馁，百年未有健者起，新潮之来不可止。文学革命其时矣！吾辈势不容坐视，且复号召二三子，革命军前杖马棰。鞭笞驱除一车鬼，再拜迎入新世纪！以此报国未云菲，缩地戡天差可拟。梅君梅君毋自鄙！

原诗共四百二十字，全篇用了十一个外国字的译音。不料这十一个外国字就惹出了几年的笔战！任叔永把这些外国字连缀起来做了一首游戏诗送我：

牛敦，爱迭孙，培根，客尔文，索虏与霍桑，"烟士披里纯"：
鞭笞一车鬼，为君生琼英。文学今革命，作歌送胡生。

我接到这诗，在火车上依韵和了一首，寄给叔永诸人：

诗国革命何自始？要须作诗如作文，琢镂粉饰丧元气，貌似未必诗之纯。
小人行文颇大胆，诸公——皆人英，愿共僇力莫相笑，我辈不作腐儒生。

梅觐庄误会我"作诗如作文"的意思，写信来辩论。他说：

……诗文截然两途。诗之文字与文之文字，自有诗文以来，无论中西，已分道而驰。……足下为诗界革命家，改良诗之文字则可；若仅移文之文字于诗，即谓之革命，谓之改良，则不可也。……以其太易易也。

这封信逼我把诗界革命的方法表示出来。我的答书不曾留稿，今抄答叔永书一段如下：

适以为今日欲救旧文学之弊，先从涤除"文胜"之弊入手。今人之诗徒有铿锵之韵，貌似之辞耳。其中实无物可言。其病根在于重形式而去精神，在于以文胜质。

诗界革命当从三事入手：第一，须言之有物，第二，须讲求文法，第三，当用"文之文字"时，不可故意避之。三者皆以质救文之弊也。……觐庄所论"诗之文字"与"文之文字"之别，亦不尽当。即如白香山诗："城云臣按六典书，任土贡有不贡无，道州水土所生者，只有矮民无矮奴！"李义山诗，"公之斯文若元气，先时已入人肝脾。"……此诸例所用文字，是"诗之文字"乎？抑"文之文字"乎？又如适赠足下诗："国事今成遍体疮，治头治脚俱所急。"此中字皆觐庄所谓"文字之字"。……可知"诗之文字"原不异"文之文字。"正如诗之文法原不异文之文法也。……（五年二月二日）

"诗之文字"一个问题也是很重要的问题。因为有许多人只认风花雪月、蛾眉、朱颜、银汉、玉容等字是"诗之文字"。做成的诗读起来字字是诗！仔细分析起来，一点意思也没有。所以我主张用朴实无华的白描工夫，如白居易的《道州民》，如黄庭坚的《题运华寺》，如杜甫的《自京赴奉先咏怀》。这类的诗，诗味在骨子里，在质不在文！没有骨子的滥调诗人决不能做这类的诗。所以我的第一条件便是"言之有物"。因为注重之点在言中的"物"，故不问所用的文字是诗的文字还是文的文字。觐庄认做"仅移文之文字于诗",所以错了。

　　这一次的争论是民国四年到五年春间的事。那时影响我个人最大的,就是我平常所说的"历史的文学进化观念",这个观念是我的文学革命论的基本理论。《札记》第十册有五年四月五日夜所记一段如下:

　　文学革命,在吾国史上非创见也。即以韵文而论,三百篇变而为骚,一大革命也。又变为五言七言,二大革命也。赋变而为无韵之骈文,古诗变而为律诗,三大革命也。诗之变而为词,四大革命也。词之变而为曲,为剧本,五大革命也。何独于吾所持文学革命论而疑之？文亦遭几许革命矣。自孔子至于秦汉,中国文体始臻完备。六朝之文……亦有可观者。然其时骈俪之体大盛,文以工巧雕琢见长,文法遂衰。韩退之所以称"文起八代之衰"者,其功在于恢复散文,讲求文法;此一革命也。……宋人谈哲理者,深悟古文之不适于用,于是语录体兴焉。语录体者,禅门所尝用,以俚语说理纪言；……此亦一大革命也。至元人之小说,此体始臻极盛。……总之文学革命至元代而极盛。其时之词也,曲也,剧本也,小说也,皆第一流之文学,而皆以俚语为之。其时吾国真可谓有一种"活文学"出现。倘此革命潮流(革命潮流,即天演进化之迹。自其异者言之,谓之革命;自其循序渐进之迹言之,即谓之进化可也。)不遭明代八股之劫,不遭前后七子复古之劫;则吾国之文学已成俚语的文学,而吾国之语言早成为言文一致之语言,可无疑也。但丁之创意大利文学,邻叟辈之创英文学,路得之创德文学,未足独有千古矣。惜乎,五百余年来,半死之古文,半死之诗词,复夺此"活文学"之席,而"半死文学"遂苟延残喘以至于今日。……文学革命何可更缓耶！何可更缓耶！

过了几天,我填了一首《沁园春》词,题目就叫做《誓诗》,其实是一篇文学革命宣言书:

更不伤春,更不悲秋,以此誓诗。任花开也好,花飞也好;月圆固好,日落何悲！我闻之曰,"从天而颂,孰与制天而用之?"更安用,为苍天歌哭,作彼奴为? 文章革命何疑！且准备搴旗作健儿。要前空千古,下开百世;收他臭腐,还我神奇！为大中华,造新文学,此业吾曹欲让谁? 诗材料,有簇新世界,供我驱驰！(四月十三日)

这首词上半所攻击的是中国文学"无病而呻"的恶习惯。我是主张乐观,主张进取的人,故极力攻击这种卑弱的根性。下半首是《去国集》的尾声,是《尝试集》的先声。

以下要说发生《尝试集》的近因了。

五年七月十二日,任叔永寄我一首《泛湖即事诗》。这首又惹起一场大笔墨官司,故不能不抄一段于此:

荡荡平湖,漪漪绿波。言棹轻楫,以涤烦疴。既备我粻,既偕我友,容与中流,山光前后。……清风竞爽,微云蔽暄;猜谜赌胜,载笑载言。行行忘远,息楫崖根。忽逢波怒,鼉掣鲸奔！岸逼流回,石斜浪翻！翩翩一叶,冯夷所吞。舟则可弃,水则可揭,湿我裳衣。畏他人视。……

我答书说：

……泛湖诗中写翻船一段所用字句，皆前人用以写江海大风浪之套语。足下避自己铸词之难，而趋于借用陈语套语之易。足下自谓"用力太过"，实则全未用气力。趋易避难，非不用气力而何？……再者，诗中所用"言"字，（第三句）及"载"字，皆系死字。又如"猜谜赌胜，载笑载言"两句，上句为二十世纪之活字，下句为三千年前之死句，殊不相称也。……（七月十六日）

叔永答书，把原诗极力删改一遍，远胜原稿了。不料我这几句话触怒了一位旁观的朋友。那时梅觐庄在绮色佳过夏，见了我这些话，因写信来痛驳我。他说：

足下所自矜为文学革命真谛者，不外乎用"活字"以入文。于叔永诗中，稍古之字，皆所不取，以为非"二十世纪之活字"。……夫文字革新须洗去旧日腔套，务去陈言，固矣。然此非尽屏古人所用之字，而另以俗语白话代之之谓也。……足下以俗语白话为向来文学上不用之字，骤以入文，似觉新奇而美，实则无永久价值。因其向未经美术家锻炼，徒诿诸愚夫愚妇无美术观念者之口，历世相传愈趋愈下，鄙俚乃不可言。足下得之，乃矜矜自喜，炫为创获，异矣。如足下之言，则人间材智，选择，教育，诸事皆无足算，而村农伧父皆足为诗人美术家矣。甚至非洲黑蛮，南洋土人，其言文无分者，最有诗人美术家之资格矣。至于无所谓"活文学"，亦与足下前此言之。……文字者，世界上最守旧之物也。……足下乃视改革文字如是之易乎？……

觐庄这封信不但完全误解我的主张,并且说了一些没有道理的话,故我做了一首一千多字的白话游戏诗答他。这首诗虽是游戏诗,也有几段庄重的议论。如第二段说:

文字没有雅俗,却有死活可道。
古人叫做欲,今人叫做要;
古人叫做至,今人叫做到;
古人叫做溺,今人叫做尿;
本来同是一字,声音少许变了。
并无雅俗可言,何必纷纷胡闹。
至于古人叫字,今人叫号;古人悬梁,今人上吊;
古名虽未必不佳,今名又何尝不妙?
至于古人乘舆,今人坐轿;古人加冠束帻,今人但知戴帽;
若必叫帽作巾,叫轿作舆,岂非张冠李戴,认虎作豹?……

又如第五段说:

今我苦口哓舌,算来却是为何?
正要求今日的文学大家,
把那些活泼泼的白话,拿来锻炼,拿来琢磨,拿来作文、演说、作曲、作歌;
出几个白话的嚣俄,和几个白话的东坡;
那不是"活文学"是什么?
那不是"活文学"是什么?

这一段全是后来用白话作实地试验的意思。

这首白话游戏诗是五年七月二十二日做的,一半是朋友游戏,一半是有意试做白话诗。不料梅任两位都大不以为然。觐庄来信大骂我,他说:

读大作如儿时听莲花落,真所谓革尽古今中外人之命者,足下诚蒙健哉。盖今之西洋诗界,若足下之张革命旗者,亦数见不鲜。最著者有所谓 Futurism, Imagism, Free Verse, 及各种 decadent movements in Literature and in arts. 大约皆足下俗话诗之流亚。皆喜以"前无古人后无来者"自豪;皆喜诡立名字,号召徒众,以眩骇世人之耳目,而己则从中得名士头衔以去焉。……

信尾又有两段添入的话:

文章体裁不同。小说词曲固可用白话,诗文则不可。今之欧美狂澜横流,所谓"新潮流","新潮流"者,耳已闻之熟矣。诚望足下勿剽窃此种不值钱之新潮流以哄国人也。(十月二十四日)

这封信颇使我不心服,因为我主张的文学革命,只是就中国今日文学的现状立论,和欧美的文学新潮流并没有关系。有时借镜于西洋文学史,也不过举出三四百年前欧洲各国产生"国语的文学"的历史。因为中国今日国语文学的需要很像欧洲当日的情形,我们研究他们的成绩,也许使我们减少一点守旧性,增添一点勇气。觐庄硬派一个"剽窃此种不值钱之新潮流以哄国人"的罪名,我如何能心服呢？

叔永来信说：

> 足下此次试验之结果，乃完全失败是也。……要知白话自有白话用处（如作小说演说等），然不能用之于诗。如凡白话皆可为诗，则吾国之京调高腔何一非诗？……呜呼！适之吾人今日言文学革命，乃诚见今日文学有不可不改革之处，非特文言白话之争而已。吾尝默省吾国今日文学界，即以诗论，其老者，如郑苏盦、陈伯严辈，其人头脑已死，只可让其与古人同朽腐。其幼者，如南社一流人，淫滥委琐，亦去文学千里而遥。旷观国内，如吾侪欲以文学自命者，舍自倡一种高美芳洁之文学，更无吾侪厕身之地。以足下高才有为，何为舍大道不由，而必旁逸斜出，植美卉于荆棘之中哉？……唯以此（白话）作诗。则仆期期以为不可。……今且假令足下之文学革命成功，将令吾国作诗者皆高腔京调，而陶、谢、李、杜之流将永不复见于神州，则足下之功又何若哉？……（七月二十四夜）

觐庄说，"小说词曲固可用白话，诗文则不可"，叔永说"白话自有白话用处（如作小说演说等），然不能用之于诗"，这是我最不承认的。我答叔永信中说：

> ……白话入诗，古人用之者多矣。（此下举放翁诗及山谷、稼轩词为例。）……总之，白话之能不能作诗，此一问题全待吾辈解决。解决之法，不在乞怜古人；谓古之所无，今必不可有，而在吾辈实地试验。一次"完全失败"，何妨再来？若一次失败，便"期期以

为不可",此岂科学的精神所许乎!

这一段乃是我的"文学的实验主义"。我三年来所做的文学事业只不过是实行这个主义。

答叔永书很长,我且再抄一段:

……今且用足下之字句以述吾梦想中之文学革命曰:

(1)文学革命的手段:要令国中之陶、谢、李、杜敢用白话、京调、高腔作诗;要令国中之陶、谢、李、杜皆能用白话、京调、高腔作诗。

(2)文学革命的目的:要令白话、京调、高腔之中产出几许陶、谢、李、杜。

(3)今日决用不着"陶、谢、李、杜"的陶、谢、李、杜。若陶、谢、李、杜生于今日仍作陶、谢、李、杜当日之诗,则决不能更有当日的价值与影响。何也?时代不同也?

(4)吾辈生于今日,与其作不能行远不能普及的《五经》,两汉、六朝、八家文字,不如作家喻户晓的《水浒》《西游》文字。

与其作似陶似谢似李似杜的诗,不如作不似陶谢不似李杜的白话诗。与其作一个学这个学那个的郑苏盦、陈伯严,不如作一个实地试验,"旁逸斜出""舍大道而弗由"的胡适之。

……吾志决矣,吾自此以后,不更作文言诗词。……

…(七月二十六日)

这是第一次宣言不做文言诗词。过了几天,我再答叔永道:

……古人说,"工欲善其事,必先利其器"。文字者,文学之器也。我私心以为文言决不足为吾国将来文学之利器。施耐庵、曹雪芹诸人已实地证明作小说之利器在于白话。今尚需人实地试验白话是否可为韵文之利器耳。……我自信颇能用白话作散文,但尚未能用之于韵文,私心颇欲以数年之力,实地练习之。

倘数年之后,竟能用文言、白话作文作诗,无不随心所欲,岂非一大快事?我此时练习白话韵文,颇似新辟一文学殖民地。可惜须单身匹马而往,不能多得同志,结伴同行。然吾去志已决。公等假我数年之期。倘此新国尽是沙碛不毛之地,则我或终归老于"文言诗国"亦未可知。倘幸而有成,则辟除荆棘之后,当开放门户,迎公等同来莅止耳!"狂言人道臣当烹,我自不吐定不快。人言未足为重轻,足下定笑我狂耳。"……(八月四日)

这时我已开始作白话诗。诗还不曾做得几首,诗集的名字已定下了。那时我想起陆游有一句诗:"尝试成功自古无",我觉得这个意思恰和我的实验主义反对,故用"尝试"两字作我的白话诗集的名字,要看"尝试"究竟是否可以成功。那时我已打定主意,努力做白话诗的试验;心里只有一点痛苦,就是同志太少了,"须单身匹马而往",我平时所最敬爱的一班朋友都不肯和我同去探险。但是我若没有这一班朋友和我打笔墨官司,我也决不会有这样的尝试决心。庄子说得好:"彼出于是,是亦因彼。"我至今回想当时和那班朋友,一日一邮片,三日一长函的乐趣,觉得那真是人生最不容易有的幸福。我对于文学革命的一切见解,所以能结晶成一种有系统的主张,全都是同这一班朋友切磋讨论的结果。五年八月十九日,我写信答朱经农(经),中有一段说:

新文学之要点，约有八事：

（一）不用典，

（二）不用陈套语，

（三）不讲对仗，

（四）不避俗字俗话，

（五）须讲求文法。（以上为形式的一方面。）

（六）不作无病之呻吟，

（七）不摹仿古人，须语语有个我在，

（八）须言之有物。（以上为精神（内容）的一方面。）

这八条，后来成为一篇《文学改良刍议》。（《新青年》第二卷第五号，六年一月一日出版。）即此一端，便可见朋友讨论的益处了。

我的《尝试集》起于民国五年七月，到民国六年九月我到北京时，已成一小册子。这一年之中，白话诗的试验室里只有我一个人。因为没有积极的帮助，故这一年的诗，无论怎样大胆，终不能跳出旧诗的范围。

我初回国时，我的朋友钱玄同说我的诗词"未能脱尽文言窠臼"，又说"嫌太文了"。美洲的朋友嫌"太俗"的诗，北京的朋友嫌"太文"了！这话我初听了很觉得奇怪。后来平心一想，这话真是不错。我在美洲做的《尝试集》，实在不过是能勉强实行了《文学改良刍议》里面的八个条件；实在不过是一些刷洗过的旧诗！这些诗的缺点就是仍旧用五言七言的句法，句法太整齐了，就不合语言的自然，不能不有截长补短的毛病，不能不时时牺牲白话的字和白话的文法，来牵就五七言的句法。音节一层，也受很大的影响：第一，整齐划一的音节没有变化，实在无味；第二，没有自然的音节，不能跟着诗料随时变化。因此，我到北京以后所做的诗，认定一个主义：若要做真正的白话诗，若要充分采用白话的字，白话的文法和白话的自然音节，非做长短不一的白话诗不可。这种主张，可叫做"诗体的大解放"。诗体的大解放就是把从前一切束缚自由的枷锁镣铐，一切打破。有什么话，说什么话；话怎么说，就怎么说。这样方才可有真正白话诗，方才可以表现白话的文学可能性。

《尝试集》第二集中的诗虽不能处处做到这个理想的目的，但大致都想朝着这个目的做去。这是第二集和第一集的不同之处。

以上说《尝试集》发生的历史。现在且说我为什么赶紧印行这本白话诗集。我的第一个理由是因为这一年以来白话散文虽然传播得很快很远，但是大多数的人对于白话诗仍旧很怀疑，还有许多人不但怀疑，简直持反对的态度。因此，我觉得这个时候有一两种白话韵文的集子出来，也许可以引起一般人的注意，也许可以供赞成和反对的人作一种参考的材料。第二，我实地试验白话诗已经三年了，我很想把这三年试验的结果贡献给国内的文人，作为我的试验报告。我很盼望有人把我试验的结果，仔细研究一番，加上平心静气的批评，使我也可以知道这种试验究竟有没有成绩，用的试验方法，究竟有没有错误。第三，无论试验的成绩如何，我觉得我的《尝试集》至少有一件事可以贡献给大家的。这一件可贡献的事就是这本诗集所代表的"实验的精神"。我们这一班人的文学革命论所以同别人不同，全在这一点试验的态度。近来稍稍明白事理的人，都觉得中国文学有改革的必要。即如我的朋友任叔永他也说："呜呼！适之！吾人今日言文学革命，乃诚见今日文学有不可不改革之处，非特文言白话之争而已。"甚至于南社的柳亚子也要高谈文学革命。但是他们的文学革命论只提出一种空荡荡的目的，不能有一种具体进行的计划。他们都说文学革命决不是形式上的革命，决不是文言白话的问题。等到人问他们究竟他们所主张的革命"大道"是什么，他们可回答不出了。这种没有具体计划的革命无论是政治的（还）是文学的，决不能发生什么效果。我们认定文字是文学的基础，故文学革命的第一步就是文字问题的解决。我们认定"死文字决不能产生活文学"，故我们主张若要造一种活的文学，必须用白话来做文学的工具。我们也知道单有白话未必就能造出新文学；我们也知道新文学必须要有新思想做里子。但是我们认定文学革命须有先后的程序，先要做到文字体裁的大解放，方才可以用来做新思想新精神的运输品。我们认定白话实在有文学的可能，实在是新文学的唯一利器，但是国内大多数人都不肯承认这话——他们最不肯承认的就是白话可作韵文的唯一利器。我们对于这种怀疑，这种反对没有别的法子可以对付，只有一个法子，就是科学家的试验方法。

科学家遇着一个未经实地证明的理论，只可认他做一个假设。须等到实地试验之后，方才是试验的结果来批评那个假设的价值。我们主张白话可以做诗，因为未经大家承认，只可说是一个假设的理论。我们这三年来只是想把这个假设用来做种种实地试验——做五言诗，做七言诗，做严格的词，做极不整齐的长短句；做有韵诗，做无韵诗，做种种音节上的试验——要看白话是不是可以做好诗，要看白话诗是不是比文言诗要更好一点。这是我们这班白话诗人的"实验的精神"。我这本集子里的诗，不问诗的价值如何，总都可以代表这点实验的精神。

这两年来，北京有我的朋友沈尹默、刘半农、周豫才、周启明、傅斯年、俞平伯、康白情诸位，美国有陈衡哲女士，都努力作白话诗。

　　白话诗的试验室里的试验家渐渐多起来了。但是大多数的文人仍旧不敢轻易"尝试"。他们永不来尝试尝试，如何能判断白话诗的问题呢？耶稣说得好："收获是很多的，可惜做工的人太少了。"所以我大胆把这本《尝试集》刻出来，要想把这本集子所代表的"实验的精神"贡献给全国的文人，请他们大家都来尝试尝试。

　　我且引我的《尝试篇》作这篇长序的结论：

　　"尝试成功自古无"，放翁这话未必是。我今写下一转语，"自古成功在尝试！"……莫想小试便成功，哪有这样容易事！有时试到千百回，始知前功尽抛弃。即使如此已无愧，即此失败便足记。告人"此路不通行"可使脚力莫枉费。我生求师二十年，今得"尝试"两个字。作诗做事要如此，虽未能到颇有志。作"尝试"歌颂吾师，愿吾师寿千万岁！

（第六卷第五号，一九一九年五月）

儿童的文学

周作人

1920年10月26日在北京孔德学校所讲

今天所讲儿童的文学，换一句话便是"小学校里的文学"。美国的斯喀特尔（H. E. Scudder）麦克林托克（P. L. Maclintock）诸人都有这样名称的书，说明文学在小学教育上的价值，他们以为儿童应该读文学的作品，不可单读那些商人杜撰的读本。读了读本，虽然说是识字了，却不能读书，因为没有读书的趣味。这话原是不错，我也想用同一的标题，但是怕要误会，以为是主张叫小学儿童读高深的文学作品，所以改作今称，表明这所谓文学，是单指"儿童的"文学。

以前的人对于儿童多不能正当理解，不是将他当作缩小的成人，拿"圣经贤传"尽量的灌下去，便将他看作不完全的小人，说小孩懂得什么，一笔抹杀，不去理他。近来才知道儿童在生理上，虽然和大人有点不同，但他仍是完全的个人，有他自己的内外两面的生活。儿童期的二十几年的生活，一面固然是成人生活的预备，但一面也自有独立的意义与价值；因为全生活只是一个生长，我们不能指定那一截的时期，是真正的生活。我以为顺应自然的生活各期——生长,成熟,老死,都是真正的生活。所以我们对于误认儿童为缩小的成人的教法,固然完全反对,就是那不承认儿童的独立生活的意见,我们也不以为然。那全然蔑视的不必说了,在诗歌里鼓吹合群,在故事里提倡爱国,专为将来设想,不顾现在儿童生活的需要的办法,也不免浪费了儿童的时间,缺损了儿童的生活——即生命。我想儿童教育,是应当依了他内外两面的生活的需要,恰如其分的供给他,使他生活满足丰富,至于因了这供给的材料与方法而发生的效果,那是当然有的副产物,不必是供给时的唯一目的物。换一句话说,因为儿童生活上有文学的需要,我们供给他,便利用这机会去得一种效果——于儿童将来生活上有益的一种思想或习性,当作副产物,并不因为要得这效果,便不管儿童的需要如何,供给一种食料,强迫他吞下去。所以小学校里的文学的教材与教授,第一须注意于"儿童的"这一点,其次才是效果,如读书的趣味,智情与想象的修养等。

儿童生活上何以有文学的需要?这个问题,只要看文学的起源的情形,便可以明白。儿童哪里有自己的文学?这个问题,只要看原始社会的文学的情形,便可以明白。照进化说讲来,人类的个体发生原来和系统发生的程序相同:胚胎时代经过生物进化的历程,儿童时代又经过文明发达的历程;所以儿童学(Paidologie)上的许多事项,可以借了人类学(Anthropologie)上的事项来作说明。文学的起源,本由于原人的对于自然的畏惧的好奇,凭了想象,构成一种感情思想,借了言语行动表现出来,总称是歌舞,分起来是歌,赋予戏曲小说。儿童的精神生活本与原人相似,他的文学是儿歌童话,内容形式不但多与原人的文学相同,而且有许多还是原始社会的遗物,常含有野蛮或荒唐的思想。儿童与原人的比较,儿童的文学与原始的文学的比较，现在已有定论，可以不必多说；我们所要注意的，只是在于怎样能够适当的将"儿童的"文学供给予儿童。

近来有许多人对于儿童的文学，不免怀疑，因为他们觉得儿歌童话里多有荒唐乖谬的思想，恐于儿童有害。这个疑惧本也不为无理，但我们有这两种根据，可以解释它。

第一，我们承认儿童有独立的生活，就是说他们内面的生活与大人不同，我们应当客观理解他们，并加以相当的尊重。婴儿不会吃饭，只能给他乳吃；不会走路，只好抱他，这是大家都知道的。精神上的情形，也正同这个一样。儿童没有一个不是拜物教的，他相信草木能思想，猫狗能说话，正是当然的事；我们要纠正他，说草木是植物猫狗是动物，不会思想或说话，这事不但没有什么益处，反是有害的，因为这样使他们的生活受了伤了。即使不说儿童的权利那些话，但不自然的阻遏了儿童的想象力，也就所失很大了。

第二，我们又知道儿童的生活，是转变的生长的。因为这一层，所以我们可以放胆供给儿童需要的歌谣故事，不必愁他有什么坏的影响，但因此我们又更须细心斟酌，不要使他停滞，脱了正当的轨道。譬如婴儿生了牙齿可以吃饭，脚力强了可以走路了，却还是哺乳提抱，便将使他的胃肠与脚的筋肉反变衰弱了。儿童相信猫狗能说话的时候，我们便同他们讲猫狗说话的故事，不但要使得他们喜悦，也因为知道这过程是跳不过的——然而又自然的会推移过去的，所以相当的对付了，等到儿童要知道猫狗是什么东西的时候到来，我们再可以将生物学的知识供给他们。倘若不问儿童生活的转变如何，只是始终同他们讲猫狗说话的事，那时这些荒唐乖谬的弊害才真要出来了。

据麦克林托克说，儿童的想象如被迫压，他将失了一切的兴味，变成枯燥的唯物的人；但如被放纵，又将变成梦想家，他的心力都不中用了。所以小学校里的正当的文学教育，有这样三种作用：(1)顺应满足儿童之本能的兴趣与趣味，(2)培养并指导那些趣味，(3)唤起以前没有的新的兴趣与趣味。这(1)便是我们所说的供给儿童文学的本意，(2)与(3)是利用这机会去得一种效果。但怎样才能恰当的办到呢？依据儿童心理发达的程序与文学批评的标准，于教材选择与教授方法上，加以注意，当然可以得到若干效果。教授方法的话可以不必多说了，现在只就教材选择上，略略说明以备参考。

儿童学上的分期，大约分作四期，一婴儿期（一至三岁），二幼儿期（三至十岁），三少年期（十至十五岁），四青年期（十五至二十岁）。我们现在所说的是学校里一年至六年的儿童，便是幼儿期及少年期的前半，至于七年以上所谓中学程度的儿童，这回不暇说及，当俟另外有机会再讲了。

幼儿期普通又分作前后两期，三至六岁为前期，又称幼稚园时期，六至十岁为后期，又称初等小学时期。前期的儿童，心理的发达上最旺盛的是感觉作用，其他感情意志的发动也多以感觉为本，带着冲动的性质。这时期的想象，也只是所动的，就联想的及模仿的两种，对于现实与虚幻，差不多没有什么区别。到了后期，观察与记忆作用逐渐发达，得了各种现实的经验，想象作用也就受了限制，须与现实不相冲突，才能容纳；若表现上面，也变了主动的，就是所谓构成的想象了。少年期的前半大抵也是这样，不过自我意识更为发达，关于社会道德等的观念，也渐明白了。

约略根据了这个程序，我们将各期的儿童的文学分配起来，大略如下——

幼儿前期

（1）诗歌。这时期的诗歌，第一要注意的是声调。最好是用现有的儿歌，如北京的"水牛儿""小耗子"都可以用，就是那趁韵而成的如"忽听门外人咬狗"，咒语一般的决择歌如"狸狸斑斑"，只要音节有趣，也是一样可用的。因为幼儿唱歌只为好听，内容意义不甚紧要，但是粗俗的歌词也应该排斥，所以选择诗歌不必积极的罗致名著，只须消极加以别择便好了。古今诗里有适宜的，当然可用；但特别新做的儿歌，我反不大赞成，因为这是极难的，难得成功的。

（2）寓言。寓言实在只是童话的一种，不过略为简短，又多含着教训的意思，普通就称作寓言。在幼儿教育上，他的价值单在故事的内容，教训实是可有可无；倘这意义是自明的。儿童自己能够理会，原也很好，如借此去教修身的大道理，便不免谬了。这不但因为在这时期教了不能了解，且恐要养成曲解的癖，于将来颇有弊病。象征的著作须得在少年期的后期（第六七学年）去读，才有益处。

（3）童话。童话也最好利用原有的材料，但现在的尚未有人收集，古书里的须待修订，没有恰好的童话集可用。翻译别国的东西，也是一法，只须稍加审择便好。本来在童话里，保存着原始的野蛮的思想制度，比别处更多。虽然我们说过儿童是小野蛮，喜欢荒唐乖谬的故事，本是当然，但有几种也不能不注意：就是凡过于悲哀，苦痛，残酷的，不宜采用。神怪的事只要不过恐怖的限度，总还无妨；因为将来理智发达，儿童自然会不再相信这些，若是过于悲哀或痛苦，便永远在脑里留下一个印象，不会消灭，于后来思想上很有影响；至于残酷的害，更不用说了。

幼儿后期

　　（1）诗歌。这期间的诗歌，不只是形式重要，内容也很重要了；读了固然要好听，还要有意思，有趣味。儿歌也可应用，前期读过的还可以重读，前回听它的音，现在认他的文字与意义，别有一种兴趣。文学的作品倘有可采用的，极为适宜，但恐不很多。如选取新诗，须择叶韵而声调和谐的；但有词调小曲调的不取，抽象描写或讲道理的也不取。儿童是最能创造而又最是保守的；他们所喜欢的诗歌，恐怕还是五七言以前的声调，所以普通的诗难得受他们的赏鉴；将来的新诗人能够超越时代，重新寻到自然的音节，那时真正的新的儿歌才能出现。

　　（2）童话。小学的初年还可以用普通的童话，但是以后儿童辨别力渐强，对于现实与虚幻已经分出界限，所以童话里的想象也不可太与现实分离；丹麦（Hans C. Andersen）安徒生作的童话集里，有许多适用的材料。传说也可以应用，但应当注意，不可过量的鼓动崇拜英雄的心思，或助长粗暴残酷的行为。中国小说里的《西游记》讲神怪的事，却与《封神传》不同，也算纯朴率真，有几节可以当童话用。《今古奇观》等书里边，也有可取的地方，不过须加以修订才能适用罢了。

　　（3）天然故事。这是寓言的一个变相；以前读寓言是为它的故事，现在却是为它所讲的动物生活。儿童在这时期，好奇心很是旺盛，又对于牧畜及园艺极热心，所以给他读这些故事，随后引到记述天然的著作，便很容易了。但中国这类著作非常缺少，不得不取材于译书,如《万物一览》等书了。

少年期

(1)诗歌。浅近的文言可以应用,如唐代的乐府及古诗里多有好的材料;中国缺少叙事的民歌(Ballad),只有《孔雀东南飞》等几篇可以算得佳作,《木兰行》便不大适用。这时期的儿童对于普通的儿歌,大抵已经没有什么趣味了。

(2)传说。传说与童话相似,只是所记的是有名英雄,虽然也含有空想的分子,比较的近于现实。在自我意识,团体精神渐渐发达的时期,这类故事,颇为合宜;但容易引起不适当的英雄崇拜与爱国心,亟须注意,最好采用各国的材料,使儿童知道人性里共通的地方,可以免去许多偏见。奇异而有趣味的,或真切而合于人情的,都可采用;但讲明太祖,拿破仑等的故事,还以不用为宜。

(3)写实的故事。这与现代的写实小说不同,单指多含现实分子的故事,如欧洲的《鲁滨逊》(Robinson Crusoe)或《唐吉·诃德》(Don Quixote)而言。中国的所谓社会小说里,也有可取的地方,如《儒林外史》及《老残游记》之类,纪事叙景都可,只不要有玩世的口气,也不可有夸张或感伤的"杂剧的"气味。《官场现形记》与《广陵潮》没有什么可取,便因为这个缘故。

(4)寓言。这时期的教寓言,可以注重在意义,助成儿童理智的发达。希腊及此外欧洲寓言作家的作品,都可选用;中国古文及佛经里也有许多很好的譬喻。但寓言的教训,多是从经验出来,不是凭理论的,所以尽有顽固或悖谬的话,用时应当注意;又篇末大抵附有训语,可以删去,让儿童自己去想,指定了反妨害他们的活动了。滑稽故事此时也可以用，童话里本有这一部类，不过用在此刻也偏重意义罢了。古书如《韩非子》等的里边，颇有可用的材料，大都是属于理智的滑稽，就是所谓机智。感情的滑稽实例很少；世俗大多数的滑稽都是感觉的，没有文学的价值了。

（5）戏曲。儿童的游戏中本含有戏曲的原质，现在不过伸张综合了，适应他们的需要。在这里边，他们能够发扬模仿的及构成的想象作用，得到团体游戏的快乐。这虽然是指实演而言，但诵读也别有兴趣；不过这类著作，中国一点都没有，还须等人去研究创作：能将所读的传说去戏剧化，原是最好，却又极难，所以也只好先从翻译入手了。

以上约略就儿童的各期，分配应用的文学种类，还只是理论上的空谈，须经过实验，才能确实的编成一个详表。以前所说多偏重"儿童的"，但关于"文学的"这一层，也不可将它看轻；因为儿童所需要的是文学，并不是商人杜撰的各种文章，所以选用的时候还应当注意文学的价值。所谓文学的，却也并非要引了文学批评的条例，细细的推敲，只是说须有文学趣味罢了。文章单纯，明了，匀整；思想真实，普遍，这条件便已完备了。麦克林托克说，小学校里的文学有两种重要的作用，（1）表现具体的影象，（2）造成组织的全体。文学之所以能培养指导及唤起儿童的新的兴趣与趣味，大抵当于这个作用：所以这两条件，差不多就可以用作儿童文学的艺术上的标准了。

中国向来对于儿童，没有正当的理解，又因为偏重文学，所以在文学中可以供儿童之用的，实在绝无仅有；但是民间口头流传的也还不少，古书中也有可用的材料，不过没有人采集或修订了，拿来应用。坊间有几种唱歌和童话，却多是不合条件，不适于用。我希望有热心的人，结合一个小团体，起手研究、逐渐收集各地歌谣故事，修订古书里的材料，翻译外国的著作，编成几部书，供家庭学校的用，一面又编成儿童用的小册，用了优美的装帧，刊印出去，于儿童教育当有许多的功效。我以前因为汉字困难，怕这事不大容易成功，现在有了注音字母，可以不必多愁了。但插画一事，仍是为难。现今中国画报上的插画，几乎没有一张过得去的，要寻能够为儿童书作插画的，自然更不易得了，这真是一件可惜的事。

（第八卷第四号，一九二〇年十二月一日）

做诗的一点经验

俞平伯

从七年春天我尝试用白话做诗,同小孩学走路一样,语法调子都很招笑的。那时候新诗正在萌芽,不但没有法则也没有很多的模范,所以我不知道什么做诗应守的戒律,但我很感谢欣幸这个机会,使我能离开一切拘牵,赤裸显出诗中的自我。

后来继续做《冬夜之公园春水船》在《新潮》登载。以人家的批评看来艺术或稍稍进步些,但这几首诗都染上很浓厚的旧空气。且作风太偏于纯粹写景一面,也不是新诗正当倾向,所以我后来很懊悔把未成熟的作品胡乱径行发表。

我很信好诗是没有物和我的分别的,是主观客观联合在笔下的。惭愧我没有这般的天才,只有心向着路上去学步,即以最近所做的而论,其中或还不免有旧诗词的作风。这足流露于不自觉的,我承认我自己的无力。

我在这篇文字里,要声明一点重要的观念。就是好诗没有是"天籁"的。天籁是什么?简单说来,即适之先生在《建设的文学革命论》上所谓"有什么话说什么话"。但这个旧信条,我以为到现在还有从新解释的必要,而且要严密的解释。

凡做诗的动机大都是一种情感(Feeling)或是一种情绪

（emotion），智慧思想，似乎不重要。我们从心理学上，晓得这种心灵过程是强烈的，冲动的，一瞬的。若加以清切的注意或反省，或杂以外来的欲望，便把动机的本身消灭了。所以要做诗，只须顺着动机，很热速自然地把它写出来，万不可使从知识或习惯上得来的"主义""成见"，占据我们的这识中心。

我想凡世界上天才的"作者"——后人说他是成什么派别——自己绝没有先知一种分别；决不先想到什么"写实主义""象征主义""艺术的艺术""人生的艺术"这类观念；更没想到"自成一家""传名久远"这类世俗可笑的见解。他们只是"兴到疾书"无所为的自扰，既不及管诗的"工拙"更无所谓社会上的"毁誉"。至于作品家竟如何如何，自有读者去批评；什么主义派别，自有后人编文学史的为他们分类。实在他们自己，只不过一个真率的小孩子，一个酸迨迨的书呆子罢了。授罗古勃 Solsgnt 说："情动于中，吾遂以诗表之，吾于诗中，已尽言当时所欲言；且复勉求适切之辞，俾与吾之情绪相调和"（见《点滴》上卷 117 页）这真是诗人的自白。即修辞的作用，亦无非想真实详细表出他自己的情绪，与世间的毁誉丝毫无干。我们要做诗，须得具诗人的纯洁态度；这是根本上一个先决问题。

做诗原只是做得，不该把做诗当作求他欲望的手段。诗的兴趣即在本身，不可从本身以外求趣味。若是一个学诗的人问，"做了诗，为什么？怎么样？"这是把功利的臭味，来玷污诗神，我们应该请他出诗人的范围。若是有人问，"诗要怎样做？"也大都也是诗的门外汉，因为他自己带上桎梏。我可以回答，"你要怎样做，就怎样做，我都不会告诉你"。

盛兴来了，我们不得不写下来；若不来呢，虽要写也写不出，即写出来的也不是诗。随盛兴来的诗，未必定是好的，却还不失诗的精神。听它的自然来去，不加一些有这的做作；已是我深信的一条最有效的做诗方法。我的主张，是诗的解放，第一步要解放做诗的动机。

诗有什么调子句法，我不是瞎说，从来没理会到这个。人家都说，新诗的律是件难事，因为没有固定的规则。我的意见都和他们相反。我以为诗律既不难，而且有很精严的规则——自然的规则——存在，但是我们却不要管它，不要有意的遵守它。只趁着"兴会"做我们的诗，它自会如形影的来符合我们。换句话说，人的盛兴和谐律的盛兴是相伴着而同源的，我们不愁有好诗而没有好的调子呵。

调子既不是固定的，又不是先有调子而后做诗的；所以我做诗的经验——对于修饰调子的经验——只是读在嘴里听在耳里，改到无可改为止。若再问我，"这首诗调子是怎样安排的？"我只有请他把原诗读一遍，因为以外我不知什么，实在也没有什么！

至于怎样才能解放做诗的动机？这关于人格的修养，是另外一个问题，不在此论范围以内。我所要说的，不过如此。读者或者觉得这些议论太深渺不着边际，但我总真实表现不可忽略的事实；况且这篇所讲的，并非教人怎样做诗，不过简短自述过去的经验。

民国九年十一月五日，作于杭州城头巷

（第八卷第四号，一九二〇年十二月一日）

文学上的俄国与中国

周作人

1920年11月在北京师范学校及协和医学校所讲

今天讲的这个题目,看去似太广大,不是我的力量所能及。我的本意,只是想说明俄国文学的背景有许多与中国相似,所以他的文学发达情形与思想的内容在中国也最可以注意研究。本来人类的思想是共通的,分不出什么远近轻重,但遗传与环境的影响也是事实,大同之中便不免有小异,一时代一民族的文学都有他们特殊的色彩,就是这个缘故。俄国在十九世纪,同别国一样的受着欧洲文艺思想的潮流,只因有特别的背景在那里,自然的造成了一种无派别的人生的文学。但我们要注意,这并不是将"特别国情"做权衡来容纳新思想,乃是将新思潮来批判这特别国情,来表现或是解释他,所以这结果是一种独创的文学,富有俄国特殊的色彩,而其精神却仍与欧洲现代的文学一致。

俄国的文学,在十八世纪方才发生。以前有很丰富的歌谣弹词,但只是民间口头传说,不曾见诸文字。大彼得改革字母以后,国语正式成立,洛摩诺梭夫(Lomonosov)、苏玛洛科夫(Sumarokov)等诗人出来,模仿德法的古典派的作品。到加德林二世的时候,俄国运动改造的学会逐渐发生,凯阑仁(Karamzin)等感伤派的小说,也加入农奴问题的讨论了。十九世纪中间，欧洲文艺经过了传奇派与写实派两种变化，拜伦（Byron）与莫泊桑（Maupassant）可以算是两边的代表。但俄国这一百年间的文学，却是一贯的，只有各期的社会情状反映在思想里，使他略现出差别来，并不成为派别上的问题。十九世纪的俄国正是光明与黑暗冲突的时期，改革与反动交互的进行，直到罗马诺夫朝的颠覆为止。在这时期里，一切的新思想映在这样的背景上，自然的都染着同样的彩色：譬如传奇时代拜伦的自由与反抗的呼声，固然很是适合，个人的不平却变成义愤了；写实时代莫泊桑的科学的描写法，也很适于表现人生的实相，但那绝对客观的冷淡反变为生观的解释了。俄国近代的文学，可以称作理想的写实派的文学；文学的本领原来在于表现及解释人生，在这一点上俄国的文学可以不愧称为真的文学了。

这一世纪里的文学，可以依了政治的变迁分作四个时期。第一期自一八〇一至四八年，可以称作黎明期。一八二五年十二月党失败以后，不免发生一种反动，少年的人虽有才力，在政治及社会上没有活动的地方，又因农奴制度的影响，经济上也不必劳心，便养成一种放恣为我的人，普希金（Pushkin）的《阿涅庚》（Evgeni Oniegin）来尔孟多夫（Lermontov）的《现代的英雄》里的沛曲林（Petshorin），就是这一流人的代表，也是社会的恶的具体化。一方面官僚政治的积病与斯拉夫人的惰性，也在果戈里（Gogol）的著作里暴露出来。

一八四八年欧洲革命又起，俄国政府起了恐慌，厉行专制，至尼古拉一世死的那一年（一八五五）止，这是第二期，称作反动期。尼古拉一世时代的书报检查，本是有名严厉的，到了此刻却更加了一倍，又兴了许多文字狱，一八四九年的彼得拉绥夫斯奇（Petrashevski)党人案件最是有名，他们所主张的解放农奴，改良裁判法，宽缓检查这三条件，后来亚历山大维新的时候都实行了，在这时代却说他是扰乱治安，定了重刑。这八年间，文学上差不多没有什么成绩。一八五五至一八八一年是亚历山大二世在位的时代，政治较为开明，所以文学上是发达期，这是第三期。其中又可以分作三段，第一段自一八五五至一八六一年，思想言论比较的可以自由了，但是遗传的情性与迫压的余力，还是存在，所以有理想而不能实行，屠戈涅夫（Turgenev）的《路丁》（*Dmitri Rudin*）冈伽洛夫（Gontsharov）的《阿勃洛摩夫》（*Oblomov*），都是写这个情形的。自一八六一至一八七〇年顷是第二段，唯心论已为唯物论所压倒，理想的社会主义之后也变为科学的社会主义了，所谓虚无主义就在此时发生，屠戈涅夫的《父与子》里的巴察洛夫（Bazarov）可以算是这派的一个代表。虚无主义实在只是科学的态度，对于无征不信的世俗的宗教法律道德虽然一律不承认，但科学与合于科学的试验的一切，仍是承认的，这不但并非世俗所谓虚无党，据克鲁泡特金说：世间本无这样的一件东西。而且也与东方讲虚无的不同。陀思妥夫斯奇（Dostojevski）做的《罪与罚》，本想攻击这派思想，目的未能达到，却在别方面上成了一部伟大的书。第三段自一八七〇至一八八一年，在社会改造上，多数的知识阶级觉得自上而下的运动终是事倍功半的，于是起了"往民间去"（V Narod）的运动，在文学上民情派（Narodnitshestvo）的势力也便发展起来。以前描写农民生活的文学，多写他们的悲哀痛苦，证明农奴也有人性，引起人的同情；到六一年农奴解放以后，这类著作可以无需了。于是转去描写他们全体的生活，因为这时候觉得俄国改造的希望全在农民身上，所以十分尊重，但因此不免有过于理想化的地方。同时利他主义的著作也很是发达,陀思妥夫斯奇,托尔斯泰(Tolstoi)、伽尔洵(Garshin)、科罗连珂(Korolenko)、邬斯本斯奇(Uspenski)等,都是这时候的文人。亚历山大二世的有始无终的改革终于不能满足国民的希望遂有一八八一年的暗杀;亚力山大三世即位,听了坡毕陀诺斯垂夫(Pobiedonostsev)的政策,极力迫压,直到革命成功为止,是俄国文学的第四期,可以称作第二反动期。这时候的"灰色的人生",可以在契诃夫(Tshekhov)与安特来夫(Andrejev)的著作中间历历的看出。一九〇五年革命失败,国民的暴弃与绝望一时并发,阿尔支拔绥夫(Artsybashev)的《沙宁》(Sanin)便是这样的一个人;这正是时代的产物,并非由于安特来夫的写实主义过于颓丧的缘故,便是安特来夫的颓丧也是时代的反映,不是什么主义能够将他养成的。但一方面也仍有希望未来的人,契诃夫晚年的戏曲很有这样倾向;库普林(Kuprin)以写实著名,却也并重理想,他的重要著作如《生命的河》及《决斗》等都是这样。戈里奇(Gorki)出身民间,是民情派的大家,但观察更为真实,他的反抗的声调,在这黑暗时期里可算是一道引路的火光。最近的革命诗人洛普洵(Ropshin)在灰色马里写出一个英雄,一半是死之天使,一半还是有热的心肝的人,差不多已经表示革命的洪水到来了。

　　以上将俄国近代文学的情形约略一说,我们可以看出他的特色,是社会的,人生的。俄国的文艺批评家自别林斯奇(Bielinski)以至托尔斯泰,多是主张人生的艺术,固自很有关系,即使他们的主张能够发生效力,还由于俄国社会的特别情形,供给他一个适当的背景。这便是俄国特殊的宗教政治与制度。基督教、君主专制、阶级制度,当时的欧洲各国大抵也是如此。但俄国的要更进一层,希腊正教,东方式的君主,农奴制度,这是与别国不同的了。而且十九世纪后半，西欧各国都渐渐改造；有民主的倾向了，俄国却正在反动剧烈的时候；有这一个社会的大问题不解决，其余的事都无从说起，文艺思想之所以集中于这一点的缘故也就在此。在这一件事实上，中国的创造或研究新文学的人，可以得到一个大的教训。中国的特别国情与西欧稍异，与俄国却多相同的地方，所以我们相信中国将来的新兴文学当然的又自然的也是社会的，人生的文学。

　　就表面上看来，我们固然可以速断一句，说中俄两国的文学有共通的趋势，但因了这特别国情而发生的国民的精神，很有点不同，所以这其间便要有许多差异。第一宗教上，俄国的希腊正教虽然迫压思想很有害处，但那原始的基督教思想确也因此传布的很广，成为人道主义思想的一部分的根本。中国不曾得到同样的益处，儒道两派里的略好的思想，都不曾存活在国民的心里。第二政治上，俄国是阶级政治，有权者多是贵族，劳农都是被治的阶级，景况固然困苦，但因此思想也就免于统一的官僚化。中国早已没有固定的阶级，又自科举行了以后，平民都有接近政权的机会，农夫的儿子固然可以一旦飞腾，位至卿相，可是官僚思想也非常普及了。第三地势上，俄国是大陆的，人民也自然的有一种博大的精神，虽然看去也有像缓慢麻木的地方，但是那大平原一般的茫漠无际的气象，确是可以尊重的。第二种大陆的精神的特色，是"世界的"。俄国从前以侵略著名，但是非战的文学之多，还要推他为第一。所谓兽性的爱国主义，在俄国是极少数；那斯拉夫派的主张复古，虽然太过，所说俄国文化不以征服为基础，却是很真实的，第三种，气候的剧变，也是大陆的特色，所以俄国的思想又是极端的。有人批评托尔斯泰，说他好像是一只鹰，眼力很强，发现了一件东西，便一直奔去，再不回顾了。这个譬喻颇能说明俄国思想的特色，无抵抗主义与恐怖手段会在同时流行的缘故，也是为此。中国也是大陆的国，却颇缺少这些精神，文学及社会的思想上，多讲非战，少说爱国，是确实的；但一面不能说没有排外的思想存在。妥协，调和，又是中国处世的态度，没有什么急剧的改变能够发生。只是那博大的精神，或者未必全然没有。第四生活上，俄国人所过的是困苦的生活，所以文学里自民歌以至诗文都含着一种阴暗悲哀的气味。但这个结果并不使他们养成憎恶怨恨或降服的心思，却只培养成了对于人类的爱与同情。他们也并非没有反抗，但这反抗也正由于爱与同情，并不是因为个人的不平。俄国的文人都爱那些"被侮辱与损害的人"，因为——如安特来夫所说——"我们都是一样的不幸"，陀思妥夫斯奇、托尔斯泰、伽尔洵、科罗连珂、戈里奇、安特来夫都是如此，便是阿尔支拔绥夫与厌世的梭罗古勃（Sologub）也不能说是例外。俄国人的生活与文学差不多是合二为一，有一种崇高的悲剧的气象，令人想起希腊的普罗米修斯（Prometheus）与耶稣的故事。中国的生活的苦痛，在文艺上只引起两种影响：一是赏玩，一是怨恨。喜欢表现残酷的情景那种病理的倾向，在被迫害的国如俄国、波澜的文学中，原来也是常有的事；但中国的多是一种玩世的（Cynical）态度，这是民族衰老，习于苦痛的征候，怨恨本不能绝对的说是不好，但概括的怨恨实在与文学的根本有冲突的地方。英国幅勒忒（Follett）说，"艺术之所以可贵，因为他是一切骄傲偏见憎恨的否定，因为他是社会化的"。俄国文人努力在湿漉漉的抹布中间，寻出他的永久的人性：中国容易一笔抹杀，将兵或官僚认作特殊的族类，这样的夸张的类型描写，固然很受旧剧旧小说的影响，但一方面也是由于思想狭隘与专制的缘故。第五，俄国文学上还有一种特色，便是富于自己谴责的精神。法国罗兰在《超出战争之上》这部书里，评论大日耳曼主义与俄国札尔主义的优劣，说还是俄国较好，因为他有许多文人攻击本国的坏处，不像德国的强辩。自克利米亚战争以来，反映在文学里的战争，几乎没有一次可以说是义战。描写国内社会情状的，其目的也不单在陈列丑恶，多含有忏悔的性质，在息契特林（Shtshedrin – Saltykov）托尔斯泰的著作中，这个特色很是明显。在中国这自己谴责的精神，似乎极为缺乏：写社会的黑暗，好像攻讦别人的阴私；说自己的过去，又似乎炫耀好汉的行径了。这个缘因大抵由于旧文人的习气，以轻薄放诞为风流，流传至今没有改去，便变成这样的情形了。

　　以上关于中俄两国情形的比较，或者有人觉得其间说得太有高下，但这也是当然的事实。第一，中国还没有新兴文学，我们所看见的大抵是旧文学，其中的思想自然也多有乖谬的地方，要同俄国的新文学去比较，原是不可能的；这是一种的辩解。但第二层，我们要知道这些旧思想怎样的会流传，而且还生存着。造成这旧思想的原因等等，都在过去，我们可以不必说了。但在现代何以还生存着呢？我想这是因为国民已经老了，他的背上压有几千年历史的重担，这是与俄国的不同的第一要点。俄国好像是一个穷苦的少年，他所经过的许多患难，反养成他的坚忍与奋斗，与对于光明的希望。中国是一个落魄的老人，他一生里饱受了人世的艰辛，到后来更没有能够享受幸福的精力余留在他的身内，于是他不复相信也不情愿将来会有幸福到来；而且觉得从前的苦痛还是他真实的唯一的所有，反比别的更可爱了。老的民族与老人，一样的不能逃这自然的例。中国新兴文学的前途，因此不免渺茫。……但我们总还是老民族里的少年，我们还可以用个人的生力结聚起来反抗民族的气运。因为系统上的生命虽然老了，个体上的生命还是新的，只要能够设法增长他新的生力，未必没有再造的希望。我们看世界古国如印度希腊等，都能有老树的根株上长出新芽来，是一件可以乐观的事。他们的文艺复兴，大都由于新思想的激动，只看那些有名的作家多是受过新教育或留学外国的，便可知道。中国与他们正是事同一律，我们如能够容纳新思想，来表现及解释特别国情，也可望新文学的发生，还可由艺术界而影响于实生活。只是第一要注意，我们对于特别的背景，是奈何他不得，并不是侥幸有这样背景，以为可望生出俄国一样的文学。社会的背景反映在文学里面，因这文学的影响又同时使这背景逐渐变化过去，这是我们所以尊重文学的缘故。倘使将特别国情看作国粹，想用文学来赞美或保存他，那是老人怀旧的态度，只可当作民族的挽歌罢了。

（第八卷第五号，一九二一年一月一日）

文学研究会宣言

我们发起这个会，有三种意思，要请大家注意。

一、是联络感情。本来各种会章里大抵都有这一项；但在现今文学界里，更有特别注重的必要。中国向来有"文人相轻"的风气；因此现在不但新旧两派不能协和，便是治新文学的人里面，也恐因了国别派别的主张，难免将来不生界限。所以我们发起本会，希望大家时常聚会，交换意见，可以互相理解，结成一个文学中心的团体。

二、是增进知识。研究一种学问，本不是一个人关了门可以成功的；至于中国的文学研究，在此刻正是开端，更非互相辅助，不容易发达。整理旧文学的人，也需应用新的方法，研究新文学的更是专靠外国的资料；但是一个人的见闻及经济力总是有限，而且此刻在中国要搜集外国的书籍，更不是容易的事。所以我们发起本会，希望渐渐造成一个公共的图书馆研究室及出版部，助成个人及国民文学的进步。

三、是建立著作工会的基础。将文艺当做高兴时的游戏或失意时的消遣的时候，现在已经过去了。我们相信文学是一种工作，而且又是与人生很切要的一种工作；治文学的人也当以这事为他终身的事业，正同劳农一样。所以我们发起本会，希望不但成为普通的一个文学会,还是著作同业的联合的基本,谋文学工作的发达与坚固;这虽然是将来的事,但也是我们的一个重要的希望。

因以上的三个理由,我们所以发起本会,希望同志的人们赞成我们的意思,加入本会,赐以教诲,共策进行,幸甚。

文学研究会简章

第一条　本会定名为文学研究会;

第二条　本会以研究介绍世界文学整理中国旧文学创造新文学为宗旨;

第三条　凡赞成本会宗旨有会员两人以上介绍经多数会员之承认者得为本会会员;

第四条　本会之事业分为下列两种。

(甲)研究（一)组织读书会,(二)设立通信图书馆;

(乙)出版（一)刊行会报,(二)编辑丛书,其他事业临时酌定举行;

第五条　本会每月开常会一次以讨论会务进行之办法如有特别事故得临时召集特别会;

读书会集会之办法另定之。

第六条　本会设书记干事各一人任期皆为一年于每年十二月前后选举之;

会址所在地外之会员得以通信选举职员但为办事便利起见被选人以与会址在同一地点者为限。

第七条　本会的费用由会员全体分担之其募集方法分为两种:

(甲)常年费　其款额为两元;

（乙）临时费　无定额临时募集之。

第八条　本会为稳固基础并创办图书馆起见拟筹募基金若干元，

其募集方法有二：

（甲）募集会员或非会员的特别捐；

（乙）由本会出版的书报所得的版税中抽取百分之十，此项基金存放于指定的银行中除购买图书或特别用款外不得取用。

第九条　本会会址设于北京其京外各地有会员五人以上者得设一分会，

分会办事细则由分会会员自定之。

第十条　本简章有未尽事宜得随时修正之。

发起人　周作人　朱希祖　耿济之　郑振铎
　　　　瞿世英　王统照　沈雁冰　蒋百里
　　　　叶绍钧　郭绍虞　孙伏园　许地山

附告：

凡赞成本会宗旨，愿加入本会者，请照简章，与下列诸人接洽，俟后择期开成立会时，商量章程，临时再行布告。

（第八卷第五号，一九二一年一月一日）

文章的美质

(在上海女子体育师范学校所讲)

陈望道

文章的美质,我们可以将它分为三。第一要人家看了就明白,第二要人家看了会感动,第三要人家看着有兴趣。第一是关于知识的,所以有人把它叫做"知识的美质";第二是关于感情的,所以有人把它叫做"感情的美质";第三是关于人的嗜好的,所以有人把它叫做"审美的美质"。知识的美质是"明晰",感情的美质是"遒劲",审美的美质是"流利"。

一、明了(Clearness)

要文章明晰,必须具备下列两节条件:

第一是周到(Precision);

第二是显豁(Perspicuity)。

所谓周到,就是文章上显出的意思同作者心里的意思。毫没有大小轻重的差别。譬如说,"俄国冬天很冷",这话果然很显豁,但"俄国究竟冷到怎样?"还是不明白,所以总觉得还有些不周到。明了周到地说起来,似乎该说"俄国冬天很冷,流了泪就成了冰条,喷了气就成为浓雾"。所以要文章周到,注意下列几件事:

1. 要有限制或说明的字眼——譬如前面这句"俄国冬天很

冷",我们所以有冷到怎样的疑问,就因为"冷"字没有限制说明的缘故。加了"流了泪就成了冰条,喷了气就成为浓雾",将冷字限定,便不再有什么疑问了。又如说"父亲有病,请你回来",这句话也很有疑问,所谓"有病",到底是要死的病呢,还是轻微的病?所谓"回来",到底还是抛了一切回去呢,还是凑有空闲的时候回去?这也就因为没有限制说明的缘故。所以要除去种种疑问,换句话说,就是完成明了的美质,在必须时,须得周到地加上限制或说明的字眼。

2. 用近似的说话来对照——譬如说"古文难能而不可贵",又如说"他敬伊,却不爱伊"。因为说到难能,很容易想到可贵;说到敬伊,很容易疑为爱伊。这样用近似语对照说明出来,便很周到,也就不至于暧昧不明了。

3. 少用宽泛语——譬如说"我想编出一本文法书",这"想"字就太宽泛。所谓"想"究竟是决定的呢,还是打算筹备?倘是决定的,我们就不妨说"我决定编出一本文法书",不用那"想"一类的宽泛语,听的人就格外容易明了了。

所谓显豁,就是平易毫不费解。要文章平易,必须注意下列几件事:

(1) 一样的事物用一样的名词——譬如说,"章太炎",就全体用"章太炎",不要又说什么"章余杭"等等。

(2) 应该避去前名(Antecedent)不明的代词——譬如说"他从北京到南京去,在那里买了许多土产"。"那里"两字的前名,究竟还是"北京"呢,还是"南京",就暧昧不明,不如设法避去。

(3) 意义接近的词句,放在接近的地位上——就是语词同主词、宾词、补词,或修饰词同被修饰词,最好放在接近的地位。譬如说"某人十年前在美国某学校毕业,回国后就在某学校教书,学生都很信仰他,但他自己还以为经验不够,要到各地视察教育情形,今天来到上海,住在振华旅馆",这样,主词"某人"同语词"来到上海住在振华旅馆",这样主词"某人"同语词"来到上海住在振华旅馆"就隔离太远了。我们不如说"某人今天来到上海,住在振华旅馆……"

(4)避去有种种解说的词句和结构——譬如"合作和工业的将来",这就是"斗鸡眼的结构"。(Squinting Construction),我们不容易明白它到底是说"合作和工业"两种东西的将来,还是将合作一种东西同将来的工业相提并论?

二、遒劲(Force)

文章明了了,看的人固然不致误解,但人家看了毫无感动或厌倦睡去,也是不行的。所以我们有了明了的美质,还须进一步,发挥雄健动人的势力,洗却平弱枯槁的缺点。要文章遒劲须从下列两面用力:

第一,从思想方面;

第二,从词句方面。

思想方面必须深刻与新颖。所谓深刻,就是作者确有所感而且深厚,并不是表面涂饰。表面涂饰的文章,如同替人家做的哀词,请人家做的寿序,多不能感动别人心情,使人歌哭,便是因为思想不深刻的缘故。所谓新颖,就是自己讲自己的话,并不一意模仿古人!文章不将古人的死格式完全推翻,决不能感动别人,使人精神焕发。什么"求木之长者",什么"世风日下",全是废话,毫无意义!能够感动我们毫厘的情感吗?

词句方面又必须注意下列几项:

（1）注意字面——用字约有下列几项,应该注意。

（A）少用奇词——一切险怪的字,最好避去不用。

（B）多用专词(Special term)——就是所谓"具体的写法",如胡适君在《星期评论》"谈新诗"所举的李义山诗"历览前贤国与家,成由勤俭败由奢",便太抽象,不很有感动我们的力量。

（C）多用譬喻——如明喻、暗喻之类。

（2）注意字数——凡是有力的文字,一定很简洁,很短峭。譬如现在有许多新译的书,一般人读了都易厌倦,便是不注意字数的结果。

（3）注意排列——我们读书最注意的地方,在一本书大约头几句同末几句及特别处所的几句;诸君读过《论语》"学而时习之",想必定是记得的,在一篇也必是如此;在一句也必是头几个字或末几个字。所以凡是紧要的词句必须摆在这些地方才有力量,这是应该注意的一种方法。

又须注意用对句,将紧要的词句,用对句表出。如"人死留名,豹死留皮",就很有感动旧脑筋的力量。此外还须注意层次:最好由小入大,由浅入深,层层激进,步步入深。

三、流利(Ease)

文章能够做得明晰,又能够做得遒劲,文章的目的总算可以达到了。但要使人不厌百回读,还须注意最末的一件事,就是流利。

文章怎样做才会流利,本来不是简单几句话能够说明。但我觉得诸君不妨从下列两方面用力:

第一是自然的语气(Movement);

第二是谐和的声调(Rhythm)。

所谓自然的语气,就是像水流就低一般,毫没有艰涩的一种模样。初学的人要做到这一步,最简便的方法,就是将意义相近的字安排在第一句末脚和第二句起首,就是使意义相近的安排在相近的地方。譬如说,昨天早晨我接到一册《小说月报》第三号,那时我才从床上起来。一手就翻到《猎人日记》。内中"接到"同"翻到"是自然相连的事情,我们最好将它接连安排起来。这种接连安排的方法,很能够帮助我们流畅,也是名文自然必有的手段,请诸君于读名文时,时时留意。

所谓谐和的声调,就是文章读起来很顺口,轻重缓急又同意义很相调和。这不是简单所能说明,诸君要修养这一层,只有将名文时时朗读,带便参究它的音节,后来自然会懂到做到。

凡事都是说着容易做着难,文章也是如此。诸君不看见说"国利民福"的堆满十八省,祸国害民的却也十八省堆满么?诸君知道这一层,诸君必能容忍我这短于文章的人讲论文章的美质!

(第九卷第一号,一九二一年五月一日)

十九世纪及其后的匈牙利文学

沈雁冰

一

匈牙利在欧洲诸民族间,是小民族,是被侮辱的民族;自从前世纪以来,匈牙利无日不在强民族的压制底下,直到此次欧战终止,德奥霸力失坠,方才有点挺立的希望。因为是在这样的环境底下,所以匈牙利的文学自然而然的有一种异样色彩,和别国文学不同。李特尔(F. Riede 亦匈人)著本国文学史说:"历洲各民族都各有其特点……匈牙利的特赋就是强烈的民族精神,从这民族精神上就兴起了民族的文学。从此以后,匈牙利人的生活和文学完全互表同情,而且关联密切;到了十九世纪中叶,新目的到了人民面前,热切的爱国主义也热切地欢迎德谟克拉西的思想,民族文学到此已达到了顶点。"又说:"正如匈牙利国土是受着西来的丹牛波河的灌溉一样,他的文学也是自中世纪以来即受西方思想的潮流影响。匈牙利知识发展的每一时期都是和西欧的思潮有密切的关系的。"这"人生即是文学"的色彩便是匈牙利文学的特色;而且因为是被侮辱的民族,所以它的文学里所表现的民族思想也只不过是要求自由,要求自己一民族也能和其他诸民族一样的立于同等地位以自由向上发展罢了,并不是专想压服他民族的民族主义;这要求"一个公道"的呼吁也是匈牙利文学的一个特点了。

就因为觉得匈牙利文学有这两个特点价值,所以我做了这一篇论文;但我不懂匈牙利文字,不能直接看他们的文学,只好把从间接得来的材料,汇集拢来成了这一篇;大部分是摘译李特尔的书。关于最近代的却又参看了别的书方才写成了。

二

虽然本题是注重十九世纪及其后的匈牙利文学,但是十九世纪以前的匈牙利文学却也不能不略说几句。匈牙利文学可说是从中世纪兴起的;中世纪的两大思潮——宗教和武士道——曾泛滥到欧洲各国的,也照样的浸进了匈牙利民族,使匈牙利产出中世纪的文学来。但是现在存留着的匈牙利中世纪文学却只有那些表现宗教思想的文学,那武士道的文学早已亡逸了。那时传下来的故事传说都是讲圣斯的芬(St. Stophen)、圣拉第斯拉斯(St. Ladislas)等等先哲的。表现的思想都是人类对于自然界的惊讶与求助。而那些帝而兼神的圣斯的芬等便都是"显示灵异"的得自然佑助的"圣"了。时代在先的那些传说中尚颇杂了些异教的思想,到了圣伊利沙伯兹时代,已经有耶稣教思想;如那篇讲伊利沙伯兹丈夫死后的传说便是一个例子。

文艺复兴的思想到了匈牙利,匈牙利的文学也就跟着变色了,那时匈牙利王马席亚斯·柯维奴斯(Matthias Corvinus)很出力引进文艺复兴期的思想。在他朝代最有名的大诗人是茄奴斯·邦拿纽斯(Janus Pannonius, 1434—1472)在文艺复兴期中诸大学者中,称得是第一流的人物，此外有茄立哇托（Galeotts）、安淑南·旁菲尼（AnthongBonfini,1427—1502）诸人都是很有名的。这时的匈牙利文学全是带着浓厚的意大利气色。自从一五二四年以后，宗教改革运动发生后，匈牙利文学又受了影响，成就了他的宗教改革时期的文学。那时因为《圣经》的翻译改动了散文和诗的体裁，又因宗教争端欲利用文字辩难更引进了新的文调；坚决的语气和生硬的句法重新在文学中出面了。紧接着宗教改革的大事便是摩哈克斯（Mohács）方战的败北：这是匈牙利民族政治史上的大关节，却也是匈牙利文学史上的大关节；爱国思想从此在人心中觉醒，流到文学里来；求祖国的自由，求宗教的自由，从此便在匈牙利文学中高唱低呼，热烈的宗教感情夹杂着忧愁的爱国心占满了那时代兴起的诗歌中，直到近年，方才灭杀一些；宗教改革和摩哈克斯败仗真是匈牙利文学史上两个大节目。从十六世纪的大诗人范伦汀·巴拉萨（Valentine Balassa,1551—1594）起，十七世纪有大诗人尼古拉斯·席林夷伯爵（Count Nicholas Grinyi,1618—1664），十八世纪古典派诸诗人，以及十九世纪初最大的诗人孚罗斯麦的（Vorosmarty），都有一样的爱国情感充满着诗中，诗人爱祖国至如此之深切而着力，真是匈牙利文学的特色了。

十六、十七世纪的匈牙利文学在本篇内是不便详细多说了；我们只能把最重要的人提出几个来讲讲。十六世纪前半叶因为正当宗教争论大盛的时候，散文比诗更占势力，但到了后半世纪，却是诗的势力大了。最有名的两个诗人，一是漂泊诗人西巴斯汀·体脑提（Sebastian Tinodi），他是那时漂泊诗人所谓"敏士却尔"者的代表，把土耳其人侵略的事实编成歌词，到处歌唱，后来死于土耳其人牢狱中；余一便是巴拉萨了。巴拉萨的时代正当土耳其人攻伊具尔要塞和斯的芬·杜布（Stephen Dobo）死守的时候，杜布拒敌的勇敢名震全欧，伊具尔的妇女亦临阵助战，巴拉萨的诗便把这些悲壮慷慨的事描写进去了；后来他因为婚姻的事强袭杜布，招国人之怨，流亡外国，归来时死于战场。他的诗中赞美兵士的生涯和怀念祖国的情思，悲壮而又缠绵悱恻；然归宿的安慰都是宗教。此时也出现了许多短篇小说家，描写战事和恋爱，和伊斯脱范费（Paul Istvanffy）的《鱼实的格利西特丝》及翟尔齐亚（Albert Gyergyai）的《阿尔齐罗丝王子》便是。

  十七世纪前半叶是全欧的反宗教改革时期，匈牙利当然不能不卷入旋涡，因此匈牙利的文学也反射出这时代的思想来了。这时最有名的文学家巴士玛南（Peter Pagmany）便是个旧教徒。他除做了许多文学作品而外，又曾做过一本论神学的书唤做《神的真理的引导》，给新教徒以极大的打击；他又曾加入三十年战争，如果不是他早死，那三十年战争的结果也怕要得其相反罢：他又曾在本国建立学院，产生出匈牙利的第一个哲学家来；他的事业真不少呢！但那时新教徒中也不乏名人，最有名的是莫尔那（Albert Sgenci molnar），堪与巴士玛南对抗。到了十七世纪中叶，更出现了两个大才人；一是尼古拉斯·士林夷（Nicholas grin yi, 1618—1664），他的杰作是《息具特伐的被围》，是匈牙利代表的大诗人。一是翟翁翟亚西（Stephen Gyougyossi, 1625—1704），著有《梅拉奈女神和战神联姻》，非常有名。十七世纪末是颓丧时代；土耳其的压力虽然靠着和奥国协作而得脱去，却是奥国的压力又交替着来了。政治上既然仍不能有真正的自由，国内又贫乏到了极点，拉丁文成了"官话"，本国文反受鄙视，综合这几个原因，成就了文学上的颓丧时代。然而因为那时尚有拉古兹亲王（Prince F. Rakocgy）独立军的战争，产生了几篇爱国的诗。米克斯（Count keleman Mikes，1690—1762）和法留的（Francis Falndi，1701—1773）便是那时代的明星。

十八世纪初，法国唯理主义（Rationalism）发生，文艺界又受了极大的影响，在匈牙利有诗人皮生俞（George Bessenyai，1747—1811）首先领受了这新思潮，他极倾慕福禄特尔之为人，也效福禄特尔欲借戏台做宣传思想的地方，著有《亚吉斯的悲剧》《哲学家》等戏曲。他又效福禄特尔做小说，著有《太立门的旅行》等书。此外还有尾脱土（Michael Csokonai Viteg，1773—1805 和法士楷斯（Michael Fagekas，1760—1819）等诗人，这样就做成了匈牙利的新古典派。紧接新古典派之后的，就是改革匈牙利文学的卡新克士（Francis Kagincgy，1759—1831）派。这也是匈牙利文学史上一件大事情，因为有了这一次的改革，才产生了十九世纪诸大文学家，正如卡新克士所说，"我们扫清了路，上帝的儿子就快来匈牙利布满荣光了。"

三

现在我们欲讲到十九世纪的匈牙利文学了。这一百年间的匈牙利文学是一步进一步的发展，若照年代先后分起期来，可分为三期：一启明期，二隆盛期，三极盛期。第一期可以请克斯法罗特（Kisfalndy）兄弟做代表，第二期可以请孚罗斯麦底来做代表，第三期可以请摩耳斯·育珂（Maurus Jokai）亚历山大·裴多斐（Alexander Petofi）和约翰·亚拉纳（John Gramy）三人来做代表。在第一、第二两期，匈牙利的国民文学已是发达到极点了，然而不曾博得世界的名誉；却直到育珂的小说出世，匈牙利文学方受世界文坛的注意。十九世纪末三个大历史小说家，法国大仲马、波兰的显克微支、匈牙利的育珂，是并称的。而且也是到了这第三期，匈牙利文学中方才诗歌、小说、剧本三者并盛，不像从前那样仅只有诗歌了。

现在就试按照这三个时期的大干，旁及他的小枝，去寻究十九世纪的匈牙利文学发展的痕迹，或者也可以得一点大概的知识罢。

在十八世纪末，亚历山大·克斯法罗特（Alexander Kisfaludy，1772—1844）的一卷恋歌早已做成；十九世纪期，单行本出来，就大受国人的欢迎。他是个少年的军人，拿破仑在米兰（Milan）的胜仗把他俘了去，幽禁在局莱具南，他就在那里做成了那本著名的恋歌《赫姆非的恋爱》（Himfy's Love）。这本书是讲赫姆非恋爱丽萨的事，前半部名为《渴恋》，后半名为《祝福的恋爱》。篇中朗润的字句、灵动的章法，和以前诸古典派文家一比，登时显出古典派文家的著作都是冷酷而无生气了。那紧接着唯理主义出来的发动，在法国开了端的浪漫主义文学也就由亚历山大代表在匈牙利开花了。

此外他又做了许多历史短篇小说，也很受人欢迎。他是个多才多艺的人，出身望族，一生原本没有失意的事；但是却有三件事给了他大打击。第一，他虽是一个能干的军人，却碰到了全欧最能干的军事家拿破仑做对手，以致军事一败涂地。第二，当本国内有人提议复活贵族养兵的旧制而极受人攻击的时候，他起来回护，却不幸又碰到了那时代唯一的雄辩家噶苏士（Kossuit）做对手，于是在辩论上失败了。第三，他虽是文坛的前辈，到晚年却被一个后起的文人胜过，不幸这对手就是自己的兄弟查理士（Charles），匈牙利第一个剧曲家。

查理士·克斯法罗特（Charles Kisfaludy，1788—1830）文学事

业的开端在亚历山大第一篇著作发表后十五年，正当匈牙利国人渐渐厌倦抒情诗而喜欢歌剧的时候，他的几篇歌剧作成，登时得到读者的极端欢迎了。他本是个漂泊的画家漫游意大利，生活状况远不及老兄的安适。他的第一篇名作《在匈牙利的鞑靼》（1819年）是在靴匠的作场楼上做成的。这一篇歌剧就开了匈牙利戏曲史的新纪元。在这之前，匈牙利的戏曲只有神秘、讽刺、道德的戏曲，和其余各国经过的戏曲发达的阶段一样；纯粹的匈牙利喜剧是查理士开端的。如《求婚者》《失望》等杰作，竟完全把真正的匈牙利生活描进剧中，是第一次，而且也是最成功的。后来他又做悲剧，《依莱纳》便是最著名的，这是影射土耳其攻破君士坦丁后的一件事，查理士写给米克斯（Mikes）的信中，曾这样说。

　　查理士不但是戏曲家，也是抒情诗家；他的抒情诗中含有两个特点，暗中造成了十九世纪中叶匈牙利文学主要体裁的基础。这两个中：一个便是亚拉纳和裴多斐的民谣体，余一便是孚罗斯麦底的律诗。批评家都说他的《摩哈克》诗是孚罗斯麦底诗体的滥觞，实是这一首诗带匈牙利进了文学的新时代的门。

　　此外还有理想派诗人佛兰雪斯·柯克塞（Francis Kolcsey, 1790—1838）和悲剧家乔失夫·卡当奈（Joseph Katona, 1790—1830）也是那时代著名的文学家，不过在文学史的位置决没有克斯法罗特氏兄弟那么大，所以我们也略过不说了。

四

　　继承克斯法罗特兄弟之后的大诗人（也就是十九世初纪唯一的大诗人），米却尔·孚罗斯麦底（Michael Vorosmarty, 1800—1855

年）造成了匈牙利文学的黄金时代。他的伟大之处可以分三端来说明：第一，他是改革文字创造新诗体的人；匈牙利文字直到此时还是不很完密，不足为发表高尚理想的应用自由的工具，自从他创造了许多新字，新句调，然后应用时没有率直单薄枯瘠之弊。第二，他是集诗学大成的人，他的创作中尽包含了以前各派诗的优点而自然和谐。第三呢，因为他的诗体是最庄严、最高超的，没有第二个人能仿佛相似。这三端真是孚罗斯麦底所以为伟大的。至于爱国心的热烈，倒还是其次哩！

孚罗斯麦底第一篇诗唤做《柴拉之战》（1825年）的，实描当时政局的情形，是他二十五岁时的作品。那时奥相梅德涅正竭力想把匈牙利变做奥国的一省，不许匈人有自己的议会。然而因为本国人的革命的奋争，到底在1825年，是十六年以后了，重又复活的匈牙利自己的议会出世。《柴拉之战》在此时出现，却不是庆贺议会复活成功，却是提醒国人，使他们回头看看本国人往日的先烈，不欲自弃，益加奋力起来。所以这篇诗的材料是借用古事的。因此也就发生了一个缺点——杜撰古代神话，因为匈牙利的古代神话是早已失传了的，玷污了全体。他的第二篇史诗《西尔哈龙》是叙述西尔哈龙古战场上的故事，拿拉提斯拉斯王（St. Ladislas 1092年）做中心角色，很有声色。比第一篇已经胜过了许多，但最著名的是那篇可怕的《两城堡》。这是叙述中世纪时居于两个城堡的两大族争斗的故事。叙争斗之处极惨，至最后一族人完全被杀时，铁哈姆自外面（战争）回来了，他见了家人尽被杀死的惨景，立刻发下大誓，非照样报复不为人。他至仇人家挑战，一对一的决斗，把仇人一家人也统统杀死，最后只剩一个年老的父亲和他的年青女儿伊妮姑。铁哈姆向这老人挑战，也杀了，夺过他的甲盔，自己披戴了,走进堡里去寻伊妮姑。伊妮姑一心指望父亲得胜,看见铁哈姆穿着父亲的甲胄来,误以为是父亲,起来很快活地迎接他,但铁哈姆除去铁盔,伊妮姑方知错了,父亲也被杀,自己是在仇人掌握中了,立时就吓死,倒在地上。这可怕的情景也把铁哈姆吓狂,出了堡门,从此不知去向。这样动人的悲哀,孚罗斯麦底在《美丽的绮龙客》末章也描写过。但是两诗的性质却完全不同。前者是以叙述凶惨动人,后者是以叙述怨慕动人。

孚罗斯麦底的抒情诗大概可分为两类:用简单的文调描写简单的事物,却有静穆的气息的,是一类。例如《鸟声》这首诗便是。富于情绪、赞扬和激昂,如《希望》《流倡》等作品,又是一类。

至于流露着爱国思想的诗篇,自然又是一类。这一类可以拿《活的石像》一篇来做代表。《活的石像》是孚罗斯麦底哀波兰之作,因为他见到匈牙利的前途也正要蹈着波兰的覆辙,所以由衷流出同情的声调来,格外地哀怨凄恻。这篇《活的石像》是把"活的石像"象征波兰;"活的石像"所治的是"心","心"能感能看;但是"不活"的是"身体","身体"既不能言亦不能动作。能感、能看而不能言不能动作,这是多悲惨的命运!波兰正和这活的石像一般,在这"有知觉"而"无力行动"的惨境里。石像半张的口吻似乎将叹出一口气来,似乎将说:"呵人类呀!我只要对你们说出一句话便已足够,人类呀,世界、自然、宇宙呀,如果地上有公道,天上有慈悲,请看着我的境地。"

孚罗斯麦底也做了些剧本,其中有,模仿莎士比亚的,如《沙果与都纳》(*Csongor és Tünde*)一剧是从莎士比亚的《仲夏夜之梦》脱胎来的。也有是受了法国派的影响,如 *The Bonus Marat* 便是。这篇剧本是讲土耳其人掠夺匈牙利童子练为兵士的事。匈牙利贵族的幼子鲍特被土耳其人虏了去，习了土俗，长大后被遣到故乡做奸细，见家人不识，竟见了他的嫂嫂而生恋爱，他的兄用计诱出他们的真情，将杀鲍特，因见了他的佩剑，认得是己家之物，方始知是兄弟。此时他的妻绮答已被土耳其人掳去，鲍特愿救出她来以赎前罪；他偷进了土耳其营，方知救她出去是不可能的事，他就杀了她，免致受辱；但因此他自己也逃不出。剧的结尾就是匈牙利兵和土耳其人的战争，结果是土耳其人败仗。看了这篇悲剧的情节很可以明白孚罗斯麦底受法国浪漫派如嚣俄（Victor Hugo）诸人的影响是何等大了。

孚罗斯麦底又翻译了前莎士比亚的戏曲，和裴多斐非、亚拉纳同为匈牙利之莎士比亚介绍者。

此外和孚罗斯麦底同时的作家，也有几个应该顺便讲起的便是有名的诗僧葛雷古·苏克索尔（Gregory Cgucgor, 1800—1866），他做了一篇《骇怪》力唤国人起来革命，很有名于世。其次便要算那个专以民歌擅长的约翰·茄莱（John Grary, 1802—1853）了。

（未完）

（第九卷第二号，一九二一年六月一日）

十九世纪及其后的匈牙利文学(续前号)

沈雁冰

五

  孚罗斯麦底时代也就是匈牙利政治革命气焰日盛的时代。匈牙利十九世纪的三个大政治革命家，前仆后继地争政治自由。因为印刷术已经进步，报纸日渐加多，所以爱国的革命的思想，都发为评论，在报上登出来，不像两世纪前欲专靠诗人来传布了。同时演说也风行起来，噶苏士(Louis Kossuth)等三位政治革命家都就是大演说家。鼓动的文学与描写的文学也就自然而然的分开来，这样便进了匈牙利文学的第三阶段；这一期的特色就是小说的成功了。

  匈牙利最早的小说也和别国一样，是传英雄的小说；卢骚，哥德的情感小说盛行后，匈牙利的小说也跟着进化到第二阶段；这时的匈牙利小说家，可以举乔失夫·卡尔曼(Jaseph Kar man, 1766—1795)来做代表。他的杰作《芬娜的回忆》，讲一个纯洁而美丽的少女愁损的至于死的经过，在匈牙利文学中简直是创见呢。不幸这位大才人卡尔曼没有寿，二十九岁上就死了。

情感小说盛行之后，社会渐又厌倦，于是小说的发展进了第三阶段，便是《鲁宾逊漂流记》式的冒险小说；这种小说立刻风行了全欧洲，匈牙利自然也跟着走了。乔失夫·瞿凡达尼（Josefh Gvadanyi，1725—1801）便是个代表；他做了一部 Ronti Pal 描写漂泊的冒险的英雄生涯。

这样经过了情感小说与冒险小说的过程，到十九世纪前半，就发生了历史小说和社会小说；匈牙利十九世纪的小说便把这两种小说做了中坚了。在下文，我们先要把几个先驱的小说家略说几句。

社会小说的先驱是有名的安局立·佛贻（Andrews Fay，1784—1861）；他著了一部《勃脱该的家庭》，表示对于将来的乐观与希望。历史小说的先驱便是尼古拉斯·育薜卡男爵（Baron Nicholas Josika，1794—1868），他是崇拜英国文学，极受司各德感化的文家。他曾从军，抵抗拿破仑的军队；从战场回来，方始做小说；后来又因革命的连累，出亡到外国。他第一部著作名《亚巴菲》，是一部很有价值的浪漫小说，也是他一生著作中最有价值的小说。亚巴菲是一个散荡落魄的旧家子，偶然因为一天在林中拾了一个弃孩来，当儿子一般的抚育着，遂感发了他本有的潜藏的良好天性；从此刻苦，遂成了有名的人物。他这心灵的进化也受了一个高贵女子的恋爱的感化。在这部书中，描写环境的压力和个性的自觉，虽然是浪漫的，却是很能感人，全书的史实是十六世纪时的一件故事。佛贻后来也做社会小说，但没有大成功。继育薜卡而起的文学家便是乔失夫·伊乌脱孚斯，男爵（Baron Joseph Estvos，1813—1871）了。他的祖父是奥皇佛朗西司朝的一个忠臣，匈牙利的国贼，曾教唆奥皇破坏匈牙利的宪法，帮助奥兵平定匈牙利的革命军；匈牙利提起他的名字就恨的。所以乔失夫在小学校的时候，同学的小孩子见了他都远而避之，就因为他是卖国贼的孙子呢；不过乔失夫毫无畏缩的意思，有一天，他乘同学全在讲室里的时候，走上讲台，对大众宣言：他将来一定欲做一个爱国，忠于本国的人；这话，后来自然实践了。

伊乌脱孚斯是大小说家兼是大诗人。他的著作都有向理想主义的倾向，处女作《一个卡萨基人》便是如此。书中英雄格斯太孚有最亲密的朋友，有最忠实的恋人，他正是满足极了；但是一天忽然发现恋人是别有所恋的，密友是来欺骗他的，他于是气极了，成为自我主义者了。他无往而不自私。后来和几个朋友在路上见了一个幼而美，贫而贞洁的女子，因为他的朋友说这女子虽然贫苦，可是没人能夺她的贞操的，他便和朋友赌东——二万法郎的生——他能把她娶过来。因此他便假装是一个苦学生，去和她交结，渐渐地得了她的信任，爱他，他此时也许真就可以有幸福了；但是勃旦（那女子）听见了他们赌东的事，觉得自己的幸福已经完全被破坏，失望而至逃走，不知下落。这一件事极打动了格斯太孚的心，使他从自私变到不私。此时他又听说他从前的恋人现在很是受苦，从前的朋友也改归了正路，过忠实的生活；他找到了勃旦时，她病得快死。她对他说，她能再见他一面，真心满极了；于是他方知道，自私的人永不能得幸福，须先使别人有幸福，方才自己有幸福。

伊乌脱孚斯第二部著作《乡村书吏》是一部描写农民痛苦，乡村书吏横暴的小说，1847年作成，那时匈牙利的农奴制尚不曾废止哩。但据迪克（Deak）的批评，却以为伊乌脱孚斯的描写实在太过分了一点。

伊乌脱孚斯也做了几首抒情诗，最有名的是《去国行》及《我的志愿》等篇,爱国之思,充溢于这几篇诗歌里。

　　和伊乌脱孚斯同时的,小说家有克曼奈(Sigismund Kemeny, 1814—1877),诗家有裴多菲(Alexander Petofi,1822—1849)。克曼奈以历史小说得名,杰作如《风暴的时候》便是暗指土耳其人攻破布达坚垒的事,是六十年代最著名的小说。他的著作还有一个特色,就是参用巴尔札克的手法很注意书中人物的心理分析,用行动来显示心理状态变化的进程,使他能够丝丝入扣的,在匈牙利文学中只有他是完全成功的。

　　裴多菲是孚罗斯麦底后最伟大的诗人;正当匈牙利小说家扬眉吐气的时候,他出来重整诗坛的旗鼓;亚拉奈(John Arany)继之,更盛极一时。从此以后,直到现在,便再也没有这等气势了。所以裴多菲和亚拉奈的著作不可不详细些说一说的。

　　裴多菲的诗是非常的,他的人格和他的生活也就是非常的。十八岁时,他当了兵,二十岁时做了戏子,二十七岁时成了最著名的诗人,同年七月,死于战场。他的生命是极短促的;但是他的生命力的表现却有绵延永久的寿命。他的一生,正当匈牙利政治复活的时候,人人对于将来有无限的希望;他在这"新理想"时代的旋涡中,不但做了那时代苏生精神的记录者,而且做了指导者;他的杰作《国家》内便满含了将至的革命的暗示。果然,1848年3月14日得到了维也纳革命的消息了,匈牙利人不在此时谋独立,更没有时候了,裴多菲立刻做了一篇 *Talpra Magyas*,次日,向群众宣读。这篇诗的每段的末句"我们宣誓,我们忠诚地宣誓,不再受暴君的压制了!"受群众狂热的赞许,再三高唱,犹如大军出发前的宣誓一般。等到裴多菲把这篇诗念完,群众就蜂拥到印刷局,斥退奥国派来的检查员,拿过机器来,立刻就印这篇诗,门外的人候印完了才走。不经过检查的诗,这是第一篇呢——裴多菲用笔用口去鼓励国人,他做的《与王者》那篇诗上,每段的末句是"现在没有一个王是应该被爱的了",尤其惊人;他又说:"说话的时候已经过去了,动手的时候是快到了。"原来匈牙利的革命运动此时正已到了大成熟的时机,革命领袖葛苏士把革命军的指挥权托付与大将波兰人邦将军的手里,要向俄罗斯边境开拔了;裴多菲此时再也不能伏在书桌上了,他生平的志愿是在军号怒吹声中死,现在是机会了;1848年10月,他就投入邦将军营里。翌年7月31日在战场被哥萨克兵所杀。"在少年时死,死在战场上,为自由而战,既死后就葬在一个平常的坟堆里,和一切为同此神圣的缘故而死的人在一处",这是裴多菲生平的志愿,现在竟一一做成功!

裴多菲在匈牙利诗坛上的位置是容易定的。他是匈牙利最伟大的抒情诗人。他自说,他的诗只说两个字,一是恋爱,一是自由;但为了自由的缘故,恋爱也当降服。他的诗歌完全是他的人格的自然表现。凡是他灵魂中形结成的感情——不论是爱国心、友谊、恋爱、怒、喜,——一一在诗歌中发泄出来。他自说:"我的心就似有回响的树林,对着叫了一声,会有千百个回音。"他的精神永是活泼的、不退却的;他说:"虽然地上满罩着雪,只要我能播下我的快乐精神的种子,便可有一林的玫瑰花照耀了冬日的阴郁"。一切他想的、感得的、忍受的,都做喷泉一般,在他诗中直冒。他告诉我们,他是饿了、冷了,一个钱也没有了,或是,他父亲打了他了,他的裤子破了。他以前的诗人谁敢如此说?他用最率真的眼光去观察一切事,直说出他观察的结果。所以他的抒情诗有真生命,前人都不能及。

裴多菲又曾做了许多叙事诗,如《*János Vitéz*》和《叛教者》等作都是很著名的。

六

亚拉奈(1817—1882)正和裴多菲一样,是从年少的戏子转而为诗人的;而且也一样的经过了漂泊的生涯。裴多菲是短命的,亚拉奈却长寿了;因此,裴多菲未及见的颓丧时代的匈牙利,亚拉奈却亲身经历过了。他眼见匈牙利的志士起革命军,眼见他们失败,眼见好友裴多菲死于战场;他欲乐观亦不能了,他未尝不想安慰国人,说,死了的树还有苏生的希望,但是目前的折磨太厉害了,理想的安慰还会有什么效力,所以他写了一篇《奈克伊达的流倡》记载这件大不幸,虽然嘴唇上浮着假笑,心里实在是痛苦极了。他和裴多菲不但同时、同享盛名,而且同是理想主义的诗人,这也是和后来作家,如马达西(Madach)等,不同的地方。

亚拉奈是农家子,在提布莱深大学读书的时候,有高材生之目;没有毕业,他就加入游行的演剧团中。匈牙利那时的戏剧还没有十分发达,游行演剧团不很受社会重视;亚拉奈既加入,不但他的教师和同学诧异,他的父母也和他断绝关系。亚拉奈在这团体中两三年,只上台演过一次,他竟没有演剧的才具。于是因为一个夜里的梦——梦见他母亲病在床上将死——他就决心离开演剧团,回家去;在路上经过无限的痛苦,方才到了家里。在家里当了几年的教员,1845 年把一篇讽刺体的叙事诗送到克斯法济特(Kiofalndy Society)学会去应征,竟得了奖,这就是那篇《失去的宪法》,这篇本是不署真名的,奖揭出来之后,方才知道亚拉奈的名字。

第二年,亚拉奈再做诗去应克斯法济特学会的比赛征文,又得头奖，这次的诗便是那篇著名的大叙事诗 Toldi 的第一部。这一篇诗引起了裴多菲的同情，两人的交谊就此开始了。1847年，裴多菲去访亚拉奈，两人欢聚十天，亚拉奈把他已成而未发表的诗——Toldi's Eve——念给裴多菲听。但是次年匈牙利革命军兴起，两个人的命运就完全变更了。裴多菲去投军了，亚拉奈也去做革命党机关报的主笔。从1848年夏到1849年秋，这一年，不但是匈牙利政治史上的一个大纪念，也是匈牙利文学史上一个大纪念；薛具斯伐之役，匈牙利一败堕地，政治上几无复兴之望，而因裴多菲战死了，文学上也受了个大打击。乐观的亚拉奈也不禁要说"我逃去，像一个被追的人；从我自己的灵魂中逃出。天上没有希望，只有失望，失望使我的手垂下，不向天举起了"一类的话，不信国家的将来是有希望。从政治失败引起的悲观思想和颓丧气氛都在文学上表现出来，成为五十年代的匈牙利文学；我们可称他是匈牙利颓丧时代的文学。新起的文人都带着颓丧的色彩原不必说，便是老诗人的诗也含着悲辛凄凉的音调。孚罗斯麦底的《灰白色的流畅》里写他自己听着流畅的歌声，听不出激昂慷慨的调子，只觉得幽怨烦闷，都成了失意事的回响罢了。巴柴（Bajza）说的"只有压制和暴虐，没有正义了，自由只是一个虚名，牢狱翻成善地"，在愤慨中也含着失望的意思。汤巴（Mild Tompa）甚至说："青年的妻都祷祈莫生儿女，父母不可惜儿女的死丧；只有老年人是快乐的，因为想到死期是近了"；竟是绝望的口。诗人哀心填满了悲伤，所以见得自然界的一切现象也都是悲哀的象征；柴斯士（Charles Sgasg）有一首诗里说：天空浮动的云是地上泪与血的蒸气所凝结的，但是将来总有一日要射下它们的闪电到地上来。苟莱（Paul Gyalai）的著作也有同样的苦味。悲观的大诗人马达西做了一部《人的悲剧》，竟表示对于人类全体的命运是怀疑是失望了。在这样的颓丧空气中，亚拉奈虽要保持他的乐观主义的倾向也不可得，《奈克伊达的流畅》不能不假装笑脸了。从1851年起直到1860年，亚拉奈竟只做民歌，替匈牙利的文学史完成了一件重大的工作。

　　1890年，奥军为意大利所败，这正好比是初春的热风吹到匈牙利久冻的精神中使他重复波动起来了。亚拉奈的活动力也就再兴旺起来，1864年出版的《布达的死》分明表现出亚拉奈的第二个少年的精神来；可惜翌年他的大女儿死了，又把亚拉奈送到愁城中去，几乎有十年之久，没有著作。1979年发表了《土儿提的恋爱》，1882年春发表《土儿提的暮年》，同年10月逝世。

　　亚拉奈著作的特色就是能创造出真真的匈牙利人品性来。只看他的土儿提便是；土儿提怒时可以杀人，杀了人可以自首，这是何等尊严大度的气概。他对于君的忠，对于母的孝，以及对于所爱的女人和自己的老仆的和气，都表出他是个智勇仁俱全的人。可是这种美质实在也不单是匈牙利人有，一切人类全有一点。

　　匈牙利的诗自孚罗斯麦底之《柴兰的逃亡》于1825年发表后，到裴多菲和亚拉奈时代而大盛。但至此时也盛极难为继了。七十年代以后就没有很出名的诗家，反是小说家和戏曲家来占优势了。得世界名誉的大历史小说家育珂和他的后继者便是十九世纪末匈牙利文坛上的主要角色了。现在我们先要把颓丧时代的大文人马达西(Madach)说了再说罢。

七

　　前面已经说过：1848年薛具斯伐之役把匈牙利人打下了失望

的深渊,文学家的作品内都含了忧悒失望的调子。最足代表这时代的文学家就是马达西(Imre Madach,1823—1864)。马达西的大作《人之悲剧》(1861年作品)真开了匈牙利戏剧史的新纪元。拿人类全体作为文学题材的,在匈牙利文学中实是创举,悲观思想那样的浓厚,也是创举。《人之悲剧》的主人翁是人类始祖的亚当与夏娃,地点是圣经的地名——乐园。亚当与夏娃既出了乐园,便先做了一个梦,这梦中经历的,便是人类自古以来的全史。亚当先在埃及过了奴隶生活,亚当觉得那"万民统于一君"的观念实在是完全错的,于是他就要求自由。第二幕便是他这要求的实现,他是在民主政体的雅典了。但是可惜,雅典的民主政体虽然给大多数市民以自由,而大多数市民竟不能善用这自由,多数的专制把他们的大伟人密尔的迪斯宣告死刑了,亚当的希望又终于失望了。第三幕开时,亚当在罗马帝国,基督教思想渐盛的时候,亚当跟着也想在宗教中求到满足,但是又失望。第四幕的亚当是大天文学家克布勒,想在科学中求慰藉,这时法兰西大革命爆发,亚当又变做了唐登。这样,亚当方到了现代的世界上,在伦敦做市民。自然又很不满意,因为金钱的势力可以买服恋爱,不必说自由与平等了。九幕便讲将来的世界,亚当是在一个社会主义者的国内,但是世界的末日也快到了,亚当的梦也醒了。亚当从梦中醒来,正想把做的梦告诉夏娃,夏娃却先对他耳语说:"已经怀了孕了。"亚当惊呼上帝,忽然上帝在云间出现,安慰亚当使他不要灰心,勉励他道:"努力向前,信任真理。"全剧到此就完了。

从《人之悲剧》中可以看出马达西的悲观思想,也可以看出马达西虽抱悲观却不是主张"出世"或"享乐"的,上帝说的"努力向前,信任真理",直是"知其不可为而为之"的精神。马达西的悲观由两个原因促成：一是祖国的失败，二是个人生活的窘迫。马达西一生的遭遇常在惊风骇浪之中，1854年和妻子离异这件事，更使他大伤心。他只活了四十一岁，《人之悲剧》是他唯一的最后的作品。

和马达西同时的戏曲家最有名的是薛琪列格底（Edward Szigligcti，1814—1878）。他是匈牙利的农民文学家，《手枪》《牧马人》《流倡》等作极有名。继薛琪列格底的文人是土司（Edward Toth，1844—1876），他本是戏子出身，著有《村伧》。社会剧的作者有士薛基（Gregory Csiky，1842—1891），他第一次得名的著作是《无产阶级》（1879年出版），用写实手腕表示被掠夺者的苦况，是一篇极有价值的作品。此外有《铁人》等作，都是攻击旧社会组织的文字。

八

现在可要谈到匈牙利的小说了。十九世纪末世界最著名的三个历史小说家，一是法国的大仲马，一是波兰的显克微支，一便是匈牙利的育珂了。

育珂（Maurus Tokai，1825—1904）从事于文学著作很早，他第一次遇见裴多菲时，尚是个学生，两人就做了很好的朋友。匈牙利革命时他加入革命军中，尾拉古斯之败，几乎逃不出性命。革命后，曾在布达佩斯住过，1861年被选为国会议员。他第一次娶的是匈牙利著名女优，十二年后她死了，育珂又娶一个曾经做过女优的年青美妇人。

育珂的著作中人物最夥，他死后临葬的时候，有一个人说："如果把他著作中的人物都复活起来，这其中便有：匈牙利的农人，有中世纪的武士、有议员大爷、有乞丐、有罗马官吏、有希腊兵士、有印度帝王、有土耳其王、有阿拉伯及英国的贵族、有亚患林王、有基督教徒、有黑奴、有俄国人、亚美尼亚人以及棋坡寨流倡——这些人若立在街旁,足有一英里多的长呢。"单从这一点——创铸人物之丰富——看来,育珂真不愧是世界的历史小说家。他对于祖国的贡献,不在裴多菲与亚拉奈之下,对于世界的贡献,一定还在裴多菲两人之上。

育珂著作中最有名的是《新地主》《萨尔坦卡拍铁》《男爵的儿子》《战景》等,都是时代背景的反射;历史小说有在《匈牙利的土耳其人》等部;理想小说有《未来世纪》,描写飞艇在空中的战争。

《新地主》是描写"巴克时代"的匈牙利社会状况;匈牙利自从革命失败后,完全在奥国压力底下,巴克是奥国的首相,竭力想同化奥匈两国;那时就有许多奥国贵族搬到匈牙利来住家。《新地主》的主人翁就是一个奥国的大将,在匈牙利做了地主,渐渐儿居然匈牙利化了,他的女儿并且和一个匈牙利武士恋爱。这位奥国大将,从前是那样虐待匈牙利人的,现在却一天一天觉得匈牙利人是可以尊敬,应该表同情的了。《萨尔坦卡拍铁》是表现下一代的社会情形,《男爵的儿子》和《战景》便是表现革命时代的。

育珂那一派的后继者有戈柏(Arpad Kupa)著了《劳动者》《想象中的帝王》等书;有泰布列(Robert Tabori)著有《大比赛》《四十岁的人》等书;有威纳尔(Julius Werner)著有《爱曼立戈根提之结婚》《最终将天明了》等书;在匈牙利现代文学界中,算得是很有权威的。但是堪与育珂并肩相抗,独成一派的,究竟欲算米克士萨斯(Kalman Mikszath, b. 1849),他是比较的近于自然主义的作家;然其描写下级社会人们生活的作品,于悲苦的表现内仍伏着乐观的思想，却又不是纯然自然派的手法。著名小说《善良的巴洛淑克人》便是描写斯拉夫农民生活的；《圣彼得的伞》于滑稽之中带着对于物质文明的感伤，也是杰作。像他那样的描写法与思想基调也是最近代匈牙利小说中的一派；继起者有拉戈西（Victor Rakosi）著了《隐藏的巢》《要波留斯的论文》等书；有莫拉（Stephen More）和勃奈特克（Alexius Benedek）等人。其中尤以勃奈特克为最有名，他做了许多寓言和短篇小说，将真正的匈牙利人品性表现出来了。又有专做冒险小说的茄唐夷（Geza Gardonyi）也是此派的健者。

除这两派而外，还有一派，专以介绍外国文学，模仿外国文学得名的，可以举出衰斯（Sigismunt Justh）来做个代表。他是竭力要把法国的写实主义传到匈牙利的一个人，著有《钱之故事》等篇。属于此派旗帜下的，有麦龙夏（Desiderins Malonyai），潘卡斯（Julins Pekas），他著有《金手套的姑娘》一书，以及戈布（Thomas Kobos）等人。

新进作家之中以小说擅长者，有潘塔兰（Stephon Pelelei），著有《云》；恩布鲁思（Zoltan Ambrus）著有《考勃威勃小姐》《猜忌》等作；又有海尔剌格（Francis Herczeg；b. 1863），是短篇小说家，亚拉奈之后惟一的大才人。他的著作的特色是对于人类的讽刺态度。他的短篇，描写日常生活的琐事，却异常警策动人，所有人物，逼真地浮在纸上；他的杰作是《上与下》《一个女子的历史》，等等。

此外在七十年代中做过著作而不很出名的小说家也有几个，如那著了《秘密恋爱》表现匈牙利城市生活的勃拉（Kalozdy Bela，b. 1875），和著了《在家里》以攻击腐败官僚的台格莱（Alois Degre）等便是；现在不细说了。

九

再讲到匈牙利最近代的诗人;上文虽已说过,自从裴多菲、亚拉奈之后,匈牙利诗是盛极难为继了,然而八十年代后的新诗人也有几个是有名的。不过浪漫思想的才华已经无论如何是到了顶点的了,所以这些新诗人都换了个方向,进了悲观主义了。这派的代表可以举出范衣达(John Vajda, 1825—1897)和莱维剌基(Gyula Reviczky, 1855—1899)两人来。前者曾被迫服务军营多年,失恋于情人。著有《三十年后》一篇,发挥他的悲观思想。后者一生为病与贫所迫,思想很像叔本华——一方对于现实世界极力咒诅,一方却对于生命非常留恋。在他的诗《潘的死》中,这两个感情混合为一了。

新进诗人中勉强还能追随亚拉奈的"余绪"的要算克斯(Toseph Kiss, b. 1843),他是犹太种,民歌做得极好。

十

最后要讲一点匈牙利的批评文学家,匈牙利的批评文学不很发达,这正也是小民族的常例。乔失夫·巴柴(Joseph Bajza, 1804—1858)总算是第一个文学批评家;然而最大的批评家一定要算苟莱(Oaul Gyulay, b. 1828)。他主张严格的科学批评法,虽然振起了批评界的精神,偏见却也不少。和他主张相同的有鲍淑(Zsolt Reothy, b. 1848);现在都是守旧的批评家了。青年的维新的批评家已经产生了不少,最有名的是拉萨尔(Bela Lazas),赫芙西(Alexander Hevesi),伦凯衣(H. Lenkei),佛伦剌士(Zoltan Ferenczy),巴拉具（Aladar Aallagi）等。

（完）

（第九卷第三号，一九二一年七月一日）

中国古代文学上的社会心理

朱希祖

大凡一个社会，从表面上看来，种种组织，小若家庭大若国家，东洋西洋，各个不同。它的不同的缘由，皆根于社会心理的各异。但看它表面上的不同，不细察它里面的心理，这样观察总觉浮薄；要想改革社会，一定是药不对症！但是这些心理，历史上有许多看不出来，倒是文学上表现得最是明显。

现在我所讲的，是我国古代文学上的社会心理。这种心理，我国现在的社会里面，还是没有改变，还是在那里活现，而且势力非常之大；可见文学遗传的力量，是不小阿！

大凡一个人心里，最怕的就是死。偏偏天生成的不吃饭不穿衣不住房子，都是要死的；所以人生一世，都是为着这个问题，忙得不了，家庭国家，都是由这种问题生出来的。这是古今中外的人普通的心理。人最怕的就是死，偏偏天生成的到底终不免于死；于是对于死后的问题，各种人心理就不同了。

对于死后的说法，就成为宗教问题。我国古代虽无宗教，然对于祭祀的一层，却也算是一种宗教。试观吾国古代文学——《诗经》可为古代文学的代表——祭祀诗占了十分之六七。——《周颂》《鲁颂》《商颂》都是祭祀的诗，《大雅》《小雅》中祭祀诗很多，十

五《国风》稍少——祭祀的对象,分为两种:

一种是天神　祭天是王的职分,平民是不许祭祀的。古人心理,以为王是天的儿子,所以称为天子,天子是天命他治万民的,平民不许妄干非分。因此就演成一种神权政治,例如:《商颂》的《玄鸟》,《大雅》的《生民》,表现这种心理,最为明显。这种心理一直传到清朝,还是不变祭天的习惯。民国时代,已经没有天子,还是不改;政体虽然改为共和,专制的心理也还未改。天神以外,又有社稷群神,如《皇矣》之"是致是附"。这种例很多,现在不必多讲。

一种是人鬼　人鬼又分两种:一种是有功于社会的,一种就是祖宗。有功于社会的,如先啬之为田祖《甫田》"琴瑟击鼓,以御田祖"。《大田》"田祖有神。"这种例很多,现在也不必多讲。现在所最要讲明的,就是祭祀祖宗这桩事。祖宗为什么要祭祀他?一部分果然也有报功的心理;然而大部分的心理,必先以为死了以后,还是同活人一样,不但相信有鬼相信有灵魂,而且以为鬼还有躯壳,所以一切丧葬的礼节,祭祀的仪式,种种待遇与活人一样。相信鬼有躯壳,所以保存尸骸,无所不至,衣衾棺椁和坟墓制度,都是从此心理发生的。以为鬼的灵魂,必宿于尸骸。所以法律上盗墓开棺,定了杀罪;若死者的生前犯法,还要戮他的尸首,西洋人死了之后,有付医院解剖的,我中国古人见之,必以为大逆不道了。尸骸为灵魂归宿的地方,故《大车》有"死则同穴"之语,《黄鸟》一诗,且有用人殉葬的举动。相信死了之后有灵魂与活人一样,所以也必须要衣食住,《清庙》的庙《闷宫》的宫,都是为祖宗住的地方;现在的造祠堂、烧纸屋,就是这种遗制。《天保》"吉蠲为饎,是用孝享,禴祠烝尝,(凡祭祀春曰祠夏曰禴秋曰尝冬曰烝)于公先王。……神之吊矣,诒尔多福",都是为祖宗食的事情,现在的四季祭祀,也就是这种遗制。诗中所称的神,就是祖宗的灵魂,后世又加以烧冥衣、烧纸钱,初丧又用纸的舟车、纸的奴婢。佛教进来以后,又加以拜经忏,现在各处风俗,还是如此,这是后世比古人增加的。古人殉葬有俑,有时竟用活人,《黄鸟》"临其穴,惴惴其栗"。我至今读之,想见活埋的惨像,肉战心惊。古人祭祀,还用活人扮尸,《凫鹥》"尔酒既清,尔肴既馨,公尸燕饮,福禄来成"。这两件事,现在总算比古人减少了。

生人所最怕的是死,得衣食住则生,不得则死;有钱则得衣食住,没有就不能得。所以钱是最宝贝的,衣食住是最要紧的。死了之后,以为还是和活人一样,必须要钱,必须要衣食住。其实就使死了之后和活人一样,钱和衣食住,也会能自己供给的。人不需鬼供给,鬼也不需人供给。然而古人的心理,不是这样,以为人死了之后,一定要子孙供给,《左传》说"若敖氏之鬼,不其馁尔。"《孟子》说"不孝有三,无后为大。"就是说没有子孙,祖宗的祭祀,无人供给,必致鬼要饿死的。所以古人的心理,最怕的就是没有子孙,单传独子,难保不中途夭折,断绝子孙,于是乎生出一种多子的主义,《螽斯》颂子孙众多,竟要如螽一般,《思齐》颂大姒"则百斯男",《楚茨》"神嗜饮食,使君寿考……子子孙孙,勿替引之"。这种心理,岂不明显吗?

有了多子主义,就生出一种多妻主义。娶妻不生子,就要娶妾。天子于王后之外,还有三夫人九嫔二十七世妇八十一御妻,诸侯以下,以次递减,以至于平民,犹可于娶妻以外娶妾。妇女七出之条,无子也在出例,妒忌也在出例。所以妇人不妒忌,以为美德。《樛木》美后妃能逮下,无嫉妒之心;《小星》美夫人惠及下,无妒忌之行;《江有汜》美媵劳而无怨;《小星》美妾知命不同。这种全是多子主义造出来的法律道德和文学。然而这种制度,到底使家庭社会不得安宁,观《绿衣》之妻妾相争,《桑中》之相窃妻妾,这弊病就可见一斑了。

有了多子主义和多妻主义,就生出一种重男轻女的心理。《斯干》"乃生男子,载寝之床,载衣之裳,载弄之璋,其泣喤喤,朱芾斯皇,室家君王。乃生女子,载寝之地,载衣之裼,载弄之瓦,无非无仪,唯酒食是议,无父母诒罹。"男寝床而女寝地,始生时已显分轻重,况男子可以多妻,女子不许多夫,男子可受遗产,女子无此权利。何以如此不平等呢?因为古人心理,"神不歆非类,民不祀非族",所以妻女必须贞节。若由外遇而生子,死了之后,祭祀时神不能享受,与无子等:故与其无亲生子,不如承继族中之子,血脉还是相通,还是同类同族。亲生的女儿出嫁于人,生了儿子,他的血脉已不能相通,已成异类非族。所以私生子和外孙同属非类非族,鬼神所不歆的。故女子不许多夫,女子不许承受遗产。遗产必传于亲生子,无亲生子,就传于承继子。遗产传子孙,有责任承担任祭祀义务的心理。所以有人防子孙的不肖,遗产以外,另立祭产;遗产可卖,祭产不能卖,也无非是保障祭祀确实的方法罢了。

古代文学上社会的心理,略已讲了。这种连带而生的心理,遗传到现在,都还未改,影响于风俗如何?请再略为讲演。

一、保存尸骸的弊。种种葬事,由此而生,家有坟地,百千年后,遍地皆坟墓,影响于生产不浅。火葬不行,人人须有一棺,例如四万万人,须四万万棺,材木不给,家宅大受影响。南方人迷信风水,停棺不葬,酝酿瘟疫,有害生人。解剖不行,医术不能进步。前清外国传教者,多兼营医院,且多解剖实验。于是挖眼剖心肢解人体的恐慌,往往酿成教案。前清一代与外国种种战争,丧师失地,赔款糜财，自鸦片战争以至于拳匪之役，没有一件不与教案相关。近来山东胶州问题，亦因杀两教士而起。推其缘由，皆由迷信尸骸为灵魂归宿之说而起。

二、多子主义的弊。因为要多子孙，多妻轻女，已大伤人道，酿成不平之社会。况且因为要多子，势必早婚。早婚之害，男女未成熟生子，体格不强，人种积弱，在世界不能占优胜地位。男女早婚，学业未成，已有家室之累，一有家室，大都不肯远离乡井。于是为家长的，既须养妻，又须养子妇，又须养孙子，终身经营家计，置国家公共事业于不顾。做儿孙的，依赖家产为生，成为无用之物；家长物故，大都坐吃山空，流为无赖；盗贼之风，欺诈之事，种种发生。既因早婚，故望子亦早婚，因此更以早抱孙子为乐。故吾国多大家庭，家家以人丁兴旺为祥，故国家人口竟至四万万，成为人口问题。因为人口愈多，生计愈困难，卫生不讲，学术不进，大多成为贫弱分子，不但无益国家，而且反为有害。

三、重男轻女之弊。我国四万万人口，半为女子，此一半女子，于法律上既不能与男子平等，无财产权，无学业权，为男子之附属品。在男子一方面，实也受累一生，多因此不能成功事业。而女子一方，更加受苦，种种弊病，讲不胜讲，现在的世界，非人人有自立自养的资格，几乎不能生存于世，再不解放，实在危险得很！

以上种种弊病，大都由祖宗教而起。故要男女平等，不要早婚，不许多妻，不要多子，非把他根本心理打消，虽千方百计，演说著书，从浮面的弊病立说，终是无济于事！所以要把以上的弊病打消，非先把它迷信的心理打消不可！打消它迷信的心理，须从科学做起，第一件事，就是取消祭祀祖宗。这件事一取消，以下由祭祀发生的弊病就多迎刃而解了。

凡百事业和学术的进化，总脱不了遗传和环境两事。譬如现在讲文学，要研究环境，必须研究外国文学；要研究遗传，必须研究本国文学。因为不知道遗传，须要改良，也无从着手。鄙人所以要讲这篇的意思，大半也是为此。

附记

人家见了这一篇文章，或以我为耶稣教徒，所以要废掉祭祖宗这件事。其实我是不信宗教的，《北京大学月刊》上我有几篇文章，可以做证据的。

又或骂我为非孝一派的。其实孝是人情之常，不过我是赞成对于父母生前真实诚恳的孝，反对对于父母死后虚伪装饰的孝。

朱希祖　民国十年七月八日

（第九卷第五号，一九二一年九月一日）